Dom pod Lutnią

POWIEŚĆ

KAZIMIERZ
ORŁOŚ

Dom pod Lutnią

POWIEŚĆ

WYDAWNICTWO LITERACKIE

Joanna zawiozła Tomka w pierwszych dniach czerwca. Rano w Olsztynie mieli przesiadkę. Zapamiętała sowieckich żołnierzy na peronach. Siedzieli na skrzynkach i zielonych workach — niektórzy spali. Furażerki z czerwonymi gwiazdami na oczach. Podpity cywil wykrzykiwał nad głowami śpiących: „Sława gierojom!". Potykał się o wyciągnięte nogi, o buty, zataczał. Śmiech sołdatów. Zapach dziegciu i nie wiadomo skąd — nafty. A potem w lasach wzdłuż torów, za miastem, w rowach i na skarpach — liliowe łubiny. Przez uchylone okno zalatywało dymem z parowozu. Głośno stukały koła na złączach szyn. Czasem parowóz gwizdał (jechali w pierwszym wagonie za lokomotywą). Chłopiec zasnął z głową na kolanach matki. Chudy, jasnowłosy, w bluzie i krótkich spodenkach od harcerskiego mundurka. Sterczały gołe kolana. Mała dłoń nad głową zaciśnięta.

Joanna siedziała bez ruchu. Patrzyła w okno na przesuwający się pejzaż: lasy, lasy, a kiedy wyjeżdżali na otwartą przestrzeń, domy pod czerwonymi dachami, kwitnące drzewa wokół schludnych zabudowań. Dwie kobiety przy drzwiach rozmawiały po niemiecku. „Oto Prusy Wschodnie" — myślała.

Pociąg z Warszawy mieli w nocy. Przed jedenastą sprowadziła dorożkę. Jechali pustymi ulicami na dworzec przy Towarowej. Głośno stukały końskie kopyta na kostkach Rakowieckiej, alei Niepodległości, Wawelskiej. Światła latarni przyćmione, za to świecił księżyc i kiedy jechali Wawelską, patrzyła w stronę Pól Mokotowskich, na domki fińskie w księżycowej poświacie i kasztany w ogródku jordanowskim.

Tomek, odwrócony plecami do matki, klęczał na ławeczce. Wyglądał zza pleców dorożkarza. Widział poruszający się zad konia, słyszał monotonne „klik-klak, klik-klak" końskich kopyt.

Był rok czterdziesty dziewiąty. Niecałe pięć lat upłynęło od powstania. Janek, mąż Joanny, walczył w pułku „Baszta" na Mokotowie, ona była łączniczką w Zgrupowaniu „Zaremba-Piorun" — w Śródmieściu. Czteroletni Tomek z babcią i gosposią zostali w willi na Rakowcu (wyprowadzeni w połowie sierpnia przez żołdaków, jak mówiła matka, z Brygady Kamińskiego).

Patrząc na ciągnące się wzdłuż torów fioletowe i różowe, jak posadzone na grzędach, łubiny, Joanna przypominała sobie ostatnie lata — życie w przedwojennej Warszawie, w domu przy Płatowcowej (ocalał, nie był nawet spalony). Studia, które oboje zaczęli na Wydziale Architektury Politechniki Warszawskiej, powrót ojca z oflagu w czterdziestym piątym i dzień, kiedy aresztowano Janka.

Ubowcy przyjechali o piątej rano brązowym citroenem — „cytryną", jak mówiono. Pamiętała głośne ujadanie psów przed domem sąsiadów, stukanie — raczej łomot do drzwi — i bladą twarz starej Antosi, kucharki, która wpuściła mężczyzn. Weszło pięciu. Pamiętała rewizję — wyrzucone z szuflad papiery Janka, zeszyty i książki. Deptane na podłodze przez ubowców. I ten moment, kiedy wyprowadzili męża, dwóch w cywilu i trzech milicjantów. Janek, szczupły jak szparag, między nimi. Wychodząc, pogładził ją po policzku. Zapamiętała muśnięcie dłoni.

Dom był obstawiony — na miejsce tamtych pięciu weszło zaraz czterech. Powiedzieli, że zaczekają na kolegów Janka „z tej waszej organizacji".

— My wszystko wiemy — mówił najstarszy, do którego pozostali zwracali się „towarzyszu kapitanie". Rozsiadł się w fotelu w stołowym pokoju — łysy, z ciemnym zarostem na policzkach. Skórzany płaszcz powiesił na oparciu krzesła. Zmiętą chustką wytarł pot z czoła. Popatrzył na zgnębioną Joannę: — Możecie chodzić po mieszkaniu, ale wyjść dalej nie można. Póki tu będziemy.

Joanna spytała, czy to znaczy, że zakładają kocioł i będą przez kilka dni? Ubowiec wzruszył ramionami:

— A nazywajcie sobie jak chcecie. Kocioł, nie kocioł. Może sagan? — zaśmiał się.

Pozostali trzej przeglądali papiery i książki. To, co zostało w szafach i na półkach. Po godzinie zaczęli się nudzić — palili papierosy. Gryzący dym wypełnił mieszkanie Bronowiczów.

Antosia w kuchni zaczęła lamentować: — Boże święty, Matko Przenajświętsza, Jezu Chryste, wspomóż nas, pociesz!

— Tej starej powiedzcie, żeby się uspokoiła! — zdenerwował się „towarzysz kapitan". — Będzie mogła w kościele jęczeć, jak pójdziemy.

Wieczorem przyszli inni. I tak zmieniali się do niedzieli — od wtorku, kiedy zabrali Janka. Spali na fotelach i rzuconych na podłogę kocach. Jedli w samochodach. Czasem kazali sobie podawać herbatę.

Zatrzymali dwie osoby. Ciotkę Izabeli Bronowiczowej, młodszą siostrę jej matki — Jadwigę z Biskupskich. Bronowiczowie mówili o niej „ciocia Jadzia". Przychodziła w soboty na obiady. I praczkę, panią Zosię z ulicy Balonowej. Przyniosła paczki z wypraną pościelą. Te paczki zaraz przetrząsnęli, rozrzucając prześcieradła i poszwy. Kiedy pani Zosia chciała wyjść — upierała się i krzyczała, że małe dzieci zostały w mieszkaniu — jeden z ubowców huknął: — Bo was powieziemy na Rakowiecką! Już tam towarzysze zajmują się takimi jak wy. Cisza!

I tak kilka dni zeszło Izabeli i Joannie na strachu, zdenerwowaniu i niepewności. Starały się zachowywać normalnie. Rozmawiały o jedzeniu i pogodzie. Joanna uczyła się ze skryptów, szkicowała w bloku projekt mieszkalnego budynku. Wieczorami grała z Tomkiem w makao. Mały wynudził się najbardziej. Kilka razy rozśmieszył ubowców niespodziewanym pytaniem: „czy kogoś już zabili?" lub „czy mogą zaaresztować pana Bieruta?".

Izabela rozmawiała z ciocią Jadzią — wspominały Kowieńszczyznę, krewnych, czasy sprzed pierwszej wojny. Bronowiczowa czytała *Rodzinę Whiteoaków*.

Kocioł skończył się w niedzielę wieczorem. Ten najstarszy, kapitan, powiedział, wychodząc:

— Nie żegnamy się. Jeszcze do was wrócimy nieraz.

8

Wyszli o siódmej, a o dziewiątej przyszedł kolega Janka z „Baszty" — Staszek „Judym" (w trzydziestym dziewiątym zaczął studia na Akademii Medycznej). Joanna krzyknęła, kiedy otworzyła drzwi: — Boże, Stachu, oni dopiero co wyszli! — Nie wiedziała, czy zapraszać gościa, czy mówić, żeby uciekał.

Kilka minut rozmawiali w przedpokoju. „Judym" opowiadał, że był kocioł w mieszkaniu na Puławskiej. Ktoś ze znajomych sypał — były inne aresztowania. — Wiedzą o naszych spotkaniach. Podejrzewają spisek, wrogą działalność. Podobno chcemy obalać ustrój! Wymknął się kuchennymi schodami. Pobiegł ogrodem w kierunku Racławickiej.

Janka zabrali w kwietniu. W maju Joanna postanowiła, że zawiezie syna na Mazury, jak mówiono o części Prus Wschodnich, które Sowieci podarowali Polsce. Pod opiekę dziadka.

— Trzeba to wszystko przeczekać — mówiła do matki. — Zobaczymy, co się stanie. Jeśli Janka wypuszczą, przywiozę go z powrotem. A tak, tutaj, gdyby jeszcze mnie wzięli, być może trafiłby do domu dziecka. Mogliby zabrać mamie, prawda?

Ten czarny scenariusz — odebranie dziecka babce — najbardziej niepokoił Joannę. Matka nie protestowała. Wieczorami obok domu przejeżdżały milicyjne samochody — amerykańskie willysy, ubeckie cytryny. Nieznajomi mężczyźni wystawali w cieniu akacji na rogu Płatowcowej i Olimpijskiej. Miała wrażenie, że kiedy rano idzie ulicą Świętego Andrzeja Boboli, do

Rakowieckiej — do pętli tramwajowej, aby dalej jechać czternastką do placu przed Politechniką, a potem iść Lwowską do gmachu architektury na rogu Koszykowej — jacyś ludzie ją śledzą. Odprowadzają. Jechały za tramwajem brązowe cytryny.

Joanna zamknęła oczy. Stukot kół, zapach sosen i łubinów na przemian z dymem uśpiły ją jak Tomka. Przyśniło jej się, że tańczy z Jankiem na zabawie szkolnej, w gimnazjum Reytana, w roku trzydziestym ósmym. Wtedy się poznali. Była o rok młodsza, chodziła do Królowej Jadwigi, żeńskiego gimnazjum przy Woronicza, róg Puławskiej. Janek był w klasie maturalnej.

W nowym gmachu przy Rakowieckiej, w sali z połączonych klas (drewniane ściany rozsunięto na boki) zorganizowano zabawę. Joannę zaprosił brat koleżanki, ale od połowy wieczoru tańczyła już tylko z Jankiem. Śniło jej się, że tak jak wtedy, widzi chudego chłopaka, z czupryną jasnych włosów spadających na czoło, jak przeciska się między tańczącymi parami — do niej, siedzącej na ławce pod oknem. Ukłonił się w milczeniu. Orkiestra grała *Tango milonga*. Teraz, we śnie, nie mógł zbliżyć się, odpychany przez tańczące pary. Patrzyła, jak próbuje docisnąć się do okna. Słyszała bardzo wyraźnie melodię, nawet słowa: „Tango milonga, jak dawniej grajcie mi znów...".

— Janku — zawołała — tu jestem!

I obudziła się, razem z Tomkiem, którego słowa matki także zbudziły.

Joanna uważała, że syn jest miniaturą męża. Tak samo szczupły jak Janek, tak samo miał jasne włosy. Tylko oczy po niej, piwne.

— Niedługo pewno dojedziemy. Czy nie chcesz siusiu?

Chłopiec przeciągnął się i ziewnął. Byli już sami w przedziale. Dwie kobiety wysiadły w Pasymiu. W szarych spódnicach, krótkie skarpety na bosych nogach i czarne chusty, oplecione wokół głów. Przypominały Niemki z czasów wojny. Starsza spytała Joannę po polsku:

— A wy to skąd jesteśta?

— Z Warszawy — odpowiedziała, a wtedy kobieta uśmiechnęła się:

— *Warschau, Warsiawa. Das ist jetzt unsere Hauptstadt, ja?*

Tomek urodził się w czasie okupacji, na wiosnę czterdziestego, w szpitalu na Karowej. Rok po ślubie w kościele Jezuitów — w maju trzydziestego dziewiątego. Niecały rok od wybuchu wojny. Czy wychodząc za Janka, tak bardzo szczęśliwa w dniu ślubu, gdy stali na ulicy Świętego Andrzeja Boboli, po wyjściu z kaplicy, a w ogrodach, po drugiej stronie, kwitły owocowe drzewa — otoczona przez bliskich i przyjaciół, którzy składali życzenia — czy wówczas mogła przewidzieć, że oto minie dziesięć lat i ona z małym synem będzie jechać przez Prusy Wschodnie, aby ojcu (wtedy w galowym mundurze, kawalerzyście, oficerowi 14 Pułku Ułanów Jazłowieckich) oddać chłopca pod opiekę? Wtedy myślała, że zawsze będą szczęśliwi. Mieli popłynąć „Batorym" w podróż poślubną. Odłożyli do jesieni, ale we wrześniu koło ich willi na Płatowcowej zaczęły spadać bomby. I potoczyło się inne życie: prze-

11

rwana nauka, konspiracja, listy ojca z oflagu. I ciąża, której nie chciała, bo po co rodzić dziecko w okupowanej Warszawie? Tak wtedy powiedziała Krystyna, przyjaciółka, z którą kończyły Gimnazjum Królowej Jadwigi:

— Po co masz rodzić? Lepiej usuń.

Ojciec wrócił z oflagu w czterdziestym piątym. Zapewne wkrótce zorientował się, że w willi na Płatowcowej — z matką, zięciem, córką, starą Antoniną i obcymi lokatorami na parterze (dwie rodziny dokwaterowano w czterdziestym szóstym) — nie wytrzyma długo. Z matką zresztą już przed trzydziestym dziewiątym były konflikty. Podpułkownik Bronowicz najczęściej przebywał poza domem. W garnizonie lwowskim Ułanów Jazłowieckich na Łyczakowie lub w Centrum Wyszkolenia Kawalerii w Grudziądzu jako instruktor i doświadczony kawalerzysta. Szkolił elewów, ujeżdżał konie. Jeździec, piłsudczyk. Jeden z odznaczonych przez Marszałka za szarżę pod Jazłowcem, w 1919, Krzyżem Srebrnym Virtuti Militari.

Urodził się w 1887 roku w majątku Bronowiczów na Podolu, niedaleko Berdyczowa. Rosyjskie gimnazjum kończył w Humaniu. W 1912 roku zaczął studia w Galicji, na Akademii Rolniczej w Dublanach koło Lwowa, przerwane wybuchem pierwszej wojny. Wrócił do rodzinnego majątku, skąd z matką i braćmi wyjechali do Kijowa w 1917 roku, uciekając przed bandami maruderów z rosyjskiej armii. W 1918 ze starszym bratem Karolem dotarli na Kubań, do szwadronu polskiej kawalerii przy rosyjskim pułku, walczącym z bolszewikami.

Później był Nowosybirsk i przeprawa w styczniu przez Morze Czarne do Odessy (gdzie kwaterowali w koszarach po kozakach). Dalej, już pod generałem Żeligowskim, Rumunia i Małopolska — walki z Ukraińcami w 1919. W 1920 roku wojna z bolszewikami (brat Karol zginął pod Wernyhorodkiem w czasie walk z „hordami Budionnego", jak mówiono). Józef Bronowicz, związany od zawsze z czternastym pułkiem, w 1921 roku ukończył kurs oficerski Szkoły Kawalerii w Grudziądzu. Awansował najpierw na podporucznika, później porucznika, rotmistrza. W 1937 na podpułkownika.

Przystojny, w mundurze i rogatywce z długim daszkiem, w czarnych oficerkach z ostrogami, przy szabli. Joanna takiego ojca pamiętała sprzed wojny, gdy przyjeżdżał na Płatowcową ze Lwowa, wchodził, szeroko otwierając drzwi wejściowe, odpiętą szablę wsuwał między parasole w kącie przedpokoju, a potem całował ją w policzek i mówił:

— Co mi powiesz, moja mała?

Wrócił z Woldenbergu zmieniony, postarzały, siwy. Często unosił się — czerwieniał na twarzy. Zwłaszcza w czasie rozmów z matką. Przed wojną Bronowiczowa mówiła do męża:

— Ty, Józiu, udajesz trochę Wieniawę.

Na co zawsze odpowiadał:

— Znam, znam, jesteśmy po bruderszafcie.

Teraz, z wyrzutem, jakby obarczając ojca winą za przegraną wojnę, matka mówiła:

— Śmieszni byliście z tą waszą kawalerią. Z końmi na tanki? Jak papierowi żołnierze!

Być może uszczypliwe uwagi żony — napomknięcia i aluzje, zdecydowały o tym, że wybrał Prusy Wschodnie — uciekł na Mazury. Ojciec nie mógł znaleźć sobie miejsca w powojennej rzeczywistości. W czterdziestym siódmym rzucił pracę księgowego w Warszawskiej Spółdzielni Spożywców. Zerwał wszystkie kontakty.

— Jeszcze, córeczko, kilka lat pożyję spokojnie. Nie jestem taki stary, prawda? — powiedział, wyjeżdżając. Skończył wtedy sześćdziesiąt lat.

Czekał teraz na córkę, przechadzając się obok bryczki kupionej niedawno. Gumowe koła pod wysoko zadartymi błotnikami, żółty kosz i obręcze. Kufer z klapą, stopnie zawieszone na pałąkach. Fotel na dwie osoby obity wiśniowym pluszem. Przód zaokrąglony. Niżej już tylko orczyk i dwa dyszle, między którymi wałach Benedykt (kawa z mlekiem, jasna grzywa) stał przywiązany do słupa przy płocie, obok stacji w Starym Borze.

Przed kilku dniami listonosz z Jakubowa przywiózł telegram: „Przyjadę z Tomkiem siódmego o dziesiątej pociągiem z Olsztyna. Joanna".

Bronowicz utrzymywał jedynie listowny kontakt z rodziną. Nie jeździł do Warszawy, odkąd zamieszkał tutaj. Przedtem, zanim znalazł odpowiednie miejsce, kilkakrotnie odwiedził Mazury — pierwszy raz na wiosnę czterdziestego siódmego. Pytał w urzędach gminnych i powiatowych, w małych popruskich miastach. Oglądał gospodarstwa. Zastanawiał się jeszcze, chciał być pewien, że warto właśnie tu zacząć nowe życie.

W końcu, w listopadzie czterdziestego siódmego, zamieszkał u wdowy Gertrudy Kalinowski, która z trojgiem dzieci wyjeżdżała do Niemiec. W gminie, w Jakubowie, uzyskał przydział na gospodarstwo: dziesięć hektarów gruntu piątej i szóstej klasy, pastwiska i łąki. Drewniany dom stał na uboczu, za wsią. Obok murowana stodoła z oborą, stolarnia, kurniki. Został także inwentarz — stado kur, gęsi, kaczki, koń Benedykt z dostawy unrowskiej. Były też trzy krowy, wśród nich jedna cielna. Klacz arabską przywiózł pół roku później, po wyprawie do Janowa Podlaskiego, gdzie dyrektorem stadniny był kolega z pułku i oflagu — major Krzeczunowicz.

W czasie wojny Bronowiczowie uratowali trochę złota — złotych rubli i dolarów — w skrytce, w piwnicy na Płatowcowej. Połowę z tego majątku wydał pułkownik „na Lipowo", jak mówił, płacąc Gertrudzie Kalinowski za pozostawione zwierzęta, sprzęty domowe i wyposażenie stolarni. Resztę zostawił żonie. Od wiosny czterdziestego ósmego (po wyjeździe wdowy) zaczął opłacać podatki w gminie, w Jakubowie.

Depesza od córki zaniepokoiła go. Odżyły wspomnienia. Obraz powojennej Warszawy, twarze niechcianych lokatorów z parteru. Nudna praca księgowego wśród ludzi z plebsu, jak mówiła Iza. Czerwone transparenty na ulicach, brak złudzeń.

Krążył wokół bryczki, patrzył na zegarek na dewizce (wyjmował z kieszeni starych spodni od munduru). Otwierał i zamykał kopertę. Znów zaczynał chodzić.

Świerki po drugiej stronie torów i lipy obok budynków stacji stały w słońcu. Widział korony pochylone nad czerwonym dachem. Od czasu do czasu drogą obok przejeżdżała wojskowa ciężarówka lub wolno toczył się wóz — furmanka. Dzień był upalny. Bronowicz wycierał czoło chusteczką zwiniętą w kłębek.

W końcu z daleka, z głębi lasu, doleciał gwizd parowozu. Wtedy zaraz ruszył w stronę budynku, przeszedł obok kasy i dwóch ławek pod oknami. Wyszedł na peron w chwili, gdy zza zakrętu wyjeżdżała lokomotywa w obłokach pary. Pociąg zbliżał się po łuku torów — błysnęły okna. Powoli wtoczył się na stację.

Joanna z synem wysiedli z pierwszego wagonu. Pomogła Tomkowi ułożyć paski tekturowego tornistra na ramionach (miał w nim blok do rysowania, kredki, ołowianych żołnierzy w kartonowych pudełkach i blaszany pistolet na kapiszony). Zaczęła się rozglądać. Dopiero po chwili, za plecami odchodzących w stronę budynku, zobaczyła głowę ojca. Zbliżał się między pasażerami — wysoki, siwy, w białej koszuli i zielonej kamizeli bez rękawów. W szarych skarpetach, jak w sztylpach, naciągniętych na nogawki wojskowych spodni, zamiast czarnych oficerek.

„Brakuje tylko szabli" — zdążyła pomyśleć i już ojciec stał przy nich.

— Witajcie! — Kucnął, chwycił wnuka pod pachy i uniósł na chwilę: — Ależ wyrosłeś! — Pogładził po jasnych włosach.

Córkę pocałował w policzek. Poczuła muśnięcie zarostu i ten, zapamiętany z dzieciństwa, zapach mydła, może wody kolońskiej? Ojciec pachniał wtedy tak samo.

— Nareszcie jesteście! Na pewno zmęczeni i głodni. Chodźcie. Benedykt nie może się doczekać, kiedy was powiezie. — Podniósł walizkę.

— A Benedykt to kto? — Tomek popatrzył na matkę. — Może kolega?

— Zapytaj dziadka.

— Zaraz zobaczysz — powiedział Bronowicz. — Jeszcze będziesz się na nim uczył jeździć. To koń. Lubisz konie?

Poszli opustoszałym peronem. Minęli zawiadowcę w czerwonej czapce. Akurat uniósł rękę — dawał znak maszyniście do odjazdu. Pociąg ruszył wolno. Idąc za matką i dziadkiem, chłopiec oglądał się, póki — tuż przed wejściem do budynku — nie zobaczył, jak ostatni wagon znika w lesie.

Jechali potem asfaltową drogą pod drzewami, jak długą aleją. Joanna, trochę chaotycznie, opowiadała ojcu o aresztowaniu Janka, o rewizji, o późniejszych nowych aresztowaniach kolegów z „Baszty", o niepokoju o syna.

— Chcę, żeby został u ciebie, tato. Przez kilka miesięcy, może przez rok? Czy to możliwe?

Mały siedział między matką i dziadkiem. Bronowicz podał mu lejce:

— Trzymaj. Będziesz powoził.

Tomek starał się mocno trzymać lejce. Czuł, jak koń porusza łbem — rzemienie podskakiwały na jasnym zadzie. Benedykt uniósł ogon i na drogę posypały się ciemne kule.

— Mamo, zobacz, co on robi! — zawołał Tomek.
Zapachniało nawozem.

Wiatr, wiatr — podmuchy od pól za drogą. Jechali w słońcu i w cieniu, wśród szpaleru lip, jesionów, brzóz. Słońce przeświecało przez gałęzie. Czasem brzozowa witka musnęła policzek. I to monotonne — jak tamto w Warszawie, z Wawelskiej i Raszyńskiej — klik-klak, klik-klak na asfalcie.

— Oczywiście, że może zostać — powiedział Bronowicz. — Jeśli tylko masz do mnie zaufanie. Jako do opiekuna, Joasiu. — Spojrzał na córkę.

— Będzie bezpieczny. A tam, gdyby mnie aresztowali, mamie mogliby odebrać. Zresztą porozmawiamy później. — Joanna pokazała palcem plecy Tomka.

— Jasne, jasne — kiwnął głową pułkownik. — À propos, jak matka?

Córka westchnęła.

— Mógłbyś ją tutaj zaprosić. Może by została? Poprowadziła ci gospodarstwo? Ciągle narzeka na zdrowie. To ją boli, tamto. I ta nasza rzeczywistość za oknami. Brak Janka, brak ciebie, brak Tomka. Mama nie może z tym żyć.

Bronowicz powiedział: — Wiem.

Dojechali do Jakubowa. Dziadek zabrał lejce od wnuka. Kopyta Benedykta zastukały po drewnianym moście nad rzeką. Jechali dalej, wśród murowanych domów krytych czerwoną dachówką. W ogrodach kwitły jeszcze drzewa owocowe. Za wsią skręcili na polną drogę, w stronę lasu.

— Nie mogę zaprosić matki — powiedział Bronowicz dopiero tutaj. — Wiesz, jaka jest. Nie zgadzamy się.

Nigdy się nie zgadzaliśmy. Charakterami, poglądami. Rozumiesz? Chodzi o to, jak człowiek chce żyć. Matka jest apodyktyczna, Joasiu.

Teraz córka powiedziała: — Wiem.

Dojechali do lasu. Benedykt jakby się zmęczył — sunęli wolno wśród sosen, piaszczystym traktem. Zapachniało lasem — igłami, mchem, ciepłą korą. Dalej były świerki. Bronowicz cmokał na konia, ale wałach nie chciał biec — bryczka toczyła się, kolebiąc na koleinach. Tomek zapamiętał kołysanie, cienie sosen na piaszczystej drodze i długą smugę leszczynowych zarośli w miejscu, gdzie kończył się las. Wyjechali na otwartą przestrzeń i zaraz, trochę w dole, zobaczyli wieś. Znów czerwone dachy wśród zielonych drzew. Korony lip pochylonych nad dachami. Na łąkach, wokół wsi, pasły się krowy. W jednym miejscu widać było stado gęsi, jakby na zielonej łące suszyły się pieluszki.

A dalej lasy, lasy i wielkie niebo nad lasami. I to niebo, po wyjeździe spomiędzy sosen, zapamiętał Tomek.

— Oto Lipowo — powiedział Bronowicz.

Zatoczył koło batem. Znów cmoknął na konia. Teraz Benedykt ruszył raźniej — bryczka potoczyła się szybciej. Przed wsią skręcili na wąską drogę, chwilę jechali między płotem z długich żerdzi a łąką żółtą od kwiatów mniszka. Po raz ostatni skręcili i zajechali szerokim łukiem pod drewniany dom. Był duży, z werandą, przy której bułany koń szczypał trawę. Uniósł łeb i zarżał krótko. Benedykt odpowiedział chrapnięciem.

— Oto moja rezydencja — powiedział Bronowicz. — Koniec podróży.

Rozszczekały się psy. Duży, szarobury, uwiązany przy budzie pod murowanym budynkiem z czerwonej cegły naprzeciw domu (przez na przestrzał otwarte wrota widać było ciągnące się daleko łąki i pola, aż hen, pod las), wyglądał na wilka. Ujadał głośno, basem. Stawał na tylnych łapach, szarpał łańcuchem. Tańczył przed budą. Drugi — mały, czarny kundel z zakręconym ogonem i białą plamą wokół ucha — przybiegł z ujadaniem. Skakał naokoło bryczki. Dwa razy szczeknął na Benedykta. Tomek bał się zejść na trawę — siedział na wiśniowym fotelu. Joanna wołała:

— Chodźże, nie bój się!

Bronowicz chwycił wnuka pod łokcie, uniósł, jak na stacji, i postawił obok bryczki. — Pieska się boisz? Co z ciebie za mężczyzna? To nasz Kajtek, został w spadku po Frau Kalinowski. Kiedyś nazywał się Stupsi.

Kundelek obwąchał sandały Tomka i polizał po gołym kolanie.

Zanieśli walizkę i tornister na werandę. Potem pułkownik odjechał w stronę otwartych wrót. Widzieli, jak wyprzęgał Benedykta i jak stał chwilę przy budzie wielkiego psa. Bury wilk wspiął się na tylne łapy, przednie położył na ramionach pana. Bronowicz przemawiał do niego, klepał, głaskał. Nie słyszeli słów.

Koń pokłusował na łąkę za wielką stodołą.

Joanna została do następnego dnia — nie mogła dłużej. Był wtorek — w czwartek miała seminarium na uczelni. Myślała także o Janku: może będzie wiadomość od niego, może wróci?

Teraz, po przyjeździe, zjedli na werandzie śniadanie. Siedzieli na drewnianych ławkach przy długim stole, przykrytym haftowanym obrusem (białym, w różowe i żółte kwiaty).

— Skąd masz taki piękny obrus? — spytała, ale ojciec, wchodząc do sieni przez uchylone drzwi (nad zieloną futryną podłużne okienko z małymi szybkami), odpowiedział niewyraźnie — nie dosłyszała. Drugi raz nie zapytała.

Pułkownik przynosił z kuchni półmiski przystrojone natką pietruszki — z wędliną, z serem. Osełkę masła w dużej maselnicy. Fajansowy dzbanek z maślanką. Chleb pokrojony w kromki i ułożony na drewnianym talerzu. Miód w słoju, twaróg w misce. Wszystko miał przygotowane, i teraz ustawiał przed córką, podczas gdy wnuk zbiegał po drewnianych stopniach z werandy, podchodził do bułanej klaczy, a w chwili gdy unosiła łeb i potrząsała grzywą, cofał się szybko.

— Nie bój się konia. To najspokojniejsza kobyła, jaką miałem — powiedział dziadek. — Jest łagodna.

— Skąd masz taką piękną arabkę? — spytała Joanna.

Ale ojciec znów nie dosłyszał. Poszedł do kuchni po sztućce.

Jedli śniadanie długo. Dwa konie pasły się obok (Benedykt wrócił z łąki). Nisko nad domem przeleciał bocian.

— Jaki wielki, mamo, patrz! — krzyknął chłopiec.

Dopiero wieczorem, gdy ułożyła syna do snu, otulając pierzyną — na drewnianym łóżku, w izbie, do której przez okna zaglądały gałęzie jabłonek — mogła z ojcem porozmawiać swobodnie. Siedzieli w kuchni — Joanna za stołem, naprzeciwko naftowej lampy. Pod zegarem ściennym. Zapamiętała, jak głośno wybijał godziny — ósmą, dziewiątą, dziesiątą. Bił także co pół godziny — jeden raz. Pułkownik usiadł na zydlu koło pieca. Dorzucał co pewien czas pod blachę, a wtedy ogień oświetlał jego twarz i ręce. Rozmawiali o Tomku, o matce, o aresztowaniu Janka. Później o wojnie. Ojciec wspominał trzydziesty dziewiąty rok, oflag, powrót. Joanna miała wrażenie, że chce się wytłumaczyć przed nią — usprawiedliwić. Z tej ucieczki z miasta. Od matki, od niej, od zięcia, starej Antosi i lokatorów na parterze. Od powojennego życia w mieście.

— Mnie tutaj nie wezmą — powiedział, kiedy spytała, czy w Lipowie jest bezpieczny. — Całą wojnę byłem w oflagu. Ani w AK, ani u Andersa. Powiem im to, co myślę, co i tobie mogę powiedzieć: wszystkiego mam dość. Wspomnień, rozmów o tym, czego zmienić nie można. Ani walczyć, ani konspirować, ani liczyć na cud, na trzecią wojnę, na Pana Boga. Za dużo wszystkiego. Za dużo zostało w oczach. Czy opowiadałem ci, jak zabiłem Niemca? Czy mówiłem o naszej szarży pod Wólką Węglową?

— Nie — powiedziała Joanna — ani o Niemcu, ani o szarży. Myśmy się domyślały, że mogłeś tam być. Chłopcy z „Baszty" opowiadali, że kawaleria przebiła drogę do Warszawy w trzydziestym dziewiątym. Armii znad Bzury. Mówili, że tam był czternasty pułk.

— Tak, to nasz, Jazłowiecki. Za nami przeszły dziewiąty i szósty. To, co zostało z Podolskiej Brygady. Byłem od drugiego września w pułku. Przyjechałem z Grudziądza do Nakielki koło Poznania. Mieliśmy bronić Wielkopolski, ale pamiętam tylko odwrót. Przez Sempolno, Łęczycę, Kutno. Biliśmy się pod Uniejowem, nad Bzurą. Potem w Puszczy Kampinoskiej o Sieraków, Górki, Laski. Pamiętasz, jak jeździliśmy dekawką przez Bielany? W trzydziestym piątym i szóstym, kiedy przyjeżdżałem ze Lwowa? To były tamte lasy.

— Wolałam jeździć do Młocin — powiedziała Joanna — tam grały orkiestry na statkach.

— Wszystko mam w oczach. Cały tamten wrzesień — mówił ojciec. — Niebo bez chmur. Tanki niemieckie. Nurkujące sztukasy. Płonące wsie. Zabitych ułanów.

Joanna milczała.

— W Grudziądzu miałem Dońkę. Tę za oknem nazwałem na pamiątkę tamtej. Pamiętasz moją ułańską klacz?

— Z rewii na Polach Mokotowskich. W trzydziestym pierwszym lub drugim, jeszcze jak żył Marszałek. I ciebie na siwej Dońce przed szwadronami ułanów. Piękna była nasza kawaleria.

— Piękna — powtórzył ojciec. — Dziewiętnastego września doszliśmy do linii lasów przed Warszawą. Pułk stanął na lizjerze, jak mówiliśmy. Pamiętasz pułkownika Godlewskiego? Byłem przy nim. Patrole wracały i meldowały, że wszędzie są Niemcy. Samochody, czołgi, piechota. Artyleria biła po nas. Wiedzieli, że jesteśmy w lasach. Nie można było czekać do nocy. Mieliśmy rozkaz generała — zrobić wyłom w niemieckim pierścieniu. Bronowicz wstał. Zaczął chodzić od drzwi do kredensu. Czasem zatrzymywał się naprzeciw córki.

— Ułan Kozak — takie miał nazwisko — przyprowadził Dońkę od koniowodnych. Czy wiesz, że wtedy pierwszy raz nie dawała się dosiąść? Obracała zadem, rzucała łbem. Musiałem za munsztuk chwycić, Kozak za siodło. Ona przeczuwała, wiedziała, co się stanie. Pamiętam, jak zagrała trąbka. Ten ostatni raz. I „szable w dłoń" i „marsz, marsz!". „Naprzód!". Szwadrony krzyknęły „hurra!" i ruszyliśmy. Pamiętam, jak spod kopyt poleciała darń. Jak poszliśmy po ugorze i dalej, dalej — na pola przed Wólką. Pooszli! Tam dopiero zaczęło się piekło. Krzyżowy ogień cekaemów, moździerzy, artyleria. Wszystko w nas biło. Ogłuszający huk. Już nie słyszałem trąbki ani krzyku ułanów, ani tętentu, tylko ten jazgot niemiecki. Widziałem, jak przede mną spadają z koni. Rannych na rżysku. Jak konie się przewracały. Nawet hełmy, jak toczą się po ziemi. Gejzery piasku. Kurz, dym, huk. — Bronowicz stanął przed córką. Patrzył chwilę w ciemne okno. — Tak, Joasiu, piękna była nasza kawaleria!

Joanna milczała.

— Ale w końcu ich dopadliśmy. Przed tą Wólką Węglową. Zaczęli uciekać zza płotów, z dołów strzeleckich. Kryli się po domach, stodołach. Nagle zrobiło się niebiesko od niemieckich mundurów. To tam gdzieś mignął mi porzucony motocykl z przyczepą. Dwóch Niemców leżało porąbanych, trzeci uciekał. Biegł bez hełmu, łysy, gruby, ciężko. Oglądał się, nawet podniósł ręce — myślał, że go oszczędzę. A ja, Joasiu, tego Niemca — zza pleców, po kawaleryjsku, w łysą głowę, o tak! — Bronowicz machnął dłonią znad ramienia. — Trafiłem tu, pod potylicę, w kark. Tylko szabla zadrżała w garści. Czy wiesz, jaką siłę ma takie cięcie? Z siodła, z konia, w galopie?

— Domyślam się — powiedziała Joanna.

— A potem dalej, dalej — mówił Bronowicz. — Naokoło ułani galopują, konie luzem. Wtedy ostatni raz widziałem Godlewskiego. Pokazywał pistoletem kierunek. Niemiecki jazgot już umilkł, przycichał, był za nami. I wiesz, ogarnęło mnie wtedy uczucie tryumfu. Nigdy czegoś podobnego nie przeżyłem. Raz jeden, po tej szarży. Pomyślałem, że jeśli jest Bóg, to dał nam zwycięstwo. I jeśli jest honor, to z honorem szarżowaliśmy. Za ojczyznę. I wielką ulgę odczułem, że zaraz już Bielany, Warszawa, że trzeba tylko galopem, szybciej, naprzód!

Bronowicz zamilkł, stanął przed córką.

— I co? — spytała.

— Zobaczyłem słup piasku przed koniem. Błysk, huk. Poleciałem przez łeb Dońki na rżysko. Nogę miałem w strzemieniu, hełm spadł z głowy, szabla wypadła z ręki. Piasek w ustach. Puściłem wodze i zacząłem wstawać — na czworakach, na kolanach. Po omacku szukałem wodzy. Wołałem: „Wstawaj mała, wstań!". Dońka leżała na grzbiecie. Trochę krwi miała na brzuchu. Naprawdę myślałem, że zaraz wstanie. A ona tylko uniosła łeb, zarżała, a ja zobaczyłem, że nogi ma ucięte w pęcinach. Dwie przednie nogi. Ale chciała się podnieść. Dźwignęła się na kikutach i zaraz upadła. Wtedy ukląkłem przy niej. Kilka minut mogłem tam klęczeć. Trzymałem pistolet, żeby strzelić, i nie potrafiłem. Brałem jej ucho do ręki, ciepłe ucho, pamiętam. Dopiero, jak Niemcy zaczęli biec do mnie, strzeliłem. Krzyczeli: „Hände hoch!" i „Waffe weg!". „Schnell, schnell!". Musiałem podnieść ręce, wstałem z klęczek. No i poprowadzili twego ojca. Bez visa, bez szabli, bez Dońki. Tylko z piaskiem w ustach. Zaczęła się moja niewola, córeczko.

Joanna milczała. Zamknęła oczy, gdy zegar zaczął wybijać dziesiątą: bim-bam, nad głową. Dziesięć razy. Potem znów usłyszała wahadło, jak szelest: raz-dwa, raz-dwa.

— Myślę czasem — powiedział Bronowicz — po co oni ginęli? Pod Wólką, pod Uniejowem, Łęczycą, Górkami? W Warszawie, na Zachodzie, w okupowanym kraju? Godlewskiego zamęczyli w Mauthausen. Potrzebna nam była śmierć całego pokolenia? Katyń, ci zamordowani na wschodzie? Wywiezieni do łagrów, do Kazachstanu, na Syberię?

Joanna milczała.

— Jak oni mogli iść na wojnę, Joasiu? Nie wiedzieli, czym się skończy? Ten Beck, Śmigły, Mościcki? Nie wiedzieli, jaka jest różnica między armią pancerną a kawalerią? Naszą piękną kawalerią a brzydkimi tankami? Nie wiedzieli? — prawie krzyknął Bronowicz. — Twoja matka miała rację, byliśmy papierowym wojskiem.

Pułkownik wrócił pod piec, usiadł na zydlu. Kiedy wkładał polano pod blachę, Joanna zobaczyła czerwony odblask na rękach ojca.

— A my — zaczęła mówić — młodzi, mieliśmy swoją szarżę, tatusiu. W czterdziestym czwartym nasze sierpniowe powstanie. Ja też wszystko mam w oczach. Na przykład to, jak kazali zabrać, spod barykady w Alejach, ranną dziewczynę. A to była Krystyna. Pamiętasz Krysię? Przychodziła na Płatowcową. Razem uczyłyśmy się do matury. Przez całe gimnazjum w jednej ławce. W czasie powstania była sanitariuszką tak jak ja. Ona na Starówce, w oddziałach, które przeszły kanałami do Śródmieścia. Ale wtedy, kiedy zawołano, że leży ranna, jeszcze nie wiedziałam, że to ona. Nie miałam pojęcia, co się z nią dzieje. I nie poznałam w pierwszej chwili. Miała włosy zlepione krwią, wszystko we krwi, twarz, szyja. I już nie żyła. Trzymałam jej głowę w rękach, a kiedy puściłam, głowa Krysi stuknęła o płytę. Ręce miałam lepkie od krwi, wiesz tatusiu? — Joanna spojrzała na ojca. — I nawet nie miałam gdzie obmyć rąk.

Bronowicz nie odzywał się dłużej. Siedzieli w milczeniu.

— Przykro, że o takich smutnych sprawach rozmawialiśmy przed nocą. Późno już. Chodźmy spać, córeczko — powiedział, wstając.

Przed snem Joanna uchyliła okno nad sofą (po wyjściu z małej łazienki za kuchnią — myła się w fajansowej miednicy, lejąc wodę z dużego dzbanka). Teraz uklękła w nocnej koszuli, na posłaniu, pod uchylonym oknem, czując na twarzy chłód nocy. Gdzieś niedaleko odezwał się słowik. Jakby ktoś koło domu grał na flecie lub fujarce. Potem stukał młoteczkami na cymbałkach Tomka. Słyszała raz ciche, to znów głośne pogwizdywania, stukania, flet. I głos fujarki.

Rano zbudziła się o szóstej. Przez uchylone lufty wiało jeszcze chłodem. Uklękła na posłaniu, tak jak wieczorem, i patrzyła przez okno. Widziała plac przed domem — zielony trawnik, pewno mokry od rosy, aż po rozwarte szeroko wrota stodoły. Pomyślała, że przez podobne wrota, być może, przechodzi się na tamten świat — jak na łąkę po drugiej stronie, na której pasą się Dońka i Benedykt.

To wtedy zobaczyła dziewczynę w zielonym swetrze i szarej spódnicy. Wyszła ze stodoły na podwórze. Niosła żelazny baniak, zapewne z mlekiem. Szła drobnymi krokami, przechylona na bok pod ciężarem, przekładała baniak z ręki do ręki. Wolną machała w powietrzu, unosząc do góry. Kiedy podeszła do werandy, Joanna zobaczyła, że to nie jest dziewczyna, ale młoda kobieta. Wysoka, smukła, o jasnych włosach, związanych czerwoną tasiemką w krótki warkocz. Na bosych nogach miała męskie półbuty bez sznurowadeł. Postawiła baniak na werandzie (stuknęło), zbiegła po schodkach i zaczęła odchodzić. Szła teraz wyprostowana, szurając co pewien czas półbutami po trawie. Były pewno za duże o numer lub dwa.

Joanna położyła się z powrotem. Jeszcze spojrzała na syna — spał po drugiej stronie izby, na wielkim łożu dziadka. Leżał odwrócony plecami, zobaczyła szczupłe ramię w piżamie i tył głowy, wystające spod pierzyny. Oddychał spokojnie.

Przy śniadaniu spytała o nieznajomą kobietę:

— Kim jest ta młoda osoba? Widziałam, jak przyniosła baniak z mlekiem.

Ojciec odpowiedział krótko:

— Moja pomocnica. Mam tu ludzi do gospodarstwa. Sam nie dałbym rady.

Tak jak wczoraj siedzieli na werandzie i tak jak wczoraj ojciec nosił z kuchni półmiski. Mleko w dzbanku, kubki, chleb. Joanna przyniosła z grządki za domem szczypiorek. Pokrajała w kuchni na desce w kształcie ryby. Dodała do twarogu.

— Skąd to wszystko masz? Te naczynia, meble, garnki? — pytała. — Nie przywiozłeś przecież z Warszawy.

— W spadku po Frau Kalinowski — wyjaśnił Bronowicz. — Trochę dokupiłem u Mazurów. I już obrosłem zanadto. Nawet nie wiem kiedy.

Patrzyła, jak ojciec przelewa mleko z żelaznego baniaka do glinianych garnków. Stał pochylony pod ścianą werandy. Popatrzył na córkę. — A mleka mamy nadmiar. Rozdajemy ludziom.

— My to znaczy kto? — spytała Joanna, ale Bronowicz nie dosłyszał lub udał, że nie słyszy. Wszedł do sieni.

Tomek biegał naokoło domu. Za nim, podskakując i poszczekując, kundel z białym uchem. Tak jak wczoraj nad dachem domu dziadka przeleciał bocian. Wylądował na łące za stodołą. Biegł chwilę, z rozłożonymi skrzydłami, na cienkich czerwonych nogach — stanął i znieruchomiał.

Pod krzakiem porzeczki spał duży kot. Białowąsy, szarobury. Strzygł uszami przez sen. Tomek kucnął obok i ostrożnie pogłaskał go po grzbiecie. Kocur uniósł głowę — ziewnął, przeciągnął się, rozcapierzając pazury. Nawet nie spojrzał na chłopca. Zwinął się w kłębek i znów zasnął.

W kuchni Bronowicz opowiadał Joannie o życiu w Lipowie.

— Ludzie tutaj są uczciwi. Nie ma złodziejstwa, pijaństwa, tej polskiej zawiści. Nikt na ciebie nie patrzy wilkiem. Nikt nie donosi.

— Jesteś pewien?

— Stuprocentowej pewności nie ma nigdy — powiedział ojciec.

O pierwszej Joanna miała pociąg do Olsztyna. Stamtąd, po dwóch godzinach, przesiadkę do Warszawy. Od dziesiątej czekali na Wasyla, który miał ją zawieźć na stację.

— To mój mazurski kozak — wyjaśnił Bronowicz. — Z rodziny wysiedlonej znad Sanu. W czterdziestym siódmym przywieźli ich tutaj. Dostali dom i kilka hektarów. Ale serca zostawili w swoim siele. W jakiejś Berezce lub Wołkowyi. To dobrzy ludzie.

O wpół do dwunastej przed werandę zajechała żółta bryczka. Powoził brunet o smagłej twarzy. Był wysoki, barczysty. Na głowie spłowiała czapka z daszkiem. Zeskoczył na trawę, lejce zarzucił na grzbiet Benedykta. Ukłonił się z daleka. Uchylił czapki.

— Chodź, chodź, Wasyl. Poznasz córkę i wnuka! — zawołał pułkownik.

Tomek siedział koło pustej walizki matki, na stopniach werandy. Wysoki Wasyl wydał mu się większy od dziadka. Uśmiechnięty — podał rękę Joannie, potem zwrócił się do Tomka:

— A ciebie jak wołają?

Chłopiec nie zrozumiał. Spojrzał na matkę.

— Nikt mnie nie woła, mamo.

— Pan Wasyl pyta, jak masz na imię. Tomek. Tomasz — odpowiedziała za syna.

Zaczęła żegnać się z ojcem. Bronowicz objął córkę, przygarnął mocno.

— Bądź spokojna o małego. Będzie bezpieczny.

Wasyl podniósł walizkę. To wtedy chłopiec zerwał się i podbiegł do bryczki. Wskoczył z impetem, aż się zakołysała. Usiadł na wiśniowym fotelu.

— Tomku, Tomaszku! — zawołała Joanna. — Zostajesz z dziadkiem! — Podeszli z ojcem do bryczki. — Kochany — mówiła — bądź rozsądny. Wszystko zostało ustalone. Pobędziesz u dziadka parę miesięcy, będzie ci dobrze. Zobaczysz. — Przemawiała łagodnie.

Chłopiec nie reagował. Trzymał się metalowych pałąków z dwóch stron fotela. Zaczął powtarzać:

— Ja chcę do Warszawy. Chcę do Warszawy. Do Warszawy.

Minęło pięć minut. Pułkownik spojrzał na zegarek.

— Musicie jechać, Joasiu. Nie możecie się spóźnić.

Wasyl nasunął czapkę na oczy. Stał oparty o bryczkę i patrzył na Tomka.

— Ja chcę do Warszawy. Do Warszawy. Do Warszawy!

— No, nie ma wyjścia — powiedział Bronowicz. Przechylił się, chwycił wnuka pod pachy i uniósł wysoko, odrywając jednocześnie zaciśnięte na poręczy palce. Potem postawił na trawie. Nie puszczał, trzymał mocno.

— Nie, nie! Nie zostanę! — chłopiec klęknął obok nóg dziadka. Wyrywał ręce. — Mamo, mamo! — zaszlochał. Joanna kucnęła przy nim, objęła głowę, chciała całować. Mały szarpał się, krzyczał.

— Atak histerii — powiedział pułkownik. — Jedźcie, Joasiu. Jedźcie.

Joanna wsiadła do bryczki. Wasyl wskoczył, zajął miejsce obok, cmoknął na Benedykta — ruszyli. Bronowicz patrzył za nimi, trzymając wyrywającego się wnuka. Córka odwracała się kilka razy. Póki nie skręcili, między łąkę i płoty.

O czwartej po południu Bronowicz poszedł obejrzeć zagon ziemniaków na kawałku dobrej ziemi, blisko rzeki, za wsią (z Wasylem i kilku kobietami z Lipowa, sadzili w kwietniu). Nie było go tylko pół godziny. Tomek został pod opieką Urszuli — córki Krasków z Gałkowa. To Urszulę widziała Joanna wczesnym rankiem. Pułkownik poprosił, aby na dwa dni przeniosła się do rodziców.

Po wyjeździe matki Tomek siedział długo na schodach werandy. Ciskał kamykami, które nazbierał wokół domu. Leżały od wczoraj, ułożone w kopczyki na drewnianym schodku. Pułkownik stał nad wnukiem, starając się wytłumaczyć, dlaczego Joanna musiała odjechać sama.

— Twoja mama uczy się, pracuje. Babcia jest stara, chora. Kto ma się tobą opiekować w Warszawie?

Tomek cisnął garścią kamyków:

— Ty, dziadku, też jesteś stary — powiedział i zapatrzył się na łąkę za stodołą.

Zobaczył dwie sylwetki, jak dwie plamy — białą i niebieską. Zbliżały się powoli od strony lasu. Znikły na chwilę za ceglaną ścianą, a kiedy wyszły przez otwarte wrota, zobaczył kobietę z dziewczynką.

— Będziesz miał koleżankę — powiedział dziadek.

Kobieta podeszła do werandy, zatrzymała się przed Tomkiem i zaczęła przyglądać w milczeniu.

— Podobny wzielce — odezwała się po chwili — prawda, Zuzi?

Dziewczynka stała obok i też patrzyła na chłopca. Biała plama okazała się bluzką kobiety — niebieska, sukienką małej.

Tomek zrobił brzydką minę — wykrzywił usta i wysunął język.

Kobieta zaśmiała się: — Popatrz, eno, jak on nas wita!

Mała schowała się za spódnicę matki. Miała nie więcej niż pięć lat. Jej jasne włosy były splecione w dwa warkoczyki. Sterczały koło uszu. Tomek zauważył, że obie przyszły boso — kobieta miała wąskie stopy, tylko przy dużych palcach wystawały zgrubienia. Drobne stopy Zuzi były oblepione piaskiem.

— Jest nie w humorze, bo mama wyjechała — powiedział pułkownik.

— Teraz będzie miał ciocię, jo? A ona może być twoją siostrą. — Kobieta pogłaskała Tomka po policzku. Weszły obie do domu.

— Lili — zawołał Bronowicz — może byś zrobiła placki, które czasem smażysz?! Co? Do zsiadłego mleka.

Nazywał Urszulę Lili od pierwszego spotkania. Przyszła, gdy dowiedziała się od znajomej kobiety z Lipowa, że pułkownik szuka gospodyni. Spytał wtedy, jak ma się do niej zwracać, a ona odpowiedziała: „Jak bądź, panie. Może być nawet Lili Marleen. — Lili Marleen! — ucieszył się. — Pamiętam, znam! — I zaśpiewał po niemiecku: «*Vor der Kaserne, vor dem grossen Tor, stand eine Laterne, und steht sie noch davor so wollen wir uns da wieder sehn...*». Urszula pochwaliła: — *Schön! Schön!* Wzielce pięknie, panie".

Przez pierwsze dni częściej rozmawiali po niemiecku, później raczej po polsku. Przekonał się zresztą wkrótce, że dobrze mówi „po mazursku", jak nazywała język polski. Mazurzyła śmiesznie: mówiła „dobzie" zamiast „dobrze", „prosię" zamiast „proszę", „lepsi" zamiast „lepiej". O kobiecie „bziałka" lub „nieziasta". Używała wielu słów zapomnianych w centralnej Polsce, a także tych wszystkich: „zasie", „eno", „aby", „telo", „toć" i „jo". W kurniku piał „psiejak", na niebie „rerał" skowronek. Była wesoła, śmiała się często. Po miesiącu Bronowicz nie wyobrażał już sobie domu w Lipowie bez Lili Marleen.

Teraz, kiedy wrócił po półgodzinie z pola, od razu spytał o wnuka.

— Ano przed chwilą go widziałam. Moment jak tu był.

Wyszli na werandę, ale chłopca przed domem nie było. Pułkownik obszedł budynek, zajrzał do stodoły. Zawołał kilka razy:

— Tomasz! Tomek! — Tylko Kajtek szczeknął. Chodził za Bronowiczem krok w krok. Wrócili pod werandę. — Lili, Lili, nigdzie go nie ma!

— On poszedł do lasu — powiedziała Zuzi. Wyszła za matką z kuchni. — Włożył torbę na plecy. Taką brązową.

— Jezus, Maria! — Bronowicz odwrócił się i pobiegł przez podwórze. W chwilę później, z uzdą i siodłem, biegł przez łąkę do koni.

— *Oh, mein Gott,* myśmy go nie upilnowały — powiedziała do córki Urszula.

Pułkownik przegalopował przez łąkę na przełaj. Stawał w strzemionach, przynaglał Dońkę do galopu.

— Leć, mała, leć!

Spod kopyt frunęły kępki trawy. Spłoszyli bociana — odbiegł kawałek, machając skrzydłami. Dopiero przed lasem, na piaszczystej drodze, powstrzymał klacz. Pod sosny, w cień, wjechał kłusem. Kłusował tak dalej, w stronę Gałkowa, wypatrując wnuka. Ale droga była pusta. Sosny, sosny, zapach kory, czasem powiało chłodem od wielkiego świerku. Zobaczył małą postać niedaleko skraju lasu. Widać już było prześwit — przestrzeń między drzewami, a dalej zielone pola i czerwone dachy wsi. Przejechał obok wnuka stępa, zawrócił.

Tomek, w swoim harcerskim ubranku — w bluzie i krótkich spodenkach, w sandałach na bosych nogach, z tornistrem na plecach — zatrzymał się pod pniem sosny. Oparł plecami o drzewo, ręce skrzyżował, nachmurzył. Dziadek zeskoczył z konia. Podszedł blisko.

— No i co, mój drogi? Dokąd masz zamiar iść? Do Warszawy?

— Na stację — powiedział wnuk. Patrzył w bok, potem na klacz, która za plecami dziadka, z łbem przy ziemi, szczypała wargami mech.

— Mama już pewno w Olsztynie. Nie zastałbyś jej na stacji.

Chłopiec milczał.

— No dobrze. Jeżeli po tygodniu powiesz, że chcesz wracać, odwiozę cię do Warszawy. Zgoda? Daj rękę! Taka będzie umowa.

Po chwili, z wahaniem, chłopiec podał rękę dziadkowi. Poczuł mocny uścisk. Bronowicz schylił się i pocałował wnuka w czoło. Potem chwycił pod łokcie, uniósł i z półobrotu posadził na konia. Tomek poczuł ciepły grzbiet pod nogami i łęk siodła na plecach. Klacz obróciła się zadem, wtedy przestraszył się, ale już dziadek siedział za nim w siodle i „leć mała, wracamy!", powiedział cicho.

Zapamiętał galop pustą drogą, pod sosnami, w słońcu i cieniu na przemian — to, jak trzymał się grzywy Dońki, jak wypadli z lasu, skręcili z drogi. Przytłumiony tętent po trawie. Znów widział domy wioski w dole, czerwone dachy, krowy na łące i stado gęsi daleko, jakby w tamtym miejscu suszyły się pieluszki.

Urszula i Zuzi czekały na werandzie.

— *Oh, mein Gott* — powtórzyła gospodyni pułkownika. — Spadł kamień z serca.

Wasyl wrócił późno. Słońce zaszło i nad łąkami zaczęła snuć się mgła. Nad lasem świecił księżyc. Furman zajechał pod stodołę, zeskoczył z bryczki. Pułkownik widział z werandy, jak zachwiał się — musiał chwycić za krawędź kosza. Bronowicz zszedł po stopniach na mokrą od rosy trawę.

Wasyl nie czekał — pierwszy zaczął mówić:

— Ja, pane pułkowniku, spotkał kolegę z wioski. Musieli porozmawiać. I wypić po czarku.

— Z twojej wioski?

— Z Berezki — powiedział Wasyl. Odczekał chwilę: — A pani, jak tam wiózł, to tilki płakała.

Pułkownik poklepał Benedykta po grzbiecie.

— Nie za ostro jechał? Koń spocony.

— A broń Pane Boże, pane pułkowniku. Normalnie jechał. Ne poganiał.

— No dobrze. To rozprjahajte chłopci koni — powiedział Bronowicz. Odwrócił się i odszedł w stronę werandy.

Rano Tomek zbudził się o dziewiątej (słyszał, jakby z daleka, jak zegar w kuchni bije dziewięć razy). Wyjrzał spod pierzyny i zobaczył, że Zuzi siedzi na wielkim łóżku dziadka. Patrzyła na niego. Chłopiec zakrył głowę pierzyną, ale zaraz wysunął. Zuzi zaśmiała się.

Wtedy znów schował głowę, a kiedy wyjrzał, mała zaśmiała się głośniej. Potem coraz szybciej naciągał pierzynę, wyglądał — chował się, wyglądał, chował. Zuzi machała bosymi nóżkami nad podłogą i zanosiła się śmiechem.

Z kuchni zawołała Urszula: — Chodźcie dzieci, będziecie jedli. Pan Tomasz niech się ubiera!

Bronowicz, kiedy mówił córce, że tu, w Lipowie, czuje się bezpieczny, nie wspomniał o rozmowie z cywilem z posterunku milicji w Jakubowie.

Był upalny dzień, połowa czerwca czterdziestego ósmego. Od kilku miesięcy mieszkał w Lipowie, ale — jak pisał do Warszawy — dopiero poznawał miejsce i ludzi. W południe przyjechał rudy funkcjonariusz. Oparł rower o podmurówkę pod werandą, zdjął czapkę i wytarł chustką twarz z potu. Pułkownik usłyszał wołanie z dworu — akurat przesuwali z Wasylem meble w dużym pokoju — chciał inaczej ustawić szafę, serwantkę i drewniane łóżko. Wyszli obaj na werandę.

Milicjant nałożył czapkę, zasalutował i zapytał:

— Obywatel Bronowicz?

— To ja.

— Przywiózł wezwanie. — Z przewieszonej przez ramię raportówki wyjął plik papierów, poślinił palec i wyłuskał mały blankiet. — Na kopii trzeba poświadczyć.

Pułkownik przeczytał: „Wezwanie. Wzywa się ob. Bronowicz Józef do stawienia się w dniu, o godzinie (tu wpisane były data i godzina) na tut. Posterunek Milicji Obywatelskiej w miejscowości" (dalej wpisano:

Jakubowo, al. Armii Czerwonej 12, pok. — nie podano numeru). Podpis był nieczytelny, pieczątka zamazana.

— W jakiej sprawie?

Rudy milicjant spojrzał na Bronowicza z dołu — nogę trzymał opartą na stopniu werandy. Raportówkę położył na kolanie.

— Dowie się na miejscu. Podpisze? Bo jak nie, to muszę odnotować, że odmówił podpisu.

Pułkownik wziął od funkcjonariusza kopiowy ołówek, stanął przy balustradzie, położył papierek na drewnianej belce i złożył podpis. Milicjant schował kopię do raportówki. Odchodząc, stuknął palcami o daszek czapki. Wasyl z Bronowiczem patrzyli, jak odjeżdżał. Przełożył nogę nad siodełkiem i wolno zaczął pedałować. Nogawki spodni miał spięte agrafkami.

— Ryży, tak go wołają — powiedział Wasyl. — Nie jest najgorszy. Można z nim pobałakat'. Bo ci inni to sobaki.

Bronowicz pojechał do Jakubowa dwa dni później. Wozem, bo jeszcze nie miał bryczki. Padał deszcz i z grzbietu Benedykta, po zadzie i bokach, ciekły ciemne strugi.

Zajechał pod piętrowy dom przy asfaltowej drodze w stronę Starego Boru. Szyby w oknach na parterze były powybijane. Na murze — jak ścieg — dziury po seriach z broni maszynowej. Ustawił wóz przy płocie, lejce rzucił na sztachety i poszedł w stronę budynku. Na schodach przed wejściem zdjął pelerynę i strzepnął krople.

Na parterze dyżurny funkcjonariusz spojrzał na wezwanie: — Do towarzysza Bakalarskiego. Na pierwsze piętro.

Wchodził po schodach bez poręczy, przy ścianie z obdrapaną lamperią. Po drewnianej balustradzie został tylko słupek na podeście. Pokoje na piętrze były puste — drzwi pootwierane. Nikogo. Dopiero na końcu korytarza, z ostatniego pokoju, wyjrzał cywil w niebieskiej koszuli. Robił wrażenie niechlujnego. Nieogolony, niedopięte spodnie na dużym brzuchu. Szelki.

— Tutaj, tutaj! — zawołał. — Obywatel Bronowicz, tak?

Pułkownik pokazał wezwanie, na które cywil nie spojrzał.

— Czekamy, czekamy. — Uśmiechał się przez cały czas.

W pokoju, do którego weszli, było ciemno od dymu. Przy trzech biurkach siedzieli milicjanci — dwóch paliło papierosy. Na ścianie portrety Bieruta i Roli-Żymierskiego. Orzeł bez korony. Pozamykane okna — zaduch. Cywil przeszedł między biurkami — otworzył drzwi do sąsiedniego pomieszczenia. Kiwnął na Bronowicza:

— Proszę, proszę.

Rozmowa z Bakalarskim, jak domyślił się pułkownik (ten człowiek nie przedstawił się ani nie podał ręki), mogła skończyć się źle. Myślał o tym później wiele razy. Że tak się nie stało, przesądziły wydarzenia późniejsze, a także — być może — fakt, że przez cały czas rozmowy czuł zapach alkoholu. Bimbru lub wódki, którą Bakalarski pewno pił z milicjantami obok. Usiadł za wielkim biurkiem, gdy tylko weszli — rozparł się wygodnie. I tu wisiały portrety. Zamiast Roli-Żymierskiego Franciszek Jóźwiak (pseudonim Witold), obok Bierut. Nad nimi — pośrodku, w pozłacanej ramie — Stalin w mundurze, z czerwoną gwiazdką na kurtce. Bronowicz usiadł na krześle po drugiej stronie biurka.

— Obywatel, były pułkownik, dobrze, że tu do nas przyjechał — zaczął cywil. — My z otwartymi rękami czekamy na osadników. Ziemia czeka, obywatele czekają. Należy tutejszych ludzi uświadamiać, uczyć! Nasza ojczyzna wróciła na swoje po latach! — Przemawiał jak do ucznia, którego trzeba oświecić.

Po kilku minutach Bronowicz przerwał:

— No dobrze, panie kochany, ale o co konkretnie chodzi? Po co zostałem wezwany?

— Posłuchaj, pan podpułkownik. Element, wśród jakiego obecnie przebywacie, jest w większości antysocjalistyczny. Wrogi naszej rzeczywistości. Wy możecie tu pełnić pozytywną rolę jednostki uświadomionej narodowo i społecznie. Czy tak? — Bakalarski po raz pierwszy spojrzał na rozmówcę. Przedtem, przemawiając, patrzył w bok, na ścianę. Czasem odwracał się w stronę okna. Teraz, mówiąc o jednostce uświadomionej, wymierzył w pułkownika palec.

— Nie zgadzam się z taką oceną „elementu", jak pan nazywa tutejszą ludność — powiedział Bronowicz. — To są Mazurzy. Starsi mówią po polsku, ale przecież żyli od zawsze w państwie niemieckim. Taki był ich los.

Bakalarski przesunął się z krzesłem bliżej ściany.

— Wiemy, wiemy. Tu nie o to chodzi. Mówią po polsku, ale myślą po niemiecku. Czy tak? — I znów palec wymierzony w rozmówcę.

— To dobrzy ludzie. Są uczciwi, rzetelni, nie ma tu złodziei.

Bakalarski skrzywił się. Znów powiedział:

— Nie o to chodzi. Jeden jest taki, drugi inny. Może coś ukrywać, prowadzić krecią robotę przeciw nam. Rozumiemy się? Chodzi o to, pułkowniku, abyście byli czujni. Jeżeli coś się wam nie spodoba, jeżeli człowiek wyda się wam podejrzany, przyjdźcie do nas. Opowiecie jak księdzu na spowiedzi. My was wysłuchamy. Rozumiemy się?

Pułkownik siedział chwilę, patrząc na niechlujnego mężczyznę za biurkiem. W sąsiednim pokoju jeden z milicjantów roześmiał się głośno. Po szybach ciekły krople. Wstał i skierował się w stronę drzwi. Chciał wyjść jak najprędzej, nie patrzyć dłużej na tego człowieka.

— Ej, ej! — usłyszał za plecami. — Obywatel pułkownik! Rozmowa nie skończona!

Wtedy zawrócił, podszedł do biurka, oparł dłonie o blat, pochylił się nisko. Czuł, jak krew uderza do głowy — pewno poczerwieniał. Bakalarski odsunął się z krzesłem dalej — oparł o ścianę. Przestał się uśmiechać — może zlękł się?

Bronowicz powiedział wyraźnie, szeptem:

— Przyjmujesz mnie tutaj nieogolony, niechlujny, rozchełstany. W nieświeżej koszuli. Piłeś pewno przed rozmową. Posłuchaj: tacy jak ty, w moim pułku przed wojną, czyścili oficerom buty. A jakby któryś coś po-

dobnego powiedział, to by dostał szpicrutą przez pysk!!
Przez pysk! — powtórzył. — Rozumiesz?

Odwrócił się, podszedł do drzwi, szarpnął za klamkę. Zapamiętał: pokój pełen dymu, zaduch, trzech za biurkami, portrety. Pusty korytarz. Schody bez poręczy, obdrapana lamperia. Dyżurny na dole popatrzył na pułkownika. Może dostrzegł zmianę — to wzburzenie, czerwoną twarz?

Zbiegł po kilku stopniach. Podszedł do wozu. Benedykt drzemał z opuszczonym łbem. Deszcz nie przestał padać i z grzbietu konia, jak przedtem, po zadzie i po bokach ciekły ciemne strugi.

Minęły dwa tygodnie i nic. Ale w poniedziałek, jak zapamiętał, pierwszego lipca, przed dom zajechał willys. Wysiadło trzech mężczyzn — dwóch po cywilnemu, jeden milicjant. Czwarty — kierowca w mundurze — w czasie pobytu tamtych siedział na stopniu łazika. Wypalił dwa papierosy.

Bronowicz zszedł z werandy. Mężczyźni jakby go nie dostrzegli. Rozeszli się — dwóch poszło w stronę stodoły — widział, jak wchodzili do środka. Cywil na pałąkowatych nogach — niski, krępy, w szarym garniturze i granatowym kapeluszu zsuniętym na tył głowy — oddalił się w przeciwną stronę, za dom. Bronowicz poszedł za nim. Kiedy zbliżył się, twarz cywila, te pałąkowate nogi, sposób, w jaki chodził — jego uśmiech — wydały się znajome. Ten człowiek czekał na niego. Niespodziewanie stuknął obcasami półbutów. Wyprężył się przed Bronowiczem. Tylko na moment. Powiedział półgłosem:

— Iwanow. Pułkownik pamięta?

— Wachmistrz? Aleksander?

— Aleksiej. Tak toczno, pułkownik.

— Centrum w Grudziądzu? Rok trzydziesty ósmy?

— Tak toczno, pułkownik. No, tiepier ja komandir powiatu. Major. Urząd Bezpieczeństwa.

Uśmiechał się przez cały czas. Wyciągnął rękę. Uścisnęli sobie dłonie. Ale już po chwili, gdy zza węgła wyszło dwóch pozostałych gości, były wachmistrz zmienił się, spochmurniał, ręce wsunął do kieszeni. Odwrócił się i odszedł bez słowa.

Jednym z tych dwóch był znajomy z posterunku w Jakubowie. Cywil Bakalarski. Dziś ogolony, w marynarce i krawacie, wyminął Bronowicza w milczeniu. Poszedł za Iwanowem. Trzeci, nieznajomy funkcjonariusz w milicyjnym mundurze, również przeszedł bez słowa.

Pułkownik zawrócił pod werandę. Rozmowa, jakiej był świadkiem, wyjaśniła cel wizyty. Iwanow ostrym tonem zwrócił się do Bakalarskiego:

— Co ty, Edward, wymyślił? Że tu zrobisz ośrodek szkoleniowy? Trzydzieści kilometrów od powiatu? Cztery od was? W takiej drewnianej budzie? — Iwanow zaśmiał się. Bakalarski milczał.

— Trzeba poszukać gdzie indziej. Nie tu, u czorta na kuliczkach!

— Ale ja — zaczął cywil z Jakubowa. Iwanow nie dał mu skończyć:

— *A idi ty k' czortu matieri* z takimi pomysłami! — I były wachmistrz roześmiał się głośno.

44

— Ale ja, obywatelu majorze, mówił jemu, o co się rozchodzi — znów odezwał się Bakalarski.

— Co mówił? Co mówił? Jak mówił, to głupio mówił! Janek! — Iwanow odwrócił się do kierowcy. — Pojechali!

Tamci dwaj patrzyli, jak major siada obok kierowcy. Obejrzał się: — Nu, pojechali! Słyszał, Bakalarski?

Cywil z milicjantem podbiegli do samochodu. Mundurowemu przekrzywiła się czapka, kiedy wsiadał — omal nie spadła na trawę. Przytrzymał, łapiąc za daszek.

Iwanow dopiero teraz zwrócił się do Bronowicza: — Tak obywatel, bywszy pułkownik, spokojno. Przyjechali, odjechali, wot i wsio! — Przyłożył palec do ronda kapelusza. Bakalarski i milicjant siedzieli w milczeniu za nim.

Bronowicz został koło werandy. Patrzył, jak odjeżdżają. Skręcili na drogę przez łąkę. Potem jeszcze willys przemknął po drodze w kierunku Gałkowa. Jechali szybko. Po kilku dniach bez deszczu koła wznieciły kurz. Smuga pyłu powoli opadła na łąkę. Znikli w lesie.

Zastanawiał się potem: co Iwanow wiedział o nim? Przyjechali zabrać wszystko, wyrzucić z Lipowa — to on uratował go z opresji, ale czy jadąc tutaj, wiedział, że pułkownik jest tym samym oficerem z Grudziądza, sprzed wojny? Jakie były losy tego człowieka? Był Rosjaninem, ale przecież białych Rosjan spotykało się w armii przed trzydziestym dziewiątym. Czy już wtedy był sowieckim szpiegiem? I to możliwe. Bardziej prawdopodobny wydawał się jednak inny los wachmistrza. Podobny do losu wielu jeńców, podoficerów i żołnierzy, zagarniętych przez wojska sowieckie we wrześniu. Nie dotarł w czterdziestym pierwszym do Andersa. W czterdziestym trzecim znalazł się nad Oką. Przeszedł szlak z kościuszkowcami od Lenino do Berlina. Po wojnie trafił do bezpieki. Mówił po rosyjsku, udawał komunistę. Z punktu widzenia byłego wachmistrza z Centrum Wyszkolenia Kawalerii fakt, że awansował na majora, komendanta powiatowego urzędu — to kariera zawrotna.

Po latach, gdyby ktoś spytał Tomka, jak zapamiętał pierwsze dni w domu dziadka, powiedziałby pewno o słońcu. Były słoneczne. Rano, kiedy budził się i wyglądał spod pierzyny, widział nad sobą ażurowe firanki w słońcu. Na parapecie stały doniczki z pelargoniami. Czerwone kwiaty także były w słońcu. Przez lufty wiało ciepłym powietrzem. Za oknem przekwitały jabłonie.

Chłopiec biegł boso po deskach podłogi, ciepłych tam, gdzie padały z okna słoneczne kwadraty, do łazienki za kuchnią. Mył twarz i ręce w zimnej wodzie. Nalewał do miednicy z dużego dzbanka. Za małą potrzebą, jak mówił dziadek, biegł do drewnianej wygódki za domem. Czasem sikał do wiadra. Potem, w kuchni, w której zawsze czekały Urszula i Zuzi, jadł śniadanie: na talerzach leżały przygotowane kromki chleba posmarowane masłem. Twaróg ze szczypiorem, jajko. Mleko pił z czerwonego kubka w białe grochy.

Zuzi śmiała się, kiedy robił miny — wykrzywiał się lub udawał, że się krztusi. — Nie rób tak — mówiła Urszula. — Jeszcze ci się co przydarzy.

Dziadka zwykle nie było. Jeździł z Wasylem do gminy — do sklepów i do tartaku. Ale najczęściej przebywali w stolarni. „Nasza stolarnia", mówił Bronowicz. Przez uchylone drzwi do kuchni słychać było odległy stuk młotków albo odgłos piłowania. Ustawiali boksy dla koni, piłowali deski na nowy kurnik i szopę na narzędzia. Czasem dziadek przychodził niespodziewanie. Na dłoniach i policzkach miał trociny. „No, kawalerze, jak humor? — pytał wnuka. — Dopisuje?".

Siadał pod tykającym zegarem. Lili Marleen stawiała przed nim kubek z herbatą. Podsuwała talerze z wędliną i serem, z kromkami chleba. „Lili, podaj mi z łaski swojej cukier", mówił dziadek. Albo: „Lili, bądź tak dobra i podaj sól".

Kiedy smażyła placki ziemniaczane (utarty przecier stał w glinianej misce koło pieca), w domu pachniało smalcem. Tomek brał z półmiska ciepłe placki. Palce błyszczały od tłuszczu. Buzia Zuzi świeciła jak posmarowana masłem.

Te pierwsze dni spędzał koło domu. Chodził z Urszulą karmić ptactwo — kury i kaczki. Miały duży wybieg za stodołą. Trzeba było przejść przez wrota i po drugiej stronie podejść do drucianej siatki z furtką zamykaną na skobel. Za ogrodzeniem, przy którym rosły krzewy porzeczek i agrestu, stał stary kurnik. Dach, kryty popękanymi dachówkami, porastał zielony mech. Dalej był plac pełen wygrzebanych dołów, pierza i kurzego łajna. Wielki, czarno-rudy kogut piał ochryple. Kury zbiegały się pod nogi Lili. Kaczki wynurzały spod krzaków porzeczek i biegły wolno, kolebiąc się. Przybiegały białe indyczki. Zuzi i Urszula sypały ziarno do drewnianych korytek. Potem szły wybierać jajka z gniazd. Układały w koszyku wymoszczonym sianem. Do skorupek niektórych jajek kleiły się małe piórka.

Spędzał też dużo czasu w stolarni, gdzie pachniało deskami i trocinami. Przyglądał się, jak dziadek z Wasylem tną deski przywiezione z tartaku. Układali na kozłach pośrodku stolarni — te szersze pojedynczo, wąskie po dwie. Potem przecinali piłą, ciągnąc za drewniane rączki tam i z powrotem. Stawali w rozkroku, po dwóch stronach. Dziadek przytrzymywał deskę dłonią białą od trocin. Przedtem, klęcząc na klepisku, mierzył każdą rozkładanym metrem. Zaznaczał stolarskim ołówkiem miejsca, gdzie trzeba ciąć. Sypały się trociny. Cienko podzwaniała piła. Pocięte deski układali w kilku miejscach, pod ścianami, według długości.

Do dużego psa przy budzie — Atamana (dawniej nazywał się Dago) — nie zbliżał się z początku.

— Zaprzyjaźnisz się z nim na pewno, ale nie od razu — powiedział Bronowicz. — Weźmiemy go na spacer. Musi ciebie poznać.

Tomek stawał kilka kroków przed budą i przyglądał się psu. Zuzi, jeśli była obok, mówiła: — No nie bój się, podejdź do niego. On ci nic nie zrobi.

Wilk leżał na brzuchu, bił ogonem o ziemię, tulił uszy, dyszał. Jakby tylko czekał na Tomka. Zuzi sama podchodziła do psa. Wtedy przewracał się na grzbiet, a ona tarmosiła go za sierść i drapała po brzuchu.

Pierwszy raz zobaczył wieś dzięki chłopcom, którzy przyszli rano. Jeszcze siedział w kuchni, przy śniadaniu. Urszula musiała wiedzieć, że przyjdą.

— Pan Tomasz niech no wyjdzie na werandę — odezwała się niespodziewanie. — Koledzy czekają.

To był Zoni i Mani, tak od razu przedstawiła ich Zuzi. Starszy, dziesięcioletni Zygfryd, blondynek z niebieskimi oczami — w krótkich spodenkach na szelkach, bosy — zapytał, gdy wnuk Bronowicza wyszedł na werandę (trzymał w palcach nadgryziony placek ziemniaczany):

— Ty się nazywasz Tomek, jo?

Manfred — młodszy, niższy i grubszy — uśmiechał się przez cały czas. Tak jak Zoni przyszedł boso. I on spodenki nosił na szelkach.

Zoni odczekał chwilę:

— Chcesz iść z nami? Zobaczysz łódki i jak riby pływają pod mostem, nie?

Tomek ucieszył się. Zaraz pobiegł wkładać sandały, ale kiedy wyszedł na werandę, koledzy powiedzieli, że może iść boso, tak jak oni wszędzie chodzą, bo ciepło, a na drodze tylko piasek: — Nie ma nigdzie żadnego szkła!

— Hej, hej, pójdź no do dziadka i powiedz, gdzie z nimi idziesz! — zawołała Urszula, kiedy odchodzili.

Tomek pobiegł przez podwórze do stodoły.

— Dziadku, dziadku, koledzy po mnie przyszli! — usłyszał Bronowicz. Wyjrzał ze stolarni.

Z drogi przez łąkę skręcili na tę przez wieś. Tomek nie chodził nigdy boso — teraz pod stopami czuł piasek i kępy trawy. Utykał, gdy trafił na kamyk. Piasek był ciepły, trawa wilgotna.

Domy miały czerwone dachy, tak jak dom dziadka. Za płotami przekwitały bzy.

— Ja tu mieszkam — odezwał się po raz pierwszy Mani, kiedy przechodzili obok drewnianego domu z małym gankiem od frontu. Z ganku wyjrzała kobieta — zapewne matka Manfreda. Zoni powiedział „guten Tag", ale ona nie odpowiedziała. Zaczęła coś mówić szybko po niemiecku do Manfreda. Mani został koło płotu. Dogonił ich kilka domów dalej, jeszcze przed placem pośrodku wsi i główną drogą przecinającą plac. Po drugiej stronie minęli budynek z czerwonej cegły. Po dwóch stronach małego ganku, przed wejściem, rosły dwie wielkie lipy.

— Tu jest szkoła, gdzie chodzimy — powiedział Zoni. — Tylko że dziś odwołali lekcje. A ty chodzisz?

— Nie — Tomek, przejęty spotkaniem z kolegami, odpowiadał tylko „tak" lub „nie". Chłopcy zwracali się do niego po polsku, ale między sobą rozmawiali po niemiecku.

— Matka kazała mi oddać klucz od łódki — powiedział Mani. — Sie hat Angst, dass wir ertrinken.

Weszli na drewniany most i stanęli przy balustradzie. Patrzyli na rzekę płynącą w dole. Ławice małych ryb wynurzały się spod mostu. Łuski błyskały na tle zielonych wodorostów. W niektórych miejscach świeciły łachy piasku i drobnych kamieni. Tam, gdzie było głębiej, woda tworzyła wiry — wolno obracające się koła. Płynęły liście olch. Tomek zapatrzył się na rzekę — na te błyskające pod mostem rybie łuski, na wiry, na cień drzew rosnących wzdłuż brzegów. Po prawej stronie widać było drewniany budynek z długą werandą wysuniętą nad wodę i podpartą belkami. Miała wielkie okna z drewnianych krat, z małymi szybkami. Słońce odbijało się w szybkach. Dalej rzeka ginęła za zakrętem. Pachniało wodą, wilgotnym piaskiem i czymś, co trudno byłoby nazwać. Może tak pachnie cień?

Siedzieli potem w biało-zielonej łódce, z czarnymi, wysmarowanymi smołą burtami poniżej białego pasa. Krawędzie burt i ławki były zielone. Kilka takich łódek stało blisko mostu. Były przywiązane łańcuchami do pni. Stado gęsi pływało po rzece.

Zoni schylił się — podniósł z dna, przy brzegu, płaski kamyk i puścił kaczkę w stronę gęsi. Kamyk kilka razy odbił się od powierzchni i utonął. Wtedy wszyscy trzej zaczęli szukać kamyków i puszczać kaczki. Łódka się kołysała, rzucone kamyki odbijały się, skakały nad wodą. W bryzgach rozpryskujących się kropel. W słońcu. Gęsi odpłynęły.

Wieczorem poszedł z Urszulą i Zuzi na łąkę do „naszych krów", jak mówiła Mazurka. Kiedy szli, czuł pod stopami i na łydkach mokrą od rosy trawę.

Krów było pięć — trzy Bronowicza i dwie „lipowskie", jak mówił — ze wsi. Pasły się razem na łące pułkownika. Zuzi wyliczała imiona na palcach:

— Krasna, bo najładniejsza, Góralka, bo taka brązowa, Aniela, bo ma białe łaty jak skrzydła anioła. O tu, zobacz. Ta jest Rózia, bo ma taki różowy nos, a ta nazywa się Wierna. Dawniej to się nazywały Bertha i Milli.

— A dziś dlaczego Wierna? — spytał Tomek.

— Bo jak inne uciekają do lasu, to ona zostaje. Jest taka grzeczna. Patrz, jakie ma oczy.

Tomek stanął trochę dalej od krów. Oczy Wiernej widział z daleka — duże, ciemne i wypukłe.

— Czy krowy mają rzęsy, tak jak my?

— Chodź, zobacz.

Ale on bał się podejść bliżej. Z daleka patrzył, jak Wierna szczypie trawę. Uniosła łeb i wyginając szyję, lizała przez chwilę wielki brzuch.

— Boisz się rogów? Nie bój się, ona nigdy nikogo nie pobodła.

Urszula przyniosła stołek. Przydźwigała też żelazny baniak na mleko i drewniany skopek. Ustawiła stołek przy zadzie Wiernej, podkasała spódnicę (zaświeciły gołe kolana), przetarła wymiona szmatką i zaczęła doić. Tomek widział, jak spod rąk Urszuli sikają białe strużki do podstawionego skopka.

Przyszły dwie kobiety ze wsi. Tak jak Urszula przyniosły stołki i skopki. Siadały koło Anieli, Krasnej i Góralki (Rózię, po Wiernej, wydoiła Urszula). Mleko przelewały do baniek i kanek. Rozmawiały po niemiecku. Pachniało łąką, sierścią krów i dymem, który snuł się naokoło, przywiany znad Lipowa. Słychać było odległe szczekanie psów. Kajtek przybiegł za dziećmi. Teraz wytropił dwie kuropatwy — wypłoszył z kępy głogów i jałowców. Ptaki odfrunęły. Tomek widział, jak podlatywały kawałek, siadały na łące, znów podlatywały. Kundel, podskakując i szczekając, popędził za nimi. Słońce schowało się za korony drzew. Łąkę przykrył cień.

— „Rano, rano, raniusieńko, rano po rosie..." — zaśpiewała nagle Urszula. Wstała ze stołka. Białe kolana znikły pod spódnicą. — A pan Tomasz zna taką piosenkę? „Wyganiała Kasza wołki, rozwidniało się..." — śpiewała dalej.

— Nie kasza, a Kasia — powiedział Tomek.

Kobiety z Lipowa śmiały się. One także kończyły dojenie.

— Chodźcie dzieci, wracamy. — Urszula podniosła żelazny baniak i poszła pierwsza w stronę wrót stodoły. Trochę pochylona, machała w powietrzu ręką, jak tamtego ranka, kiedy z okna widziała ją Joanna. Tomek i Zuzi poszli za Urszulą. Tomek niósł stołek, Zuzi zieloną kankę. Mleko chlupotało pod czarną przykrywką.

Szczególnie polubił wieczory w kuchni — kolacje, które szykowała Urszula. Najczęściej dostawał talerz mlecznej zupy — z makaronem lub płatkami owsianymi, z cukrem. Bronowicz zjadał jajecznicę z kilku jaj, smażoną na boczku lub smalcu. Zapach tłuszczu z patelni rozchodził się po całym domu, zmieszany z zapachem dymu spod blachy — płonących świerkowych szyszek, które Urszula używała na podpałkę.

Naftową lampę zapalano, kiedy za oknami ściemniło się. Tomek przyglądał się, jak dziadek lub Urszula przytykają płonącą zapałkę do wysuniętego z oprawki knota i jak twarze oświetla płomyk — z początku mały, później większy. Następowało mocowanie w oprawce szklanego klosza, przypominającego butelkę lub wysoką szklankę. Płomień przygasał, zamknięty w butelce, wtedy trzeba było podkręcić knot złotym kółkiem wystającym z oprawki. Płomień czasem był jasny, czasem filował, jak mówił dziadek — migotał, kopcił (zawsze przed zapaleniem lampy Urszula przecierała zakopcony klosz szmatką). Odbijał się w ciemnych szybach. Później, jedząc przy stole, patrzyli na lampę i na żółty płomień za szkłem. Za kuchennym oknem, bliżej i dalej, szczekały psy.

Czasem przychodził Wasyl. Mieszkał z rodzicami w Lipowie, na krańcu wsi, ale lubił — po dniu w stolarni lub na polu, z panem pułkownikiem albo młodszym bratem, Stepanem, który pomagał mu, gdy roboty było dużo — zajść do kuchni, niby powiedzieć tylko „dobranicz" i zostać. Urszula i jemu szykowała jajecznicę, chociaż — jak zdawało się Tomkowi — niechętnie. Wasyl jadł w milczeniu, trzymając talerz na kolanach (siadał na zydlu koło pieca, czapka leżała na podłodze). Biały talerz znikał w wielkich dłoniach, jakby Semen, jak czasem mówił o nim dziadek, trzymał mały spodeczek. Czasami podrzucał pod blachę, a wtedy ogień zza otwartych drzwiczek oświetlał część kuchni — podłogę, białą ścianę i belki na suficie.

Tomek, tak jak rankami, starał się rozśmieszyć Zuzi — robił miny, wykrzywiał się, nadymał policzki. Mała śmiała się bez przerwy. Urszula strofowała dzieci:

— Uważajcie, bo się zadławicie zaraz!

Jednego z takich wieczorów Bronowicz powiedział do Wasyla:

— *Ano, mij dorohyj, znajesz ty dumku?* — I zaczął śpiewać. Tomkowi zdawało się, że zadudniło pod sufitem, między belkami. Zadzwoniły szyby. Dziadek śpiewał basem: „*Wziaw by ja banduru, ta j zahraw jak znaw, może b z toho duru bandurystom staw...*".

Wasyl, spod pieca, podchwycił słowa: „*A wse czerez oczi, koły b ja jich maw, za ti kari oczi, duszu ja b widdaw...*"
Tomek i Zuzi umilkli. Lili usiadła na ławie, obok Bronowicza. Podparła głowę łokciami — słuchała. A oni śpiewali i śpiewali: „*Każut' ludy durnyj, szczo ty narobyw, szczo ty swoju duszu nawik pohubyw...*".

I znów o tych oczach, za które oddaliby dusze, a potem o domku „za horamy", w którym „hołubka z żalu wmyraje". I ostatni raz, od początku, nabierając tchu: „*Wziaw by ja banduru, ta j zahraw jak znaw...*".

Nie wszystkie słowa Tomek rozumiał. Tylko niektóre.

— *Wunderschön, wunderschön* — powiedziała Urszula, kiedy szyby przestały dzwonić i to dudnienie pod stropem ucichło.

Po kolacji pierwsza szła do łazienki Zuzi. Tomek po niej — Urszula nalewała do miednicy ciepłą wodę z sagana, który trzymała na płycie. Tomek mył twarz, podczas gdy Lili Marleen wołała z kuchni: „I szyję, szyję, nie zapomnij aby!". Nogi mył na końcu, w miednicy ustawionej na podłodze, przytrzymując się komody. Patrzył wtedy w lustro nad marmurowym blatem i widział czasem, w szparze kuchennych drzwi, odbicie naftowej lampy. Gdy woda z sagana była za gorąca, stopy Tomka czerwieniały.

Za większą potrzebą, jak mówił dziadek, biegał do drewnianej wygódki. Stała wśród bzów, niedaleko jabłonek, za domem. Z werandy trzeba było iść ścieżką pod oknami. Tomek zwykle chodził, póki było jasno. Zamykał drzwi z desek na haczyk — przez szpary widział ścianę domu i okno. Czasem pod wygódkę przybiegał Kajtek. Czekał na Tomka, oparty łapami o schodek. „Idź sobie, odejdź!", mówił wtedy szeptem. Ale Kajtek nie odchodził.

Zasypiał w dużym pokoju, w którym także sypiał dziadek. Na sofie pod oknem, tam gdzie pierwszej nocy spała Joanna. Naciągał na głowę pierzynę. Głosy z kuchni — dziadka i Urszuli — cichły. Przez luft nad głową (jeśli był uchylony) wiało. Chłopiec wyglądał spod pierzyny, czasami klękał, żeby zobaczyć gwiazdy. Odgarniał połę ażurowej firanki, wsuwał głowę między liście pelargonii. Patrzył na skrawek nieba z gwiazdami. Cierpko pachniały pelargonie.

Najczęściej zasypiał od razu.

Dziadka odwiedzał pan Wilhelm Grodecki. Kiedyś, jak opowiadała Lili Marleen, był najbogatszym mieszkańcem Lipowa. Prowadzili z żoną pensjonat nad rzeką. Przyjeżdżali ludzie z całych Niemiec, nie tylko z Prus Wschodnich.

— Jego, jak przyszła wojna, wzięli do wojska, ale wojował tylko do czterdziestego roku. Bo został ranny i wrócił. On nie ma stopy.

Pan Grodecki utykał, idąc drogą przez łąki. Powłóczył prawą nogą, gdy podchodził do werandy. Ale czy na pewno nie miał stopy? Jak można chodzić bez stopy? — zastanawiał się Tomek.

Gość podpierał się laską. Wysoki, chudy, w białym golfie. Kiedy Tomek zobaczył go po raz pierwszy, pomyślał, że to idzie drugi dziadek. Byli podobni. Grodecki wieszał laskę na krawędzi stołu, czarną polówkę kładł obok. Siadał na ławie.

— *Das ist mein Enkel* — przedstawił Tomka Bronowicz. Grodecki uniósł się, wyciągnął rękę nad stołem.

— Dżeń dobry, chlopak — powiedział. Miał opaloną twarz, krótko przycięte włosy — biały jeżyk. Niebieskie oczy, które czasem zachodziły łzami, a wtedy pan Grodecki tarł oczy chustką. Jego spodnie przypominały spodnie dziadka, tylko były od niemieckiego munduru.

Zwykle grali w szachy. Dziadek przynosił składane pudełko-szachownicę. Było zamykane na kluczyk. Wysypywał na stół figury, które zaraz ustawiali na rozłożonym pudle. Tomek brał dwa pionki — czarny i biały — chował za plecami, potem kładł zaciśnięte dłonie na stole. Dziadek zwykle wybierał czarnego piona.

Rozmawiali po niemiecku. Pan Grodecki źle mówił po polsku, kaleczył słowa. Niektórych nie rozumiał. Tomek stał obok — lubił przyglądać się, jak grają. W milczeniu — długo myśleli, nim przestawili figurę na szachownicy. Słońce chowało się za dach stodoły. Gdy Dońka pasła się obok werandy, słyszeli parskanie. Poszczekiwały psy.

Mężczyźni wspominali wojnę. Pułkownik opowiadał o wrześniowej kampanii. Grodecki o sowieckiej ofensywie w styczniu czterdziestego piątego. O tym, jak ludzie uciekali w stronę Zalewu Wiślanego.

— Na szczęście nie weszliśmy na lód. Ci, co weszli, potonęli, bo Sowieci ich zbombardowali.

— Wy przynajmniej macie kawałek wolnego kraju — mówił po niemiecku Bronowicz. — *Und unser Vaterland, Polen,* wyszła na tej wojnie najgorzej, prawda Tomku? Ty coś o tym wiesz, bo pamiętasz powstanie w Warszawie.

— Jak Niemcy rzucali bomby — powiedział chłopiec — to nigdy w nas nie trafiali, bo nie umieli dobrze wycelować.

Pan Grodecki roześmiał się. Wielką dłonią zwichrzył włosy Tomka.

Lili Marleen przynosiła herbatę w filiżankach i pokrajane ciasto na talerzu.

— Szach — mówił nagle dziadek. Grodecki długo zastanawiał się, pochylony nad szachownicą. Potem podnosił ręce i mówił po polsku: — Ja się poddaję, panie Bronowicz.

Czasem bywało odwrotnie — to Grodecki mówił niespodziewanie „szach" albo *„Hände hoch, Herr Oberst!"*.

Kilkakrotnie odkładali partię „do następnego razu". Zwykle, gdy zapadał zmierzch i robiło się chłodniej. Pułkownik notował na kartce, gdzie stały figury. Grodecki żegnał się z dziadkiem, nakładał czapkę polówkę, zabierał laskę i odchodził. Czasem Tomek odprowadzał gościa na drogę przez łąkę. Tam mówił „do widzenia", a Wilhelm Grodecki odpowiadał *„auf Wiedersehen,* chlopak". Ściskał mocno dłoń. Tomek biegł z powrotem, do zakrętu, i tam odwracał się jeszcze. Patrzył chwilę na starego Mazura, jak idzie, utykając, z laską, w białym swetrze. Czapka polówka. Wyprostowany. Kiedy nad łąkami snuła się mgła, pan Grodecki powoli znikał. Czarna sylwetka rozpływała się jak w białym dymie.

Po dwóch tygodniach Bronowicz zapytał wnuka:
— No to jak będzie z naszą umową? Chcesz wracać do Warszawy?
Tego dnia od rana padał deszcz. Tomek grał w domino z Zuzi. Siedzieli przy stole, w kuchni, kiedy zaczęły szczekać psy.
— Jedzie pan Niemiro — powiedziała dziewczynka.
— Co za pan Niemiro?
— Nie wiesz? To pan listonosz.
Chłopiec rzucił kostkę domina i wybiegł na werandę. Zobaczył człowieka w pelerynie. Jechał na rowerze, opędzając się nogą od psa. Kajtek skakał naokoło roweru. Listonosz podjechał do werandy i zaraz, spod peleryny, wyjął list.
Tomek od razu pobiegł do stolarni.
— Dziadku, dziadku, to od mamy!
Pułkownik przeczytał adres.
— Masz rację: „Obywatel Bronowicz. Dla obywatela Tomka".
Poszli do domu przeczytać. Pułkownik zasiadł przy stole. Nałożył okulary. Tomek naprzeciwko, podpierając brodę rękami. Porozrzucane kostki domina leżały na ceracie.
„Synku mój kochany — pisała Joanna. — Bardzo tęsknimy do ciebie — ja i babcia. Także Antosia ciągle

wspomina. Ale na pewno na wsi jest ci dobrze. Myślę, że jesteś grzeczny i żadnych kłopotów nie przysparzasz".

— Co to znaczy „przysparzasz"? — spytał.

— Nie sprawiasz kłopotów. — Bronowicz czytał dalej: „U nas bez zmian. Tata jeszcze przebywa poza domem, ale mamy nadzieję, że niedługo wróci".

— Jak ktoś ma nadzieję, to co to znaczy?

— Spodziewa się, że będzie lepiej.

— Czyli u nich jest gorzej?

— Twego ojca zabrało UB. Wiesz przecież. Więc nie jest dobrze.

Chłopiec zamilkł. Bronowicz czytał: „Babcia ostatnio chora, bo przeziębiła się w ogrodzie. Twoja mama zdała dwa egzaminy na Politechnice — na czwórkę i na piątkę. Ale w domu pusto bez synka. Teraz tutaj upały, że wytrzymać trudno, a wy tam pewno kąpiecie się w rzece?".

— Dziadku — przerwał — ja bym naprawdę chciał wykąpać się w rzece.

Bronowicz popatrzył na wnuka.

— A więc zostajesz, bo chcesz wykąpać się w rzece, czy tak?

— Może iść z chłopakami — odezwała się Lili Marleen. — Ja wezmę Zuzi i będziemy go pilnowały z mostu.

Niedługo potem, jeszcze w czerwcu, dziadek z Wasylem zaczęli uczyć Tomka jeździć konno. Pierwszy raz poszli na łąkę wieczorem. Bronowicz niósł uzdę z wędzidłem.

— Będziesz kłusował na oklep — powiedział.

Tomkowi przebiegł dreszcz po plecach, kiedy stanęli koło Benedykta szczypiącego trawę.

— Czekajcie, spokojnie — mówił dziadek. Nałożył na łeb konia uzdę, wędzidło wsunął do pyska. Przełożył wodze przez szyję.

— Nic się nie bój, chłopak. Tylko patrz. — Wasyl pochylił się i nagle „hop!" — wskoczył na grzbiet. Wysoko zadarł nogę. Cmoknął i objechał kawałek łąki wkoło. Przynaglał konia do kłusa piętami. Tomkowi zdawało się, że to już on sam siedzi na grzbiecie Benedykta i podskakuje: hop, hop, hop!

— Kozaku, kozaku — powiedział Bronowicz, kiedy Wasyl zeskoczył na trawę. — On za mały. Nie podskoczy jak ty. Najlepiej niech z twojej ręki dosiada.

Benedykt chciał odejść — Wasyl przytrzymał go za grzywę. I w tym momencie chwycił Tomka drugą ręką w pasie, uniósł i posadził na grzbiecie. Wałach tylko zastrzygł uszami.

Bronowicz podał wodze: — Trzymaj, kawalerzysto. Teraz jak chcesz w lewo, ciągnij lewym pasem. Jak w prawo, prawym. Nie bój się, to spokojny koń. Wasyl będzie obok.

Został w miejscu, a oni zaczęli pierwszą rundę. Koń szedł stępa — obok, przy łbie, stawiając wielkie kroki, Wasyl.

— Skręć, chłopak, w lewo — mówił. Tomek pociągnął rzemień lewą ręką i Benedykt posłusznie skręcił.

— Teraz w prawo! — Benedykt skręcił w prawo.

— Teraz go piętami, piętami! Cmoknij!

Wałach ruszył truchtem, potem zaczął kłusować — coraz prędzej, Tomek podskakiwał na grzbiecie: hop, hop, hop! Wasyl biegł obok, zostawał z tyłu, wtedy wołał:

— Przytrzymaj go! Ciągnij do siebie!

Tomek ściągał wodze i Benedykt zwalniał. Zdyszany Wasyl podbiegł:

— Teraz go piętami, piętami! *Dawaj wpiered!*

Bronowicz obracał się w miejscu. Patrzył, jak koń z wnukiem zatacza wielkie koła. Wasyl coraz częściej zostawał z tyłu. Poczerwieniał, biegł z czapką w ręku. Koszula pociemniała mu na plecach. Podbiegał, równał się z Benedyktem, zostawał, znów biegł obok.

— Wystarczy — powiedział po kwadransie Bronowicz. — Na dziś dosyć.

— Dziadku, dziadku — zaczął wołać wnuk — jeszcze pięć minut!

— Minutę! — Pułkownik wyjął z kieszonki cebulę. Położył na dłoni. Tomkowi zdawało się, że zaraz podniósł rękę: — Stop!

Chłopiec ściągnął wodze, stanął. Wasyl chwycił za uzdę.

— No jak: zejdziesz sam? Skacz!

Tomek pochylił się, przerzucił prawą nogę nad zadem i zsunął się, przytrzymując grzywy.

Dziadek podszedł bliżej: — Dobrze. Będziesz jeździł!

Lekcje jazdy na Benedykcie powtarzały się co kilka dni. Tomek kłusował sam — zataczał koła na łące. Kiedy przegalopował pierwszy raz wokół Bronowicza, pułkownik pomyślał o starym ćwiczeniu rekrutów z Grudziądza: galopowali na oklep, przekładając za plecami, z ręki do ręki, furażerki. Jednocześnie, po każdym przełożeniu, następował wymach ramieniem nad głową. Tak nabywali nawyk utrzymania się na koniu prowadzonym tylko łydkami i piętami.

Tomek kilka razy gubił czapkę Wasyla, która zastąpiła furażerkę. Ale potem chwycił rytm — czapka wędrowała z garści do garści. Wymachiwał nad głową i krzyczał za każdym razem:

— Hej! Hop! — Benedykt cierpliwie kłusował.

— Raz dwa, raz dwa! — wołał Bronowicz, obracając się. Wasyl stał obok. — Dobre, dobre, zdatnij kozak!

— Jeszcze raz, piętami go, piętami!

Wieczorne lekcje przeciągały się do późna.

Z chłopcami z wioski chodził teraz nad rzekę codziennie. Przychodzili zwykle „po szkole", jak mówili. Przybiegali zdyszani — Zoni wołał z daleka:

— Tomek, Tomek, wychodź!

Wtedy, jeśli był w domu, wybiegał na werandę. Koledzy przynosili wędki z kijów leszczynowych i słoiki na dżdżownice. Szli zaraz pod pryzmę kompostu za domem. Tomek przynosił łopatę. Kopali na zmianę w czarnej ziemi — wyciągali lepkie dżdżownice ze skiby odrzuconej na bok — rozgrzebywali palcami. Tłusta ziemia lepiła się do rąk. Pod paznokciami zostawały czarne obwódki.

Manfred podarował Tomkowi kij na wędkę — długi, leszczynowy, u nasady bez kory. Żyłkę, spławik i haczyki kupił dziadek w sklepie przemysłowym w Jakubowie.

Wasyl pokazał, jak wiązać haczyki na przyponie, gdzie umocować ciężarek — zwinięty kawałek ołowianej blaszki. Wsunął na żyłkę spławik z korka z kawałkiem uciętego gęsiego pióra. Łowili zwykle z mostu, ale czasem szli dalej, brzegiem, w górę rzeki, gdzie woda wymyła doły pod olchami. Tam, stojąc po kolana w wodzie, puszczali żyłki z prądem, pod korzenie drzew. Licząc na żerujące tu klenie. Ale klenie były ostrożne. Bardzo rzadko, Zoni lub Manfred, wyciągali z ciemnego dołu, trzepoczącą się na końcu żyłki, tłustą, obłą rybę, bijącą o wodę czarnym ogonem. Tomek nie złowił klenia nigdy.

Najbardziej lubił rzucać wędkę z mostu — oparty o ciepłą barierę, patrząc w dół na płynącą wodę, na stada uklei, nurkujących w pogoni za rzuconą przynętą. Gdy spławik znikał nagle, wyciągał błyskającą w powietrzu srebrną rybkę. Przerzucał nad barierą, na deski — odczepiał z haczyka i wrzucał z powrotem do rzeki. Koledzy śmieli się. Podczas tych pierwszych wypraw nad rzekę tylko oni łowili większe ryby: płocie, krasnopióry, okonie.

Czasem na most przychodziły dziewczynki — koleżanki z klasy Manfreda: Dorotka, Maria, Ingrid, Helga. Stawały przy barierce, trochę dalej. Śmiały się — Tomkowi zdawało się, że głośniej, kiedy złowił kolejną ukleję. Przybiegała także Zuzi, najczęściej wołając z daleka, żeby szybko wracał do domu, bo dziadek kazał. I wtedy dziewczynki na moście śmiały się głośniej.

Tomek, nim wieczorem zasnął po takim dniu, widział pod powiekami most w słońcu, srebrne ukleje skaczące na deskach i dziewczyny przechylone przez barierę — zwłaszcza czarnowłosą Dorotkę w białej sukience, jej warkocz i ciemne oczy. A także drogę przez łąkę, kołyszący się czubek leszczynowej wędki i bose nóżki Zuzi idącej przed nim. Widział nawet, jak ogląda się, i słyszał, jak mówi: „No chodź prędzej. Dość już tego łowienia".

Często wieczorami rozmawiał z dziadkiem. Polubił te rozmowy. Siedzieli na werandzie lub niżej na schodkach — Kajtek obok na trawie. Przewracał się na grzbiet, a wtedy Tomek drapał psa po brzuchu, pod szyją, tarmosił za ucho. Czasem przychodził kocur Wielkogłowy, jak go nazwała Zuzi („bo ma taką wielką głowę") — siadał nad nimi na balustradzie i mruczał głośno.

To w czasie jednej z takich rozmów Tomek opowiedział o głosach, jakie słyszy, nim zaśnie.

— Jacyś ludzie rozmawiają w naszym pokoju. Po niemiecku, dziadku. Ja nic nie rozumiem. Oni śmieją się, są blisko, ale przy mnie nikogo nie ma. Czasem lampa w kuchni jeszcze się świeci albo księżyc za oknem. Gdyby byli, to bym ich zobaczył.

— Zdaje ci się — powiedział Bronowicz. — To się zdarza. Człowiek słyszy coś lub widzi rzeczy, których nie ma. Ludzie nazywają takie złudzenia omamami.

— Dziadku, naprawdę. Mogę ci powtórzyć słowa, których nie rozumiem. *„Das ist unsere Welt"*, mówią i jeszcze coś.

— Może słyszałeś głos Lili? Z kuchni?

— Nie, dziadku. To mówił ten mężczyzna w naszym pokoju, a ta kobieta powtarzała: *„ja, ja"*. I *„wunderschön,*

wunderschön", i śmiała się. Oni potem odchodzą. To nie był sen.

— A może to znajomi Urszuli mówili? Mazurzy. Czasem ktoś do niej przychodzi.

— Nie, dziadku. Ja te głosy słyszałem w pokoju.

Bronowicz odczekał chwilę.

— Nie bój się. To są przywidzenia. Najlepiej zakryj głowę i śpij.

— Ja tak robię, dziadku. Tylko raz się pomodliłem, jak byli długo.

Pułkownik pogłaskał Tomka po włosach. Nigdy więcej nie rozmawiali o wizytach nieznajomych. Wnuk już nie wracał do sprawy. Może zapomniał? Może kobieta i mężczyzna przestali odwiedzać drewniany dom?

Z wilkiem Dago, nazwanym przez Bronowicza Atamanem, chodzili na spacery także wieczorami. Kiedy zbliżali się do budy, pies czekał. Spodziewał się spaceru — stawał na tylnych łapach, szczekał cienko. Spuszczony, skakał naokoło, a potem na łące biegał „jak szalony", jak mówił Tomek. Miał dla psa, poutykane w kieszeniach spodenek, kawałki boczku lub kiełbasy (palce i kieszenie pachniały później wędliną). Uczyli Atamana reagowania na gwizd. Pies odbiegał daleko — znikał w kępach głogów, jałowców i zdziczałych bzów pod lasem. Przybiegał na gwizd Bronowicza — zdyszany, z językiem zwisającym z pyska. Podbiegał do Tomka, który — z początku niepewnie, cofając się — wyciągał rękę z kawałkiem kiełbasy. Czasem podrzucał, a wtedy Ataman łapał nagrodę w powietrzu, kłapiąc głośno.

Pułkownik wcześniej nauczył psa aportować: rzucali na zmianę kij lub laną piłeczkę, którą Dago-Ataman przynosił i kładł pod nogami, zaślinioną i lepką. Sierść miał mokrą od rosy, listki i źdźbła trawy na pysku. Dyszał głośno.

— On jest szczęśliwym psem — powiedział kiedyś Tomek.

Kilka razy chodził sam na wieczorne spacery na łąki. Zwykle także Kajtek biegł za nimi. „Dziamolenie" małego psa, jak mówił dziadek, niosło się po łąkach.

— Eno idźcie dalej od krów — prosiła Urszula. — One tego wilka nie lubią za bardzo.

Na początku lipca popłynął z Horstem i Zonim na raki, w górę rzeki. Łodzią Horsta, najstarszego z kolegów. Pod prąd — pod mostem, wzdłuż drewnianej werandy nad rzeką, i dalej, tym ciemnym tunelem wśród olch na brzegach — do lasu. I dalej, dalej — płynąc ciągle pod konarami drzew jak pod zielonym dachem. Horst, stojąc na rufie, popychał łódź długim drągiem.

— Popłyniemy na sztych — powiedział Zoni, kiedy przyszedł po Tomka. Kilka razy i on pchał łódź, tak jak Horst stojąc na rufie. Bosą stopę opierał na ławce. Tomek patrzył na rzekę. W niektórych miejscach musieli omijać pnie drzew leżące w poprzek nurtu. Stada małych rybek przemykały obok burty w czystej wodzie, nad piaskiem i kamykami.

Raki łapali daleko, w głębi lasu, brodząc po kolana wzdłuż brzegów. Horst i Zoni wtykali końce patyków w dziury pod korzeniami, żeby je wypłoszyć. Drugim

końcem, rozciętym jak szczypce, przyciskali do dna
i szybko wyciągali z wody. Wszystkie były czarne, a nie
czerwone, jak wyobrażał sobie Tomek. Wrzucali do worków zawieszonych na szyi.

Tomek brodził obok — przyglądał się, ale zaraz cofał,
gdy Zoni straszył go schwytanym rakiem. Niektóre były
duże, z wąsami, rozcapierzały szczypce, nim zostały
wrzucone do worków.

Chłopcy złapali wtedy kilkadziesiąt raków.

— Damy tobie — mówił Zoni — będziecie mieli na
kolację. Pożyczę ci worek, bierz!

Ale Tomek nie chciał raków.

Wracali, płynąc z prądem. Szybciej. A kiedy słońce
zaszło za drzewa — w mgle nad wodą. I w tej mgle, już
bliżej wsi, tam, gdzie zaczynały się olchy, spotkali łódkę
z dziewczynkami. Wpierw, z daleka, usłyszeli melodię
wygrywaną na flecie lub fujarce. Niosła się nad wodą
raz ciszej, raz głośniej. Tomkowi wydawało się, że jest
smutna. Czasem nie słychać było nic zza zakrętu. A potem, nagle, zobaczyli kolorowe sukienki i łódkę z Ruth,
Helgą, Marysią i Dorotką. Tomek wszystkie pamiętał
z mostu. I zaraz Horst udał, że chce uderzyć dziobem
w burtę tamtej łódki. Fujarka zamilkła (chyba grała na
niej Dorotka), dziewczyny zaczęły krzyczeć, Zoni i Horst
śmieli się. Wszyscy mówili po niemiecku. Łódki obracały się — obie, rozkołysane, płynęły wolno w dół rzeki.
Horst bił drągiem o wodę — chlapał na dziewczyny.

W końcu zepchnęli łódkę dziewcząt w trzciny i odpłynęli, ale flet czy fujarka znów odezwała się po chwili.
Tomkowi wydało się, że teraz melodia jest weselsza.

Póki nie ucichła zupełnie w mgle, za drewnianą werandą, za olchami i mostem.

W lipcu po raz pierwszy pojechali na koniach dalej: Wasyl na Dońce, Tomek na Benedykcie. Na oklep, na przełaj przez łąkę, potem drogą wśród sosen i świerków, do miejsca, gdzie las jakby pociemniał. Droga skryła się w tunelu, jaki tworzyły tu wielkie drzewa — graby, klony, dęby. Inaczej tutaj pachniało: wilgocią, cieniem, zeszłorocznymi liśćmi. Cienisty trakt opadał w kierunku jeziora. Tomek zobaczył je, kiedy było blisko. Konie nagle przyspieszyły — wybiegły zza zakrętu i z kłusa zaczęły przechodzić w galop. Znały to miejsce.

— Wolniej, wolniej! — wołał Wasyl. Galopował obok. — Ciągnij, do siebie! Przytrzymaj go!

Ale na niewiele to się zdało. Tomek podskakiwał na grzbiecie wałacha. Drzewa przesuwały się obok jak ciemnozielona smuga. Coraz szybciej, szybciej i już był brzeg — leśna droga kończyła się w jeziorze. Konie, nie zatrzymując się, wbiegły do wody, rozbryzgując jasną powierzchnię. Benedykt przez chwilę pił, stojąc z opuszczonym łbem. Dońka zanurzyła się od razu po grzbiet. Wasyl zeskoczył z konia pierwszy, na płyciźnie, i zaraz, podskakując na lewej, potem prawej nodze, zaczął ściągać spodnie. Zieloną koszulę rzucił na piasek.

— Skacz, schodź! — wołał do Tomka.

Chłopiec, tak jak na łące, ześlizgnął się z grzbietu Benedykta, zanurzając od razu po pas. Suszył potem harcerskie spodenki na gałęzi choiny.

Przy brzegu, nad jasnym piaskiem, w przezroczystej wodzie pływały stada rybek. Ich łuski połyskiwały jak blaszki. Zdawało się, że jezioro oddycha — o stopy Tomka uderzały małe fale. Dalej powierzchnia była gładka, niebieska jak niebo.

Oba konie stały zanurzone po grzbiety. Słyszeli tylko parskanie. Wasyl, w granatowych spodenkach do kolan, związanych na brzuchu tasiemką, wszedł do wody. Brnął chwilę, póki nie zanurzył się po pas, potem nagle znikł. Wynurzył się po chwili i zaczął płynąć, wymachując rękami nad wodą — po kozacku. Tłukł nogami, wzbijając biały pióropusz za sobą. Tomek został na brzegu. Daleko, ze środka zatoki, Wasyl zawołał:

— Płyń, chłopak, nie bój się, woda ciepła!

Ale chłopak nie umiał pływać. Wszedł ostrożnie do jeziora — uniósł ręce, trochę dalej kucnął. Podskoczył raz i drugi, znów kucnął. Zaczął kręcić się w kółko, odbijając piętami od piasku.

Nie zauważył dwóch mężczyzn, którzy wyszli z lasu i stanęli na brzegu. Jeden — wysoki, w spłowiałej rogatywce i spodniach od munduru wpuszczonych w saperki, bez koszuli (owinął zrolowaną wokół bioder), miał przewieszoną przez gołe ramię pepeszę. Drugi, niższy i chyba starszy — także w rogatywce, w granatowych spodniach wpuszczonych w takie same saperki, w koszuli z podwiniętymi rękawami — usiadł na pniu blisko brzegu. Obok rzuconych spodni i koszul. Pistolet, niemiecki schmeisser, jak później powiedział Wasyl, położył na trawie. Wyjął z kieszeni spodni paczkę papierosów, włożył jeden do ust, potem — nie patrząc na kolegę — podsunął wysokiemu. Tamten schylił się i wziął papierosa. Niski wyciągnął nogę w saperce i z drugiej kieszeni wyjął zapalniczkę. Pstryknął, zapalił i podał wysokiemu. Wysoki usiadł na trawie obok.

Siedzieli teraz obaj w milczeniu, palili i przyglądali się, jak Tomek i Wasyl kąpią się. Słychać było parskanie koni — wciąż stały zanurzone po grzbiety.

Tomek pierwszy zobaczył nieznajomych. Chyba trochę się przestraszył. W mokrych spodenkach, klejących się do bioder, zaczął wracać na brzeg.

— Dzień dobry — powiedział, kiedy był bliżej.

— A no, dzień dobry — odezwał się wysoki. Niższy zdjął rogatywkę. Ciemne włosy miał sklejone potem. Na czole czerwony ślad.

Wasyl odpłynął daleko. Tomek, stojąc już na brzegu, zaczął wołać:

— Wasyl, Wasyl, wracaj! — Machał ręką.

Furman obejrzał się. Zobaczył dwóch nieznajomych i zaraz zaczął płynąć z powrotem. Wymachiwał rękami, wzbijał biały pióropusz.

— A wy skąd? — spytał niski Tomka. Wydmuchał kłąb dymu.

Wysoki wyciągnął się na wznak — ręce skrzyżował pod głową. Odrzucił papierosa. Zaczął żuć źdźbło trawy. Patrzył zapewne na płynące nad lasem obłoki.

— Z Lipowa — powiedział chłopiec.

— Konie czyje?

— Dziadka.

— Weźmiesz konie, kłopot. Nie weźmiesz, też kłopot — odezwał się wysoki.

71

Wasyl dopłynął do płycizny i teraz, jeszcze zanurzony po pas, szedł wolno w stronę brzegu.

— Czekamy na pana Wasyla — odezwał się ten na pniu. — Konie nam potrzebne. Będziemy rekwirować dla polskiego wojska.

— A broń Pane Boże — powiedział furman, wychodząc na brzeg. Akurat słońce zaszło za chmurę i jezioro pociemniało.

Wysoki uniósł się na łokciu. Wypluł źdźbło trawy.

— Co broń Boże, co broń Pane Boże? Coś ty za jeden? Jak Wasyl to komunista, nie?

— Weź go — powiedział mężczyzna siedzący na pniu — odprowadź w krzaki i daj w szyję.

Tomek popatrzył na Wasyla. Furman kucnął na brzegu. Zaczął podrzucać drobny żwir, którego pryzma ciągnęła się wzdłuż piasku. Kamyki były wilgotne i kiedy znów wyjrzało słońce, niektóre w rękach Wasyla błyskały jak podrzucane szkiełka. W tym momencie klacz zaczęła wychodzić z wody. Na brzegu przewróciła się na grzbiet. Tarzała się chwilę, przewracając z boku na bok — kopyta zataczały łuk.

— Ładna kobyłka — powiedział wysoki.

Tomek usłyszał głos Wasyla:

— To konie pana pułkownika. Nie możecie wziąć.

— Co nie możemy? Co nie możemy? — powtórzył wysoki. — Ty, Wasyl, lepiej nic nie mów. Bo zaraz będziesz leżał pod choiną.

— Pułkownika? — spytał niski. — Pewno z UB albo Ludowego Wojska, co?

— A broń Pane Boże! Z 14 Pułku Ułanów Jazłowieckich. Pan pułkownik był w obozie przez wojnę. Teraz ma gospodarkę w Lipowie.

— To prawda? — niski popatrzył na Tomka. — Prawda, co on gada?

Tomek kiwnął głową.

— Proszę pana, dziadek ma Virtuti Militari za wojnę z bolszewikami.

Dwaj nieznajomi roześmieli się.

— Chodź — powiedział wysoki, podnosząc się z trawy. — Najwyżej przyjdziemy sprawdzić. Jak prawdziwy pułkownik, nasz, zostawimy konie. Jak nie — zabierzemy. A ciebie, Wasyl, zastrzelimy. Coś mi wyglądasz na komunistę.

Zarzucił pepeszę na gołe ramię i odszedł pierwszy.

Ten drugi wstał po chwili. Podniósł schmeissera. Rogatywkę wcisnął na głowę. Odchodząc, klepnął Dońkę po mokrym zadzie (kobyła szczypała trawę przy ścieżce).

Bronowicz zdenerwował się, kiedy Wasyl na zmianę z Tomkiem zaczęli opowiadać o spotkaniu.

— Konie możecie pławić w rzece. Do lasu beze mnie zabraniam! To Virtuti pewnie ocaliło wałacha i klacz. A ciebie, Wasyl, naprawdę mogli zastrzelić. Oni jeszcze prowadzą wojnę.

— *Ja, ja, das ist der Kleinkrieg* — odezwała się Urszula. Wyszła na werandę ze ścierką, wycierając ręce. — U nas, w Gałkowie, ludzie mówili, że partyzanty chodzą po lasach. Byli w dwóch domach po prowianty. Jednym zabrali konia.

— Nikomu nie mówcie o tym spotkaniu — powiedział jeszcze Bronowicz.

Tej nocy przyszła burza. Tomek zbudził się w chwili, gdy piorun uderzył w sosnę, na miedzy za stodołą, lub w brzozę, za ogrodem. Wyjrzał spod pierzyny i zobaczył białe ściany i okna. Obraz nad łóżkiem dziadka z żaglowcem na wzburzonym morzu. Zaświeciło lustro obok serwantki. Potem zrobiło się ciemno i przetoczył się grzmot. Zadzwoniły szyby. Chłopiec schował głowę pod pierzynę, podkulił nogi i leżał, nasłuchując. Było cicho, ale kiedy znów wyjrzał, w pokoju znowu zrobiło się jasno jak w dzień. O szyby zabębniły strugi deszczu. Przez chwilę widział zalewane wodą okno, gałęzie jabłonek szarpane wiatrem i przesłonięty ścianą deszczu dach stodoły. Znowu zrobiło się ciemno i znów uderzył piorun — błysk, trzask, łoskot. Długo dudnił grzmot.

Burza nie odchodziła — czasem zdawało się, że błyskawice i grzmoty oddalają się, że już po wszystkim, ale gdy wyglądał spod pierzyny, nagle słyszał trzask i widział jasne ściany. Nad domem dudniło. Podzwaniały szyby. Potem, w ciszy, słychać było ulewę. Szum deszczu. Strumienie lejące się z dachu. Tomek wyobraził sobie łąkę zalaną wodą, jak woda podnosi się — zalewa podwórze, wzbiera, podchodzi pod werandę, pod schody, jest tuż, tuż, za drzwiami, wciska się przez szpary. I znowu: błysk, grzmot, błysk, grzmot. Szum ulewy.

Odrzucił pierzynę. Boso, po zimnej podłodze, przebiegł kilka kroków do łóżka Bronowicza.

— Dziadku, dziadku! — zawołał. — Dziadku — powtórzył ciszej, gdy usiadł na krawędzi.

Kiedy błysnęło, zobaczył, że łóżko jest puste. Nawet było zasłane tak jak za dnia. Pod palcami miał derkę. Wtedy zerwał się i wybiegł z pokoju.

W szybach małych okienek, nad drzwiami na werandę, błysnął kolejny piorun. Ze wszystkich stron słychać było szum ulewy. Tomek potknął się o próg, zabolały palce bosej stopy. Zobaczył jeszcze okno za kuchennym stołem, biały piec, zaświeciło kółko wahadła za szybką ściennego zegara. Podbiegł do kotary, rozgarnął poły i wszedł do pokoju Urszuli. Było tu ciemniej, duszno. Wąskie okno w głębi przesłaniała ażurowa firanka. Bliżej — za parawanem, jak pamiętał — stało łóżeczko Zuzi. Z lewej strony stół i szafa.

Przeszedł między parawanem a szafą, stanął nad dużym łóżkiem. Drewniana rama opierała się o ścianę. Nad nią wisiał krzyż.

— Lili Marleen — powiedział cicho. — Lili! — trochę głośniej.

W tym momencie błysnęło. Wtedy zobaczył, że obok Urszuli śpi dziadek. Leżeli oboje przykryci kołdrą, podciągniętą wysoko. Urszula spała odwrócona do ściany. Końcami palców trzymała kraj kołdry. Dziadek leżał na wznak. Dwie bose stopy wystawały spod pościeli — duża Bronowicza i mała Lili Marleen. W chwili, gdy grzmot umilkł, Tomek usłyszał chrapanie.

Chłopiec usiadł na krawędzi łóżka. Zatkał uszy i zacisnął powieki. Siedział chwilę bez ruchu. Gdy otworzył oczy, w pokoju było jasno — zobaczył pod nogami szmaciany chodnik w granatowe i czerwone pasy.

— Dziadku! — powiedział. Dotknął dłoni wystającej spod kołdry.

Chrapanie ustało. Bronowicz uniósł się na łokciu.

— Co, co się dzieje?

— Straszna burza.

— Gdzie masz burzę? Przecież ciemno.

W tym momencie usłyszeli trzask. Pokój rozświetliła błyskawica. Przetoczył się grzmot.

— Straszna burza, dziadku. Straszna ulewa. Czy nie zaleje nas?

— O mój Boże! — Bronowicz odrzucił kołdrę. Wstał, przytrzymując się ramienia wnuka. Miał na sobie tylko górę od bordowej piżamy — Tomek pamiętał, że kieszenie były obszyte jasnymi tasiemkami. Owłosione łydki i bose stopy dziadka oświetliła nowa błyskawica.

— Chodźmy, chłopcze — powiedział łagodnie Bronowicz. — Nie bój się. Burza to nic strasznego. Na pewno nas nie zaleje.

Przeszli przez kuchnię i sień — chłopiec pierwszy, za nim dziadek, trzymając dłoń na ramieniu wnuka. W dużym pokoju Tomek ułożył się na swojej sofie. Zaczął naciągać pierzynę na głowę.

— Śpij, śpij — usłyszał jeszcze. Pułkownik stał chwilę nad nim, otulił szczelniej pierzyną.

Burza odchodziła. Dudnienie grzmotów było coraz dalsze. Błyskawice bledsze i zaraz gasły. Tylko deszcz nie przestał padać. Zasypiając, Tomek słyszał monotonny szum za oknami — pomyślał, że nie skończy się nigdy. Ale ten szum był coraz mniej wyraźny, jakby deszcz oddalał się, przycichał, odchodził, aż zamilkł zupełnie.

Rano zbudził go śmiech Urszuli. Rozmawiała z Bronowiczem w kuchni — drzwi do sieni były uchylone. Dziadek coś mówił — Tomek nie słyszał słów, tylko głosy z oddalenia. Chwila ciszy i śmiech Lili Marleen. Jakby znów podzwaniały szyby, tak jak w nocy. Leżał i słuchał: głos dziadka, cisza, śmiech Lili, znów dziadek, cisza. Dzwonią szyby.

Usiadł na łóżku i zobaczył pochmurne niebo nad pelargoniami. Za oknem padał deszcz. Z liści jabłonki kapały krople, spływały po szybach.

W deszczowe dnie ustawiał na podłodze ołowianych żołnierzy. Z kartonowych pudełek, przywiezionych z Warszawy, wyjmował „Polską piechotę w marszu", „Anglików w ataku" i „Niemieckich grenadierów". Polacy mieli zielone hełmy i brązowe buty. Karabiny na ramionach. Anglicy, w białych hełmach, szli do ataku. Błyszczały krótkie bagnety. Grenadierzy klęczeli przy karabinach maszynowych, wszyscy w hełmach spadających na oczy, jakie pamiętał z czasów okupacji. Kilku stało, trzymając granaty gotowe do rzutu.

Ustawiał żołnierzy w dwóch rzędach — zwykle Anglików i Polaków blisko sofy, Niemców po drugiej stronie, koło łóżka dziadka. Dwie armatki na groch, także przywiezione z domu, czekały na rozpoczęcie bitwy. Zaczynała się, gdy przychodzili Manfred i Zoni. Chłopcy kładli się na podłodze — Mani i Tomek za Polakami,

Zoni po stronie Niemców. Strzelali grochem, starając się trafić w żołnierzy naprzeciwko. Ziarenko wpuszczało się do lufy, napinało sprężynę, ciągnąc za metalowe kółko. Kiedy wpadło głębiej, wystarczyło wymierzyć i puścić uchwyt. Armatka cofała się po wystrzale jak prawdziwa — następował odrzut. Groszki skakały po podłodze, trafieni żołnierze przewracali się — chłopcy odkładali zabitych na bok.

Zuzi siedziała na łóżku — machała bosymi nóżkami nad podłogą. Przyglądała się bitwie. Czasem Urszula zaglądała z kuchni. „Matko szwenta — mówiła — znowu przyszła ta wojna!".

Chłopcy, przejęci zabawą, nie zwracali uwagi.

Czasem z Zuzi pilnowali krów, aby nie odchodziły za daleko. Najczęściej w południe, w czasie upałów. Pogryzione przez gzy, zaczynały uciekać do lasu. Biegli wtedy z leszczynowymi witkami, zastępowali drogę. Zawracali krowy pod gruszę na miedzy. Stawały naokoło drzewa, potem kładły się w cieniu. Tomek z Zuzi kucali obok, często siadali na dłużej, opierając się o grzbiet Anieli lub Góralki. Odpędzali Kajtka.

Na łąkę przychodził Manfred. Siadał obok i zaczynali rozmowę o bykach. Niedawno byk Jakynowyczów, rodziców Wasyla — Boruta — zerwał się i wybiegł na drogę. Podobno Wasyl, brat Stepan i stary Jakymowycz długo nie mogli zagnać Boruty do obory. Z belką zawieszoną na szyi, plączącą się między racicami, wlokąc łańcuch, próbował uciekać. Albo z pochylonym łbem atakował ludzi. Tomek dziwił się, że Boruta — wielki czarny byk, do którego sprowadzano krowy z całej okolicy — ryczy cienko:

— Jakby miał chrypkę albo był cielakiem.

Zuzi uderzyła go witką po kolanie:

— Bo wszystkie byki tak ryczą. Nie wiesz?

— Ale. To nie jest prawda — powiedział Manfred. — Jak jeden byk w Zielonym Lasku zaryczał, to my w Lipowie, w szkole, żeśmy usłyszeli.

Zuzi podniosła witkę na Maniego:

— Ty chyba fifak jesteś! Tobie się to przyśniło.

— Przyśniło, przyśniło! — mówił Manfred, śmiejąc się. — Jak byk się żeni z krową, to właśnie tak ryczy. Najgłośniej jak może.

— Z radości, co? — odezwał się Tomek.

— Głupi jesteście. Wyście na pewno nie widzieli, jak byk się żeni. A ja widziałam. Na łące.

— Co robił?

— Skakał na krowę i robił uf-uf.

— Uf-uf! — śmiał się Manfred. — Ty sama jesteś uf-uf! Krowy na łące też skaczą na siebie. Normalnie byk żeni się w oborze.

— E, nie kłóćcie się — powiedział Tomek. — Dobrze, że mój dziadek nie ma byka. Z bykami są same kłopoty.

— Jo, jo — zgodził się Manfred.

— Ale wyście są głupi! — Zuzi zerwała się i pobiegła, podskakując, w stronę domu.

W lipcową niedzielę pierwszy raz pojechali do luterańskiej kirchy w Jakubowie. Bronowicz przypomniał sobie, że ma wozić wnuka do kościoła.

— Chociaż raz w miesiącu na mszę świętą — prosiła Joanna. Ale dopiero po wyjeździe córki dowiedział się, że w pobliżu jest tylko luterańska kircha.

— Kościoły wasze gdzieś dalej, będzie z dziesięć i dwadzieścia kilometrów. Zresztą kiedyś i one były nasze. A teraz zabrali rzymscy katolicy — mówiła Lili.

Tomek z tego pierwszego wyjazdu zapamiętał uśmiechniętego pastora w czarnym ubraniu i białej koloratce. Stał przy otwartych wrotach i witał wchodzących. Tomka pogładził po włosach.

W środku, na drewnianych ławkach z wysokimi oparciami i wąskimi pulpitami, siedziały przeważnie kobiety. Mężczyzn było niewielu. Na ogół starsi, w czarnych marynarkach, siwe głowy. Książki do nabożeństwa w tekturowych futerałach leżały na pulpitach. Na małym ołtarzu, w głębi, paliły się świece. Pachniało stearyną i starymi ławkami.

Usiedli w pustej, na końcu. Nabożeństwo nie było długie. Uśmiechnięty pastor zwracał się do ludzi, chodząc między dwoma rzędami ławek. Odchodził od ołtarza i wracał. Kazanie wygłosił w połowie po polsku, w połowie po niemiecku.

— Potrzeba nam cierpliwości — mówił — bo cierpliwy był Chrystus, który chciał, abyśmy przeżywali nasze życie w swojej świętej wierze, w pokoju, w dobrych obyczajach i nie czyniąc nikomu krzywdy.

Potem zaczął mówić po niemiecku i Tomek przestał rozumieć. Przed końcem nabożeństwa ludzie śpiewali — także po polsku i po niemiecku. Słyszał szelest przewracanych kartek na pulpitach, kiedy śpiew na chwilę przerywano.

Modlili się, stojąc. „Ojcze nasz" powtarzali chórem, jedni po niemiecku: „*Vater unser im Himmel...*", inni po polsku. Dalej i bliżej, i bardzo blisko — nad głową: „Ojcze nasz, któryś jest w niebie..." — mówił dziadek, a wtedy i on zaczął powtarzać: „Święć się imię Twoje, przyjdź królestwo Twoje...".

Kiedy wychodzili po nabożeństwie, zobaczył Urszulę i Zuzi (niedziele spędzały w Gałkowie). Zuzi pomachała z daleka. Lili, w białej bluzce — wysoka, jasne włosy związane tasiemką, obejrzała się i uśmiechnęła do dziadka. Zuzi miała żółtą kokardkę we włosach. Trzymała ją za rękę stara kobieta — pewno babka. Obok Urszuli szedł, utykając lekko, jeden z tych siwych mężczyzn w czarnych marynarkach.

Ludzie wsiadali na wozy, niektórzy do bryczek. Wozy stały pod drzewami, wzdłuż muru otaczającego dziedziniec wokół kirchy. Zapachniało rzeką — luterański kościół stoi na wzgórzu, blisko drewnianego mostu. Wiatr niósł stamtąd zapach wody.

I oni wsiedli zaraz do bryczki. Tomek zapamiętał słońce nad drogą, łuk rzeki w dole, a kiedy obejrzał się — w chwili kiedy kopyta Benedykta zaczęły wystukiwać znajome „klik-klak" na asfalcie — zobaczył wieżę z czerwonej cegły i kwitnące lipy za murem.

Tej samej niedzieli, pod wieczór, znów ustawił żołnierzy. Leżał za „Polską piechotą w marszu" i strzelał do „Niemieckich grenadierów". Zajęty ładowaniem armatki, naciąganiem sprężyny i celowaniem, nie zauważył dziadka. Pułkownik stanął nad nim.

Przed chwilą skończył czytanie gazet. Prasę, jak mówił, kupował w kiosku w Jakubowie. Kioskarka odkładała gazety do kartonowej teczki. Na okładce napisała koślawymi literami: „Lipowo — ob. Bronowicz". Zamawiał „Przekrój", „Życie Warszawy" i „Trybunę Ludu". Zwłaszcza ta ostatnia irytowała pułkownika.

— Te ich kłamstwa, Lili, są nie do zniesienia! — Wrzucał przeczytane egzemplarze do pudła przy piecu.

— Pan pułkownik dziwi się? Lepiej niech nic nie czyta.

Przed przyjazdem córki udało się Bronowiczowi kupić radio „Pionier" — w sklepie przemysłowym, także w Jakubowie. Zaledwie kilka aparatów na baterie było do rozdziału, ale znajomy sprzedawca, Mazur, zgodził się zostawić jeden dla pułkownika. Ktoś odsprzedał talon.

W bakelitowej skrzynce, z pokrętłami i skalą na kwadratowej szybce, podłączone do baterii anodowej i żarzenia (zgodnie z instrukcją) — ze sprężynową anteną z miedzianego drutu, rozwieszoną między belkami pod sufitem — stało na półce obok łóżka dziadka. Wieczorami słuchali audycji z Londynu. „Bum-bum-bum-bum" — ten sygnał, wybijany przed ósmą, powtarzano wiele razy. Tomek szczególnie lubił zapowiedź po angielsku — spiker odzywał się niespodziewanie: „*This is world service of BBC from London*". Kilka zdań, które mówił przez nos, głośno i dobitnie. Potem inny spiker ogłaszał po polsku: „Tu mówi Londyn. Dobry wieczór państwu".

Same wiadomości nie były ciekawe. Zwykle Tomek słuchał przez chwilę, potem wybiegał z pokoju, zostawiając dziadka z uchem przyciśniętym do szybki ze skalą. Audycję zagłuszano. Za to przed kolacją lub po — naśladował znajomy sygnał, bijąc drewnianą łyżką w blaszaną pokrywę sagana na piecu. „Bum-bum-bum--bum", dudniło pod sklepieniem.

— Przestań, przestań — mówiła Zuzi — bo mnie tylko uszy bolą!

Tego wieczoru — gdy zobaczył dziadka klękającego naprzeciwko, za rzędem niemieckich grenadierów — ucieszył się. Bronowicz, tak jak wnuk, wyciągnął się na podłodze.

— A no pozwól, mój drogi, że przeciwnik będzie się bronił. Nie strzela się do bezbronnych.

— Dziadku — zawołał Tomek — każdy celuje trzy razy. Na zmianę! — I pobiegł do kuchni po groch.

Strzelali leżąc — Tomek koło sofy, pułkownik bliżej łóżka. Ziarenka skakały po deskach. Trafieni żołnierze przewracali się, armatki po strzale cofały się, jak prawdziwe.

— Dziadku, straciłeś już siedmiu grenadierów. Polacy wygrają!

Po kilku minutach usłyszeli szczekanie psów. Bliżej zanosił się ujadaniem Kajtek — zajadle, cienko. Spod stodoły wtórował Ataman — głośno, basem.

— Zobacz no, kogo przyniosło — powiedział Bronowicz. Wystrzelił ostatni raz, ale niecelnie. — Na Grodeckiego nie szczekają.

Tomek wybiegł na werandę. Pod schodami stała bryczka zaprzężona w dwa kare konie. Na uzdach, tak jak dorożkarskie w Warszawie, miały czerwone pompony. Na koźle siedział młody mężczyzna w drelichowej kurtce od munduru. Furażerkę zsunął na czoło. Niżej, na siedzeniu przykrytym derką, cywil w szarej marynarce. Trzymał jedno ramię na oparciu. Tomek zwrócił uwagę na jego granatową czapkę z daszkiem i okulary w drucianych oprawkach. Później przekonał się, że okulary nieznajomego nie mają szkieł.

Zszedł po schodkach i zaczął biegać za Kajtkiem. Chwycił w końcu psa. Uniósł — Kajtek wyrywał się z objęć, warczał.

— Dobry piesek, broni obejścia! — pochwalił mężczyzna z bryczki. Uśmiechał się do Tomka. — A pułkownika, gospodarza, zastaliśmy może, a? — To „a" także zwracało uwagę. Mówił miękko, śpiewnie.

W tym momencie Bronowicz wyszedł na werandę. Nieznajomy podniósł się, skoczył na trawę. Tomkowi zdawało się, że stanął na baczność. Stuknęły obcasy półbutów.

— Major Babinicz — przedstawił się.

— Proszę, proszę — powiedział dziadek. — Czym mogę służyć?

Chyba wtedy Tomek zobaczył dwóch jeźdźców, jak wyjeżdżają spod jabłonek. Pokłusowali w stronę łąk.

— Możemy chwilę porozmawiać? — spytał nieznajomy. I znów: — A?

— Proszę, proszę.

84

Siedzieli na werandzie, nad szklankami z samogonem, który gość przywiózł w litrowej butelce. Po wódce z czerwoną etykietą na szkle. Kiedy ściemniło się, pułkownik przyniósł naftową lampę — ustawił pośrodku stołu, obok półmiska z kromkami chleba i kiełbasą pokrojoną w plastry. Często przykrywał szklankę dłonią, gdy major chciał dolewać. Bryczka odjechała kawałek. Konie szczypały trawę, potrząsając uzdami. Kiedy ściemniło się, słychać było parskanie i powtarzający się brzęk.

Gość chciał poznać opinię gospodarza o tym, co dzieje się w kraju i na świecie, jak powiedział. Pytał, pochylony nad stołem:

— Co pan myśli, pułkowniku? Będzie wojna? Ta trzecia, a?

Bronowicz mówił, że nie wierzy. Zapytał o sens beznadziejnej, jak to określił, walki z wiatrakami?

— Sowieci złamią każdy opór — powtarzał.

Tomek, zasypiając obok, pod otwartym luftem, długo słyszał głosy z werandy.

— A czy to w ich Polsce da się żyć, a? — pytał nieznajomy. — Pod sowieckim butem? Pod czerwoną gwiazdą? Oni nam zabiorą dusze, panie pułkowniku. Miał rację marszałek Piłsudski.

— Jesteście za słabi — mówił dziadek. — Rozjadą was czołgami. Wyłapią w lasach jak zające.

— Bo wszędzie mają szpicli, zdrajców. Trzeba bić się za ojczyznę. Nawet jak torturują w kazamatach i wywożą na Sybir. Pułkownik nie uważa, a?

— Teraz trzeba, żeby naród przetrwał — mówił Bronowicz. — Biologicznie, pan rozumie?

— Żeby przetrwać, trzeba się bronić. Musimy się bronić — upierał się nieznajomy. Stuknęła szyjka butelki o brzeg szklanki.

Tomek zasypiał. Słowa były coraz mniej wyraźne: Jałta, zdrada, Stalin, sowieci, Armia Czerwona. I trzecia wojna.

— Trzecia wojna, trzecia wojna. Będzie na pewno. Musi być, a?

— Nie. Trzeciej wojny nie będzie, panie kochany. To mrzonki. Mrzonki, mrzonki. — Tomkowi zdawało się, że słowo „mrzonki" zostało powtórzone przez dziadka kilka razy.

Potem obaj zamilkli. Spod budy odezwał się Dago--Ataman. Szczekał, szczekał i też zamilkł. Otwarty luft nad głowa skrzypnął. Powiało chłodem. Tomek zasnął.

Pułkownik i Urszula pierwszy raz kochali się w maju, przy pełni księżyca. Rok przed przyjazdem Joanny z synem. Trzy tygodnie po wprowadzeniu się Mazurki do domu Bronowicza. Od tamtej nocy pułkownik wiele razy powtarzał: „Mogłabyś być moją córką, Lili". Na co Urszula odpowiadała niezmiennie: „To nieważne, panie Bronowicz. Jak się kogoś miłuje, jo?".

Siedzieli po kolacji w kuchni. Obok, za kotarą, spała Zuzi. Wasyla nie było. Słyszeli szczekanie psów, czasem parskanie Dońki, gdy stąpała, jak mówiła Lili, pod gankiem, przechodząc blisko drewnianych schodów. Często, w nocy, wracała z łąki pod dom.

Bronowicz patrzył na Urszulę, a ona — nad jego ramieniem — w ciemne okno. To wtedy wziął dłonie Lili w swoje — sięgnął przez stół. Przedtem rozmawiali jak zawsze: pułkownik wypytywał o życie w Gałkowie w czasie wojny. O rodziców i braci (miała dwóch w sowieckiej niewoli). O siostrę, która wyjechała do Niemiec. Pytania Urszuli najczęściej dotyczyły żony Bronowicza. Interesowało ją, ile ma lat, jak długo są małżeństwem, gdzie się poznali? Spytała nawet, kiedy i jakimi słowami oświadczył się żonie? I czy bardzo kocha Izabelę? Jej pytania bawiły Bronowicza, ale zawsze odpowiadał zgodnie z prawdą, chociaż czasem zasłaniał się niepamięcią.

Przedtem nie myślał o niej jak o kobiecie, z którą miał się kochać. Raczej jak o córce. Lub o dziewczynie skrzywdzonej przez życie. Z dzieckiem, bez męża (o ojca Zuzi nigdy nie zapytał). To prawda, od pierwszej chwili zwracała uwagę. Z przyjemnością patrzył na nią, na to, jak się porusza, wysoka i wyprostowana. Na kształt jej głowy i włosy splecione w krótki warkocz lub związane czerwoną tasiemką. Miły był zapach jej bluzek. Pachniały szarym mydłem. Jej skóry, gdy pochylona stawiała talerze na stole. Przed snem wyobrażał sobie Urszulę zasypiającą obok, w pokoju za kuchnią. Pomyślał kiedyś, że ta kobieta jest jak słońce, które zaświeciło w jego domu niespodziewanie. Teraz, w Prusach Wschodnich, gdy ma już sześćdziesiąt dwa lata i czuje się stary.

Myślał o Lili nawet wtedy, gdy wieczorami brał Dońkę, żeby galopem objechać okoliczne pola i drogi. Gdy słyszał głośny stukot kopyt na moście, a potem cichy na piasku, kiedy kłusował dalej przez las, do jeziora. Wracał po ciemku. Czasem Urszula czekała na ganku. Teraz jej palce wydały się Bronowiczowi ciepłe. Opuszki trochę wilgotne. Za paznokciami miała cienkie, ciemne obwódki.

— Mój Boże, Lili, jakie masz piękne ręce.

— Naprawdę? — Pochyliła się, wyciągnęła ramiona. Łokcie oparła o blat. Nie wydawała się zdziwiona zachowaniem pułkownika. — Nikt tak do mnie nie gadał.

— Jak dama z gronostajem.

— Dama? *Warum?*

Bronowicz nie odpowiedział. Ostrożnie położył ręce Lili na stole.

— Czas spać, dziecko.

Wstał. Wyszedł zza ławy. Zaczął odchodzić w stronę sieni.

A dla niej, dla Lili Marleen, jak ją nazwał — kim był Bronowicz? Czy tylko człowiekiem, dzięki któremu mogła zarobić, pomagać rodzicom, kupić Zuzi sukienkę? Wiedziała, że ma tyle lat co jej ojciec, ale wyglądał młodziej. Jego głos słyszała od rana do wieczora, śmiała się z żartów — z tej „Lili Marleen", z tego, jak pytał, wracając ze stolarni: „Co nam dziś dadzą na obiad?", a z włosów i brody sypały się na stół trociny. Kiedy zaczęła myśleć o nim inaczej? Czy w chwili, gdy wrzucała do balii bieliznę i kiedy podniosła koszulę pułkownika, żeby wtulić twarz?

Tamtego wieczoru nie wstała — siedziała dalej za stołem. Łokcie trzymała oparte o blat. Spytała po niemiecku:

— *Warum?*

Bronowicz obejrzał się, stanął, potem cofnął od drzwi. Kiedy pochylił się nad Lili, zasłonił ścianę i kawałek okna.

— Dziewczyno, czy zdajesz sobie sprawę, co może się stać?

— *Ist das schlimm?* — spytała. — Czy to źle? — powtórzyła po polsku.

Wtedy chwycił kobietę pod ramiona i uniósł. Odepchnięta ława zachybotała, a oni oboje stracili na chwilę równowagę. Płomień zafilował, odbity w czarnym oknie. Bronowicz, obejmując jedną ręką Urszulę, drugą przysunął lampę naftową i zdmuchnął płomień. Dopiero wtedy, po ciemku, przygarnął kobietę mocniej i pocałował. Zapachniało zgaszonym knotem. Zuzi, za kotarą, powiedziała coś przez sen.

Kochali się na drewnianym łóżku, w dużym pokoju. Noc była z pełnią. Jasna tarcza świeciła nad dachem stodoły. Rozbierali się pod uchylonym luftem. Na twarzach i ramionach czuli chłód. Może dlatego piersi Urszuli wydały się Bronowiczowi zimne? Całowali się, depcząc po rzuconej na podłogę koszuli, bluzce pachnącej szarym mydłem, spódnicy z szorstkiego materiału i pocerowanym staniku.

Czy słyszeli szczekanie psów, parskanie Dońki koło werandy? To, jak stąpa blisko drewnianych schodów?

Po wizycie nieznajomego Bronowicz długo zastanawiał się, kim był ten człowiek? Prawdziwym dowódcą oddziału — z tych ostatnich, błąkających się po lasach? Polskim Don Kichotem walczącym z bolszewicką nawałą — czy raczej prowokatorem nasłanym przez UB? Naprawdę chciał porozmawiać na temat trzeciej wojny — czy tylko sprawdzić, jak on się zachowa, co powie? Może zaproponuje pomoc, udzieli rad? Nawiąże stały kontakt z leśnym oddziałem?

Wszystko wyglądało nieprawdopodobnie: konie z pomponami na uzdach, konna asysta jak banderia — tych dwóch, których widział, ale jeźdźców mogło być więcej. Sienkiewiczowski pseudonim, bo chyba nie nazwisko? Bimber, którym częstował natrętnie. Nawet okularki bez szkieł, zza których, jak zdawało się Bronowiczowi, patrzył badawczo. Skąd znał przeszłość? Nazwę pułku? Wiedział o szarżach w dwudziestym roku i o tej ostatniej — we wrześniu?

Bronowicz budził się w nocy i nad ranem, przewracał z boku na bok. Unosił na łokciu, patrzył na wnuka. Jedyny świadek wizyty spał spokojnie pod oknem.

Lili przyszła o siódmej, jak każdego poniedziałku. Bosa, w białej bluzce widocznej z daleka na tle łąki. Za nią szła Zuzi, zbierając kwiaty — fioletowe dzwonki, niebieskie podróżniki, czerwone maki. Bronowicz stał we wrotach stodoły i patrzył, jak idą. Mała kucała co chwilę. Potrząsała bukietem. W pewnej chwili dmuchnęła na białą kulę przekwitłego mniszka i chmura nasion poleciała z wiatrem.

Nie powiedział Urszuli o wieczornej wizycie. Jeśli ten człowiek był prowokatorem, ją także będą przesłu-

chiwać. Był pewien. I pytać o to, co opowiadał pułkownik, co od niego usłyszała? Jakie słowa? I tak dalej.

Wieczorem przyszedł Grodecki.

— Dziadku, dziadku! — usłyszał Bronowicz. — Pan
Grodecki nadchodzi. Przyniosę szachownicę.

Pułkownik odłożył gazetę. Wstał. Zobaczył z werandy
starego Mazura, jak zbliża się od strony drogi przez łąki.
Szybko, wyprostowany, w swoim białym golfie. Blisko
domu uniósł dłoń, pozdrawiając Bronowicza i chłopca.
Tomek rozłożył szachownicę i zaczął ustawiać figury.
Ale Grodecki powiedział:

— Eno na chwilę. Eno na chwileckę. Coś muszę
rzec. — Wyjątkowo mówił po polsku.

Pułkownik odesłał Tomka:

— Idź się pobawić. Chcemy porozmawiać z panem
Grodeckim.

Rozmawiali po niemiecku. Grodecki, przechylony
przez stół, mówił głosem ściszonym — od czasu do
czasu dotykał ręki pułkownika:

— Ja tego nie mówiłem do tej pory, ale mnie ciągle
o pułkowniku każą gadać. Ja u nich co miesiąc muszę
się meldować, pan wie? Od dwóch lat. I teraz, jak już
wiedzą, że się znamy, to pytają: „Co mówił? O czym była
rozmowa? Co on tutaj chce robić? Czy już żyje z kobietą,
co u niego mieszka?".

Bronowicz słuchał, przygnębiony. Słońce akurat zaszło za dach stodoły, przestało odbijać się w oknach
i wszystko nagle pociemniało. Mówił Joannie, że nie
czuje się osaczony, że wnuk będzie bezpieczny, a teraz,
nagle, dowiaduje się, że cały czas mają go na oku.

— Bakalarski? — spytał.

— Bakalarski za mały. Oni mają ważniejszych. Ktoś przyjeżdża na te rozmowy ze mną. *Von Allenstein oder Johannisburg.*

— Iwanow? Rosjanin?

— Nie, Polak, ale rozmawia po niemiecku. Dobrze mówi, jak Niemiec.

— I tylko o mnie pytają?

— No nie, o innych tak samo. — Grodecki odczekał chwilę. — Co ja mam robić, *Herr Oberst?* Muszę gadać. Nic złego. Nic, co by ludziom szkodziło.

Obaj teraz zamilkli. Pułkownik przyglądał się Grodeckiemu przez stół. Czerstwa twarz. Niebieskie oczy wydawały się załzawione. Sine żyłki na policzkach, siwy jeżyk.

— Panie Grodecki — powiedział — ja rozumiem, że kazali panu grać ze mną w szachy i rozmawiać. A potem powtarzać wszystko temu, co dobrze mówi po niemiecku, czy tak?

Grodecki wyprostował się. Potrącił laskę zawieszoną na stole. Upadła ze stukiem — schylił się, zaczął podnosić z podłogi. Pułkownik patrzył teraz na jego dłoń, którą przytrzymywał się blatu. Była czerwona, jakby kiedyś Grodecki odmroził ręce. Zawiesił z powrotem laskę i powiedział z naciskiem:

— Ja muszę gadać, aby żyć, panie Bronowicz. Pan rozumie? Ale teraz pomyślałem, że pana obronię. *Ich werde Sie verteidigen, ganz bestimmt!* — powtórzył. — Bo oni jutro mogą przyjść do pana i pytać o tych partyzantów, co byli w nocy. Pan rozumie? Więc lepiej, żeby was tu nie było, panie Bronowicz.

— Jacy partyzanci? Ja nic nie wiem — żachnął się pułkownik.

Grodecki westchnął.

— Byli, byli. My to oba dobrze wiemy.

Znów posiedzieli w milczeniu. Szczekały psy. Zza stodoły niosło się porykiwanie krów. Dzieci biegały wokół domu — słychać było krzyk i śmiech.

— Co pan proponuje? — spytał pułkownik.

— Niech weźmie chłopca i na dwa dni idą do mnie. Tam przeczekają. Teraz, zaraz, gdy przyjdzie noc. Po ciemku lepiej. Tylko tę kobietę i parobka trzeba uprzedzić. Niech mówią, że pana tu nie było, że nikogo nie widzieli i nic nie wiedzą. A gospodarz pojechał za swoimi sprawami. Koniec, szlus. — Grodecki wstał. Szurając podeszwami, wyszedł zza stołu. — Ja będę czekał. Niech pan to zrobi, zna drogę, nie? *Sie kennen den Weg, oder?*

Nie podał ręki. Pułkownik został na werandzie. Patrzył, jak Mazur idzie, utykając przez podwórze — biały sweter, siwa głowa. Podpierał się laską. Tomek podbiegł do niego — idąc obok, pytał o coś. Pewno dlaczego nie grali z dziadkiem w szachy. Po chwili zawrócił — znikł za domem.

Z Zuzi bawili się w męża i żonę. Ustawili mały szałas pod jabłonkami — z gałęzi ściętych na wiosnę przez Wasyla. W środku pachniało suchymi liśćmi i sianem przyniesionym przez Tomka z łąki. Chłopiec czasem wychodził — mówił, że idzie załatwiać ważne sprawy. Zuzi czekała z obiadem. Na liściach łopianów układała kopki piasku. Patyki były widelcami i łyżkami, szyszki kubkami.

Gdy mąż wracał, siadali w kucki na sianie. Udawali, że jedzą obiad. Zuzi mówiła:

— Masz krupnik na pierwsze, na drugie kotlet, na trzecie kompot z rabarbaru.

Czasem kładli się obok siebie na sianie. W szparach między liśćmi widać było skrawki nieba. Tomek kiedyś położył się na Zuzi — leżeli chwilę nieruchomo. Czuł jej drobne ciałko pod sobą — Zuzi była miękka i ciepła. Po chwili dziewczynka odepchnęła go.

— Nie chcę. Jesteś za ciężki. Chyba że się ze mną ożenisz naprawdę.

Tomek usiadł obok.

— Za mała jesteś. Nie mogę się ożenić.

Z werandy usłyszeli wołanie:

— Dzieci, dzieci, chodźcie na kolację!

— A twój dziadek leżał na mojej mamie — powiedziała Zuzi. — Widziałam.

— Widziałaś? To się chyba tobie przyśniło.

— Ty jesteś głupi. Naprawdę widziałam. W nocy, jak był księżyc.

— Mój dziadek — powiedział Tomek — ma babcię. Najwyżej może leżeć na babci. Tylko że jej tu nie ma.

— Ty jesteś głupi — powtórzyła Zuzi.

Wtedy jeszcze raz usłyszeli:

— Dzieci, chodźcie, eno prędzej! — I w tym momencie do szałasu wpadł Kajtek. Skoczył na Tomka, skoczył na Zuzi, lizał policzki. Dyszał, z językiem wiszącym z pyska, machał ogonem. Przeskoczył kilka razy przez dzieci, a one, śmiejąc się, zaczęły odpychać psa. Na kolanach, jedno za drugim, wypełzły z szałasu.

Po odejściu Grodeckiego Bronowicz długo siedział na werandzie. Urszula kilka razy przechodziła obok — wołała Zuzi i Tomka.

— A pan pułkownik, co? Przyjdzie na kolację?

Nie czekając na odpowiedź, wchodziła do sieni. Dzieci, tupiąc bosymi piętami, przebiegły po deskach werandy. Słyszał potem, jak przekomarzają się w kuchni. Śmiech. Urszula coś krzyknęła po niemiecku do małej. Znów wyjrzała na werandę.

— Kartofle okrasiłam do zsiadłego mleka. Nie przyjdzie?

Dopiero wtedy wstał.

Nie zabrał Tomka, nie poszli do Grodeckiego po ciemku. Ani jemu, ani Lili nie wspomniał o rozmowie. Minęło kilka dni i nic, cisza. Nikt po Bronowicza nie przyszedł. Na łąkach porykiwały krowy, za stodołą piał kogut, szczekały psy. Nad domem z krzykiem przelatywały jerzyki.

Jakby wszystko stary Mazur wymyślił.

Tomek lubił rozmawiać z Wasylem. Czasem, gdy furman przysiadał na pniu do rąbania za stodołą, żeby zapalić — kucał obok. Wasyl pytał o Warszawę. Na przykład:

— Jakie tam u was są tramwaje?

— Pomalowane na czerwono i żółto — odpowiadał Tomek.

— A szybko jadą?

— Nie tak bardzo. Moi koledzy potrafią wskoczyć i wyskoczyć, jak tramwaj jedzie. To nic trudnego.

Najbardziej lubił słuchać gry na organkach: Wasyl wyjmował harmonijkę z kieszeni, pocierał ustnik o spodnie (czasem wydmuchiwał okruchy tytoniu). Potem, trzymając w złożonych dłoniach, przykładał do ust. Wygrywał skoczne i smętne melodie, których Tomek nie znał. Nie przypominały żadnej znajomej piosenki.

— Co teraz grasz? — pytał.

— To nasze pisienki. Stamtąd, gdzie żyli — mówił Wasyl.

Kiedyś przywiózł Tomkowi z Jakubowa małe organki, kupione na straganie koło kirchy. Miały wiśniowy ustnik (te Wasyla — zielony). Na srebrnych blaszkach, po bokach, wygrawerowane klucze wiolinowe. Tomek ucieszył się, podziękował i zaraz spróbował grać, ale potrafił tylko wydmuchać jeden dźwięk. Raz cienko, raz grubiej. Ciszej, głośno.

— Ne dmuchaj tilki tam i nazad — powiedział Wasyl. — Daj. Pokażę.

Przez kilka następnych dni, w południe i wieczorami, Tomek chodził za stodołę, kucał obok pnia i zaczynał grać. Wasyl, jeśli był w pobliżu, przychodził. Zaczynała się lekcja.

Po tygodniu znudziło się Tomkowi granie na organkach, ale kilka prostych melodii mógł zagrać: szybko —

coś przypominającego piosenkę „Zielony mosteczek ugina się...". I powoli, rytmicznie: „Rano, rano, raniusieńko, rano po rosie, wyganiała Kasia wołki...".

— Duże dobre, chłopak, będziesz grał! — pochwalił Semen.

Któregoś wieczoru, w połowie lipca, po upalnym dniu Tomek poszedł z Wasylem kąpać się w rzece. Semen, jak czasem dziadek nazywał pomocnika, skończył pracę — szedł do domu. Odchodząc, zawołał:

— Chodź chłopak, idę kąpać się w takim miejscu, gdzie jeszcze nie był!

Tomek nie spytał o pozwolenie. Od razu pobiegł przez łąkę za Wasylem. Po drodze zawołał Manfreda (był na podwórzu, przed domem z małym gankiem). Później dołączył do nich Zoni (z mostu łowił ryby). Zeszli na ścieżkę wzdłuż brzegu, wydeptaną wśród chwastów — szli długo pod rzędem olch, aż do miejsca, gdzie zaczynały się podmokłe łąki. Ciągnęły się hen, pod las. Bliżej, ze skarpy, widać było małą wyspę pośrodku rzeki, z usychającą brzózką. Po drugiej stronie pomost z przycumowaną łódką Horsta (stąd popłynęli na raki w górę rzeki).

W tym miejscu nurt był spokojny. Wydawało się, że woda ma kolor zielony. W zakolu, na dnie głębokiego dołu, nad czystym piaskiem, przemykały ławice ryb — płoci i okoni. Chłopcy, za przykładem Semena, rozebrali się do naga i zaraz — po rzuceniu na trawę koszul i spodenek — weszli do wody. Z początku wydawała się zimna — później ciepła.

Wasyl odpłynął kawałek — po kozacku, jak wtedy, gdy z Tomkiem przykłusowali nad leśne jezioro. Chłopcy, osłaniając złożonymi rękami podbrzusza i trochę dygocąc, stali zanurzeni po kolana i przyglądali się, jak Wasyl płynie. Machał rękami i tłukł stopami o wodę. Wzbijał biały pióropusz. Piana płynęła w dół, z nurtem rzeki. Zaczęli się kąpać, krzycząc i oblewając wodą. Ciskali z brzegu kamyki, licząc, ile razy odbiją się od zielonej tafli. Potem, gdy Wasyl wrócił, wszyscy trzej skakali z jego pleców. Stał w rozkroku, pochylony — dłonie oparte na kolanach. Białe pośladki do połowy wynurzone. Chłopcy po kolei wspinali się na plecy Semena i skakali do rzeki. Krzyczeli teraz i głośniej śmieli się. Pokrzykiwania i śmiech niosły się nad wodą. Nie zauważyli, kiedy Bronowicz nadjechał. Z chwastów, spod olch, wynurzył się łeb Dońki. Klacz zarżała krótko, ale i tego nie usłyszeli. Pułkownik podjechał bliżej skarpy, skoczył na trawę. Podszedł do brzegu. Tomek akurat wspiął się na plecy Wasyla. Bronowicz zobaczył wnuka na ramionach Semena. Chłopiec stał chwilę, chwiejąc się, potem skoczył. Zamachał rękami. Wynurzył się zaraz, krztusząc i kaszląc. Wasyl chwycił go za łokcie — przyciągnął do siebie. Tomek otworzył zaciśnięte powieki i zobaczył dziadka na brzegu.

— Dziadek! — krzyknął.

Wasyl obejrzał się. Odsunął Manfreda, który miał skakać po Tomku. Bronowicz powiedział głosem, jakim nigdy nie mówił do wnuka:

— Proszę, żebyś natychmiast wyszedł z wody! — A potem głośniej: — Słyszałeś?

Tomek, pomagając sobie rękami, wgramolił się na skarpę. Podniósł koszulę z trawy. Na ramionach i udach miał gęsią skórkę. Kiedy wkładał spodenki, zachwiał się — na chwilę stracił równowagę. Przestraszony spojrzał na dziadka.

— Idziemy — powiedział Bronowicz. Nie spojrzał na Wasyla ani na chłopców. Schylił się, chwycił za uzdę Dońki (szczypała obok trawę). Odszedł pierwszy ścieżką wśród łopianów i pokrzyw. Prowadził klacz, Tomek szedł za nim. Dopiero na moście odezwał się do wnuka:

— Zabraniam ci chodzić z Wasylem gdziekolwiek. Tym bardziej bez pytania o pozwolenie. I tym bardziej nad rzekę. Rozumiesz?

— Tak, dziadku. — Tomek zmarzł: wargi posiniały, dygotały ramiona. Z mokrych włosów pociekła strużka na szyję i plecy.

Kopyta Dońki zastukały na deskach mostu. Nie widać stąd było zatoki z zieloną wodą ani wyspy z uschniętą brzózką, ani chłopców na brzegu. Słońce zaszło za olchy i rzeka pociemniała.

Po kolacji, którą zjedli w milczeniu (na próżno Urszula i Zuzi próbowały zagadywać i rozśmieszyć obu), Tomek poszedł na łąkę. Minął otwarte wrota, przeszedł pod dachem stodoły. Zapachniało deskami ze stolarni dziadka. Zatrzymał się na chwilę po drugiej stronie. Niebo nad lasem było jeszcze różowe, ale wyżej pociemniało i wysoko, nad głową, zobaczył pierwszą gwiazdę. W snującej się nad pastwiskiem mgle majaczyły stogi siana. Było cicho — tak cicho, że idąc po trawie, słyszał szelest.

Do bosych nóg kleiły się wilgotne źdźbła. Doszedł do stogu. Przed tygodniem Wasyl z bratem Stepanem skosili łąkę. Później grabili i suszyli trawę, zgarniali na kopy. Tomek usiadł, zapadając się w siano — zimne na wierzchu i ciepłe głębiej. Zamknął oczy, a kiedy otworzył, zobaczył gwiazdę. Wydawało się, że mruga — przygasa i świeci jaśniej, jak zapalona na niebie świeczka. Zapach siana. W wiosce odezwały się psy — blisko odpowiedział Kajtek, po chwili Dago-Ataman. Potem znów było cicho. Niedaleko leżały krowy — widział ciemny grzbiet Anieli lub Góralki. Słaby podmuch przyniósł krowi zapach. Chłopiec, na wpół leżąc, na wpół siedząc, zaczął zasypiać.

Przyśniło mu się, że jedzie z matką warszawskim tramwajem. Siedzą wygodnie na miękkich, obitych brązową skórą siedzeniach. Mijają plac z pomnikiem lotnika. Z ulicy Puławskiej skręcają w Rakowiecką. Koła tramwaju piszczą na zakręcie. Motorniczy dzwoni. Tomek słyszy głos matki: „Niedługo będziemy wysiadać, Tomku. — I nagle Joanna zaczyna powtarzać głośniej: — Tomek, Tomek, Tomek!".

Chłopiec otwiera oczy. To Urszula woła spod wrót stodoły. A na gołej nodze czuje coś ciepłego. Kajtek odnalazł chłopca dopiero teraz i liże kolano. Wracają razem. Pies skacze naokoło. Wilgotne źdźbła kleją się do bosych nóg.

Izabela Bronowiczowa pisała czasem do męża. Kartki lub koperty miały znaczki z głową prezydenta Bieruta. Częściej zaczęły przychodzić po przyjeździe Tomka.

Babka wypytywała o zdrowie chłopca, czy nie chodzi głodny, nie przeziębia się, nie jest narażony na infekcje, broń Boże? Rzadziej pisała o życiu w Warszawie, na Płatowcowej. O trudnościach z aprowizacją, o tym, że nadal nie ma wiadomości o Janku, o koniecznym remoncie pieca przed zimą.

Pułkownik odpowiadał na każdą kartkę. Pisał najczęściej wieczorami, przy naftowej lampie, na papierze listowym kupionym w Jakubowie — różowym, koperty wyłożone szarą bibułką.

Ostatni list, datowany w sierpniu czterdziestego dziewiątego, czytał kilkakrotnie. Jego żona nigdy w ten sposób nie pisała, a dawniej nigdy czegoś podobnego nie mówiła. Pamiętał raczej ironiczne uwagi, jej narzekania, pretensje. Sierpniowy list był inny i na pewno szczery.

„Kochany mój mężu — pisała — czuję się tutaj osamotniona. Jakbyś nadal był w oflagu i nic w naszym życiu nie zmieniło się. Nie mogę zrozumieć, dlaczego wyjechałeś, zostawiając mnie i córkę. Twoja obecność w domu — teraz, kiedy Janka nie ma — byłaby dla nas wielkim wsparciem. Patrzę na biedną Joasię i z trudem powstrzymuję łzy. Zamartwia się o Janka, tęskni do dziecka, a jeszcze ma naukę, mnie i Antosię na głowie. Cały dom. Ona przejęła po tobie wszystkie obowiązki. Czy to rozumiesz, czy myślisz o tym czasem?

A ja, stara już kobieta — po tej okropnej wojnie myślałam, że będziemy razem do końca. Do naszych ostatnich dni. Czym ci zawiniłam? Byłam zawsze w domu, zawsze wierna, czekałam na ciebie. Teraz wiem, że mnie nie kochałeś, muszę to sobie jasno powiedzieć, powtarzać codziennie, pamiętać o tym, ale ciężko z taką świadomością żyć. Nie chcesz przecież — żebym przyjechała. A mogłabym pomagać, poprowadzić gospodarstwo. To zresztą niemożliwe, jak oboje wiemy — piszę tylko tak, z porywu serca. Niemożliwe zwłaszcza teraz, póki Janka trzymają w tych strasznych więzieniach. Pomyśl czasem o nim, biednym chłopaku. Bogu ducha winnym — czym tak się naraził, czego od niego chcą?".

Bronowicz pierwszy raz odczytał list żony w stolarni. Tomek przybiegł z kopertą, na której — tym razem — przyklejony był znaczek z orłem bez korony. Pułkownik usiadł pod ścianą, na stosie pociętych desek. Przeciął kopertę gwoździem podniesionym z klepiska. Zaczął czytać i zaraz powiedział do wnuka:

— Idź, mój drogi. Babcia pisze tylko do mnie.

Później ten list, wsunięty do tylnej kieszeni spodni, czytał jeszcze kilka razy. W słońcu, na werandzie, w kuchni, przy lampie. Minął tydzień, nim zaczął pisać odpowiedź.

„Moja droga Izo, jak wiesz, nie mogłem znaleźć sobie miejsca w powojennej Warszawie. Ci dokwaterowani ludzie na dole i podobni do nich w Spółdzielni — trudno było przyzwyczaić się, znosić ich obecność. Cały mój świat odszedł w przeszłość. To prawda, zostałaś ty i Joanna. Ale wojna, oflag, tamte lata położyły się cieniem między nami. Oboje staliśmy się innymi ludźmi. Mnie się zdawało, że już nie zbliżymy się do siebie. Że to ty mnie nie kochasz. Jeśli było inaczej, to — oczywiście — przepraszam, ale ja już nie mogę wrócić. Nie potrafiłbym mieszkać znowu na tej innej Płatowcowej. Co zresztą robiłbym w Warszawie? Tu mam konie, krowy, całą gospodarkę. Mogę żyć. Więc ty już nie czekaj na mnie. Doceniam twoje poświęcenie, rozumiem twój żal, ale nic na to nie mogę poradzić. Nic nie zmienię".

Ten list, wrzucony do skrzynki w Jakubowie, Bronowicz pisał przez kilka ostatnich dni sierpnia. Zmieniał kartki, poprawiał, kreślił, nim po tygodniu przepisał na czysto.

Koniec miesiąca był ciepły, dnie słoneczne. W ogrodzie, za domem, z drzew osypywały się śliwki, jabłka i gruszki. Osy i szerszenie siadały na opadłych owocach leżących w trawie. Tomek i Zuzi zbierali je rankami do koszyków — słodkie, ociekające sokiem w miejscach, gdzie popękana skórka.

Bronowicz pisał: „Jak wiesz, obecność bolszewików w Polsce jest dla mnie nie do zniesienia. To wielkie nieszczęście, które spadło na nasz kraj, przerasta moje siły. Ja temu nie potrafię sprostać, żyć normalnie, jak pewno byś chciała, w Warszawie. Zresztą, jak mógłbym pomóc Jankowi? Ci okropni, jak piszesz, ludzie wymyślają akty oskarżenia na zawołanie po to tylko, by takich jak Janek usuwać z życia. Świadomość tej wielkiej niesprawiedliwości rani, ale nic Jankowi nie możemy pomóc. Nic. A jak pocieszać naszą córkę, gdy przeżywa to wszystko? Nie wiem. Być może to, że nasz wnuk jest tutaj ze mną, bezpieczny, stanowi jakąś pociechę".

Czy zastanowił się, że oprócz żony list mogą przeczytać inni ludzie? Że działa cenzura, że ubecy czekają? Pominął milczeniem napomknięcie żony o przyjeździe do Lipowa. Nie wspomniał o rozmowach z ubekami, o wizycie Babinicza i propozycji Grodeckiego — o tych wszystkich wydarzeniach, o których nie mógł swobodnie pisać, a które świadczyły, że nie są tu bezpieczni. Przeciwnie: podkreślił słowo „bezpieczny", pisząc o Tomku. Liczył, że uspokoi tym żonę i córkę.

Sam wrzucił list do skrzynki na poczcie w Jakubowie, ale właśnie ten list, z Bolesławem Bierutem na dwóch znaczkach, nie doszedł do adresatki. Izabela Bronowiczowa poczuła się zapewne jeszcze bardziej osamotniona.

W sierpniu Tomek zaczął chodzić nad rzekę. Na kładkę, do której prowadziła betonowa ścieżka, obok poniemieckiego pensjonatu — wypalonej ruiny. Widać stąd było las i wyspę z uschniętą brzózką pośrodku nurtu (po drugiej stronie rzeki kąpali się z Wasylem).

Od Semena dostał siatkę na ryby, w której czasem przynosił kilka płoci, krasnopióry i okonie. „Robaki", jak mówił, wykopane w ogrodzie koło sterty kompostu, nosił w słoiku.

Bronowicz pierwszy raz poszedł z wnukiem nad rzekę. Postał chwilę, przyglądając się, jak Tomek nawleka na haczyk dżdżownicę, lepką i wijącą się w palcach. Potem popluwa na przynętę i zarzuca wędkę pod trzciny.

— Nie męcz tak tych stworzeń. Może lepiej łowiłbyś na kartofle i chleb?

— Wtedy nic nie złapię. Koledzy mówili, że na kartofle i chleb to nawet nie warto próbować.

— Ale dręczenie stworzeń jest okropne — powiedział pułkownik. — W ogóle zabijanie.

Tomek obejrzał się z klęczek (klęcząc, łatwiej było wycelować pod trzciny).

— Ty, dziadku, jak byłeś na wojnie, to zabijałeś ludzi.

Bronowicz schylił się i zwichrzył włosy chłopca.

— No, no! Muszę już iść. Pamiętaj: sam nie odchodź nigdzie. Przyjdę po ciebie.

Do końca sierpnia Tomek wędrował rankami nad rzekę. Łowił z pomostu, czasem z łódki. Łódka Horsta stała przy kładce. Stąd bliżej było w górę rzeki, do głębokich dołów w zakolach, gdzie „stały", jak mówił Zoni, większe ryby. Ale Tomek płynął bliżej — na wyspę z uschniętą brzózką.

Drąg, którym odpychał się od dna, wyjmował spod pomostu. Stawał na dziobie. Nie umiał jeszcze, jak chłopcy ze wsi, pchać łódki pod prąd, stojąc na rufie. Pośrodku rzeki zaczynał się kręcić. Bał się, że popłynie z nurtem w stronę mostu. Zgrzany i spocony, mokry od kropel wody, którą rozpryskiwał drągiem, dopływał do wyspy. Tu czasem udawało się złowić większą rybę — jazia lub leszcza. Przerzucone przez burtę, skakały na dnie łódki, na ciepłych deskach. Tomek odkładał wędkę, klękał, odczepiał ryby z haczyka. Chwytał oburącz pod skrzela i wkładał do siatki zanurzonej w wodzie. Wisiała zaczepiona o dulkę.

Kiedy wracał, Zuzi wołała z werandy:

— Mamo, on znowu niesie ryby!

Jedli potem, smażone przez Urszulę, na kolację.

Tamtego dnia łowił z pomostu. Zajęty zarzucaniem wędki, nie zauważył dwóch nieznajomych. Podeszli betonową ścieżką. Obejrzał się, kiedy usłyszał kroki

na deskach. Byli młodzi. „Mieli po tyle lat co tata —
opowiadał potem dziadkowi. — Nawet podobni. Tak
samo chudzi i tak samo uprzejmi. Jeden miał bardzo
zakurzone buty".

Wyższy powiedział:

— Charonie, przewieziesz nas na drugi brzeg?

Chłopiec wstał z klęczek:

— Nie jestem Charonem.

Nieznajomi roześmieli się.

— Przewieziesz? — powtórzył pytanie drugi.

A pierwszy wyjaśnił:

— Nie chcemy zostawiać łódki na tamtym brzegu.

Tomek klęknął. Zaczął odwijać łańcuch okręcony
wokół pnia. Łódka zakołysała się, kiedy nieznajomi
wsiadali. Podniósł drąg i stanął na dziobie.

Potem było jak zawsze: pośrodku rzeki zaczęli obracać się w miejscu. Starał się prędzej przerzucać drąg
z burty na burtę. Chlapał wodą. Spocony i mokry od
kropel, powoli kierował łódkę do tamtego brzegu. Nieznajomi siedzieli na ławeczkach.

— Charonem to na pewno nie jesteś — powiedział
wysoki. Znów obaj roześmieli się. Ten drugi klepnął
Tomka po ramieniu, kiedy wysiadali: — Dziękujemy!

— Od dziś nie będziesz tam chodził sam — zdenerwował się Bronowicz. — Nie wiadomo, co to za ludzie.
Mogli cię nastraszyć, skrzywdzić.

— Dziadku, a kto to jest Aron? Jeden tak zapytał:
„Aronie, przewieziesz nas na tamten brzeg?".

— Może „Charonie"?

106

— Tak właśnie mówili! „Charonie"!

— W mitologii greckiej był przewoźnikiem. Przewoził dusze ludzi do krainy zmarłych. Po śmierci. Przez rzekę Styks.

Jak zwykle siedzieli wieczorem na werandzie. Za oknem kuchni migotała lampa naftowa. Lili zmywała naczynia — słyszeli postukiwanie talerzy o brzeg miednicy. To była jedna z rozmów z dziadkiem, którą Tomek zapamiętał.

— Ten Charon naprawdę przewoził dusze? Dziadku, a czy każdy człowiek ma duszę?

— To mit. Ale są ludzie, którzy wierzą w mity.

— A ty, dziadku, wierzysz?

— Nie — powiedział Bronowicz. — Wolę wiedzieć, niż wierzyć.

O kąpieli nad rzeką rozmawiali tylko przez chwilę. Kilka dni później Tomek zapytał:

— Dlaczego kazałeś mi wtedy wyjść z wody, dziadku? Manfred i Zoni zostali.

— Nie są moimi wnukami. A ty musisz mówić, dokąd idziesz. Poza tym nie umiesz pływać.

— Wasyl nie dałby mi utonąć.

— To ja odpowiadam za ciebie — powiedział pułkownik.

Czy rozmawiał z Wasylem? Miał pretensje? Tomek nie pytał, nie zastanawiał się, zapomniał.

Czasem w deszczowe dnie przeglądał tomy encyklopedii. Pułkownik przywiózł z Warszawy trochę książek i kilka tomów Trzaski, Everta i Michalskiego oraz — najokazalszy — tom *Nowoczesnej encyklopedii ilustrowanej* M. Arcta. Ocalały z pożogi wojennej, jak mówiła Iza.

Wiele książek z biblioteki Bronowiczów zostało spalonych w listopadzie i grudniu czterdziestego czwartego, potem w styczniu czterdziestego piątego. Kwaterujący na Płatowcowej Niemcy i Rosjanie palili ogniska przed domem. Jeszcze w czterdziestym szóstym nadpalone strzępy okładek i stron leżały wzdłuż krawężników na ulicy. Ale część ocalałych tomów stało teraz na półce w Lipowie — za serwantką, w kącie dużego pokoju, pod radiem. Wielkie wolumeny w płóciennych oprawach, ze złoconymi literami na grzbietach, obok mniejszych: *Trylogii* Sienkiewicza, *Sagi rodu Forsyte'ów*, *Martina Edena* i *Kochanka Wielkiej Niedźwiedzicy*.

Tomek, leżąc na podłodze pod oknem, studiował kolejne tomy. Najczęściej i najdokładniej — ilustrowaną encyklopedię Arcta. Długo oglądał portrety królów na dwóch tablicach (malowane przez Jana Matejkę), zastanawiając się nad przydomkami: dlaczego jeden Leszek był Biały, a drugi Czarny? Dlaczego Władysław miał przydomek Laskonogi, a Bolesław Wstydliwy? Kogo wstydził się lub czego? Poruszając wargami, czytał niektóre hasła (wolno, ze względu na mały druk). Oglądał mapy i barwne tablice: motyli (z paziem królowej i admirałem), grzybów (przy trujących czarne trupie czaszki). Rasy drobiu i koni. Słynne diamenty. Tablicę z chorągiewkami sygnałowego kodu morskiego — każda oznaczała inną literę alfabetu. Zwierzęta Azji, Ameryki i Afryki. Szczególnie zainteresował się gwiazdami i mapą nieba — „Sklepienia nieba północnego", jak napisano nad rysunkami gwiazdozbiorów.

Niedługo potem, w czasie kolacji, zwrócił się do Bronowicza:

— Dziadku, chciałbym odnaleźć na niebie Wielką i Małą Niedźwiedzicę, Lutnię, Kasjopeję i Pegaza. Czy możemy pójść na łąkę, jak zrobi się ciemno?

— Skąd w ogóle wiesz, że są takie konstelacje? — zdziwił się pułkownik.

— Czytałem w encyklopedii. W naszej galaktyce są miliardy gwiazd. Naprawdę.

Jeszcze był sierpień. Kilka ostatnich dni przeszło upalnych. Wieczorami od pól, łąk i lasu wiało zapachami trawy lub pni sosnowych nagrzanych słońcem w ciągu dnia. Od strony wsi i mostu wiatr przynosił zapach rzeki.

— Wystarczy, że wyjdziemy przed dom — powiedział dziadek — po co na łąkę?

Czekali na werandzie do dziesiątej. Noc była bezksiężycowa, pogodna. O zmierzchu Tomek widział nad drogą do Gałkowa sierp księżyca, ale gdy stanęli pośrodku podwórza, nie było po nim śladu. Tylko gwiazdy, gwiazdy — nad łąkami, nad lasem, nad domem. Wszędzie. Na granatowym niebie.

Chłopiec, z zadartą głową, zaczął obracać się w kółko. Rozłożył ręce. Gwiazdy zataczały koła nad nim.

— Dziadku, zobacz, ile gwiazd! Całe morze!

— Zakręci ci się w głowie — powiedział Bronowicz.

Tomek udał, że się zatacza, potem spytał:

— Prawda, że ta jasna droga przez całe niebo to Droga Mleczna?

— Droga Mleczna.

— A gdzie jest Wielka Niedźwiedzica?

Bronowicz uniósł laskę (zabrał z werandy). Zatoczyła łuk nad głową wnuka.

— Wielka Niedźwiedzica przypomina wóz. Dlatego czasem mówią Wielki Wóz. Tu są koła i dyszel, widzisz? Raz, dwa, trzy. Razem siedem gwiazd.

— A Mała? Mały Wóz?

— Mała jest bliżej. Te trzy gwiazdy, widzisz? Są zwrócone na północ. Ostatnia to Gwiazda Polarna. Jeśli zabłądzisz w nocy i znajdziesz ją, będziesz wiedział, że idziesz na północ.

— Dziadku, a ta jasna gwiazda nad nami, czy to nie jest Wega?

— Być może. Jeśli studiowałeś mapę gwiazdozbiorów, to pewno tak. To może być Wega.

— Dziadku, stoimy pod Wegą! Ona jest w gwiazdozbiorze Lutni! Nasz dom jest pod Lutnią!

— No proszę, wszystko wiesz — powiedział Bronowicz.

— Nie. Nie wiem, gdzie jest Kasjopeja.

— O ile pamiętam, przypomina literę „M". O tu, zobacz. Raz, dwa, trzy. Razem pięć gwiazd. — Laska zatoczyła łuk.

Stali z zadartymi głowami. Bezszelestnie, nisko, przeleciał nad nimi nietoperz. Spod budy zaszczekał Ataman, w wiosce odpowiedziały psy. Chłodny powiew przyniósł zapach łąk. A potem przybiegł Kajtek i zaczął łasić się do Tomka. Skakał, wspinał na gołe kolana, drapał, lizał ręce. Chłopiec kucnął i uniósł psa. Jedną ręką przyciskał ciepły brzuch, drugą podpierał psią głowę.

— Zobacz, zobacz! Widzisz Mleczną Drogę? Widzisz Wegę? Widzisz Gwiazdę Polarną?

Kajtek wyrywał się, machał łapami, wiercił. Skamlał i powarkiwał. Tomek usłyszał głos dziadka:

— Wracamy, astronomie. Czas spać.

Wtedy puścił psa i zaczął wołać:

— Dziadku, dziadku, poszukajmy jeszcze Pegaza!

Ale pułkownik odszedł już w stronę werandy. Ciemna sylwetka przesunęła się na tle kuchennego okna, płomyków lamp za szybą i znikła. Skrzypnęły drzwi.

We wrześniu poszedł do szkoły. Wcześniej Bronowicz kilka razy chodził do kierowniczki — pani Wojnickiej, starszej kobiety, repatriantki z Wileńszczyzny. Była doświadczoną nauczycielką, z przedwojenną praktyką w wileńskich gimnazjach — podobno nawet dyrektorką znanego gimnazjum żeńskiego. Do Lipowa trafiła z Olsztyna, dokąd, w listopadzie czterdziestego piątego, dojechał transport przesiedleńców. Mieszkała w jednym z domków stojących szeregiem na wzgórzu za wsią. Opiekowała się siostrą, starszą i schorowaną. Ze skierowaniem z kuratorium przyjechały do Lipowa.

Tomkowi, który przyszedł z dziadkiem na wyznaczony egzamin (chodziło o ustalenie, do której klasy pójdzie), podyktowała kilka zdań i przepytała z rachunków.

Wnuk Bronowicza napisał poprawnie: „Mieszkam w Lipowie. Przyjechałem z Warszawy. Tu bede chodził do szkoły. Przez cały tydzień pracujemy i uczymy sie. W niedziele modlimy sie do Pana Boga". Zapomniał o ogonkach pod „ę", za to Pana Boga napisał dużymi literami, co spodobało się pani Wojnickiej. Z dodawaniem i odejmowaniem miał więcej kłopotów, mimo to został zapisany do trzeciej klasy. Ukłonił się i wyszedł przed szkołę, a wtedy pani Wojnicka powiedziała do Bronowicza:

— To inteligentny chłopiec, da sobie radę. Jeśli będą problemy, pan mu pomoże, prawda?

Było południe, słoneczny dzień. Okna pokoju wychodziły na rzekę. Płynęła w dole. Na parapetach stały doniczki z pelargoniami. Sierpniowy wiatr uniósł na chwilę muślinową firankę. Bronowicz zapatrzył się na dwa portrety: Bieruta i Stalina. Wisiały po dwóch stronach godła, nad biurkiem kierowniczki.

— Pan rozumie, panie pułkowniku — powiedziała niespodziewanie Wanda Wojnicka — gdyby tych dwóch zabrakło, kto inny siedziałby na moim miejscu. Mój Boże, co oni z nami zrobili?

Bronowicz uśmiechnął się. Wstał i zaczął się żegnać. Pocałował kierowniczkę w rękę. Stuknął obcasami, jakby na nogach miał oficerki, a nie stare półbuty.

— Podpisuję się pod opinią pani dobrodziejki — powiedział.

W niedzielę, ósmego lub dziewiątego września, byli na werandzie. Siedzieli w słońcu przeświecającym przez gałęzie jabłonek. Tomek odrabiał lekcje. Bronowicz czytał gazetę. Czasem odpowiadał na pytania. Wnuk pytał, jak pisze się „góra": przez „ó" z kreską czy przez zwykłe „u"? Lub „rzeka" — przez „rz" czy przez „ż"? Siedział na poduszce przyniesionej z pokoju, żeby było wyżej. Pochylony nad zeszytami, wysuwał język, pisząc. Przepisywał z książki ćwiczenia, wstawiając w miejscach, gdzie były kropki, odpowiednie litery. Potem zaczął odrabiać rachunki. Czasem odkładał obsadkę (ze stalówką umoczoną w kałamarzu — na blacie drewnianego stołu zostawiał granatowe plamki) i liczył na palcach.

Wasyl podszedł do werandy cicho — najpierw był skowyt Kajtka, potem usłyszeli głośne:

— Dobryj deń!

Semen nie był sam. Za nim stała dziewczyna w zielonej spódnicy w drobne, różowe i żółte kwiaty, w białej bluzce pod czarną kamizelą. Na szyi czerwone korale. Buty sznurowane wysoko. Jasne włosy zaczesane gładko. We włosach brązowe grzebyki.

Bronowicz odłożył gazetę.

— Dzień dobry, prosimy, prosimy.

Wasyl odwrócił się.

— No chodź, chodiť, nie wstydź się.

Dziewczyna podeszła bliżej. Wasyl wziął ją za rękę.

— My przyszli, bo chciał, żeby pan pułkownik poznał narzeczoną.

— Co za niespodzianka — ucieszył się Bronowicz. — Jaka piękna narzeczona! Nic mi nie mówiłeś.

Dziewczyna zaczerwieniła się. Weszli na werandę. Tomek zabrał zeszyty i książki. Przestawił kałamarz, zgarnął piórnik, pióro i ołówki. Usiadł naprzeciwko Wasyla i narzeczonej. Podparł głowę łokciami i zapatrzył się na gości w milczeniu. Dziadek poszedł do kuchni podrzucić pod blachę.

— Chociaż herbatą poczęstujemy. Lili nie ma, ale damy sobie radę, prawda, Tomku?

Wasyl zaczął powtarzać:

— Nie trzeba herbaty, nie trzeba. My na chwilę przyszli.

Bronowicz stanął na progu werandy. Zatarł ręce.

— No więc, jak będzie? Kiedy ślub?

— Chyba na Boże Narodzenie, na ich Rizdwo, w grudniu. A drugi raz na nasze święta, w styczniu. Zapraszamy pana pułkownika. No i ciebie, chłopak, ciebie też.

Bronowicz pytał, kiedy i gdzie poznali się? Skąd panna młoda? U kogo zamieszkają?

— Bo chyba nie porzucisz Lipowa, co? — popatrzył na Wasyla.

— A broń Pane Boże. Ostaniem tu, z bat'ką i maty, w Lipowie.

Dziewczyna tylko raz odezwała się, gdy Bronowicz spytał o imię.

— Hania — powiedziała cicho. Tomkowi zdawało się, że jeszcze bardziej zawstydziła się i zaczerwieniła.

— Hania! — ucieszył się pułkownik. — Hania! — Przyniósł herbatę w dwóch filiżankach (zawsze czekały na specjalną okazję, na półce, w białym kredensie). Na talerzu kruche ciastka, upieczone przez Lili, z suszonymi żurawinami dla ozdoby.

Narzeczona Wasyla piła herbatę, trzymając filiżankę w dwóch dłoniach. Ostrożnie dmuchała, nim wypiła łyk. Wasyl wydawał się zadowolony — w czerwonej koszuli, smagła twarz, ciemne oczy. Narzeczona przy nim była blada i jasna. Tomkowi, nie wiadomo czemu, przypomniały się obłoki i niebo odbite w rzece.

Hania pochodziła z kurpiowskiej wsi, blisko dawnej granicy polsko-pruskiej. Z Łączek czy Zalasu. Poznali się przed rokiem, kiedy Wasyl pojechał do Myszyńca na targ. Hania sprzedawała jajka i dwie kury, przyniesione w koszyku. Wtedy pierwszy raz zagadał do niej.

Jeździł potem, żeby dziewczynę zobaczyć. I tak się dogadali. Był już u jej ojców.

— Zgodzili się, chociaż chyba niechętnie, prawda diwczyno?

Hania uśmiechnęła się. Wasyl powiedział:

— Serce ma dobre, tylko mało co bałaka.

— To dobrze, Wasyl. Takie, co dużo gadają, mniej warte.

Śmieli się. Kiedy odchodzili, Tomek zbiegł za nimi z werandy. Bronowicz patrzył, jak odchodzą: zielona spódnica dziewczyny, czarny kubrak, jasne włosy. I czerwona koszula obok. Głowa Tomka jasna jak Hani. I tak jak wnuk, nie wiadomo dlaczego, pomyślał o białych obłokach odbitych w wodzie, gdy płyną z nurtem rzeki.

Kilka dni później, przed ósmą rano, przyjechało do Lipowa wojsko. Pięć ciężarowych samochodów, amerykańskich studebakerów, jak powiedział Zoni:

— Ruscy mieli takie same, gdy przyszli.

Chłopcy stali na skrzyżowaniu dróg, niedaleko mostu i szkoły, obok miejsca, gdzie zatrzymały się ciężarówki. Żołnierze byli w polowych mundurach. Czapki rogatywki spłowiałe. Zeskakiwali ze skrzyń na plac. Kilku wyładowało ciężkie karabiny maszynowe. Miały tarcze na żelaznych kołach. Zdejmowali czapki, nakładali hełmy. Wszyscy mieli parciane tornistry i pepesze, z okrągłymi magazynkami. Granaty jak gruszki, wisiały przy pasach. Palili papierosy, rozmawiali.

Gwar umilkł, kiedy przyjechał willys z oficerami. Dwóch mężczyzn — major i porucznik — wysiadło z łazika. Także w polowych mundurach, tylko czapki mieli okrągłe, z granatowymi otokami. Na pasach kabury z pistoletami. Młodszy, porucznik, coś krzyknął (niewyraźnie — chłopcy nie dosłyszeli). Żołnierze pośpiesznie ustawili się w dwuszeregu, a wtedy porucznik zawołał: „baczność!", co zabrzmiało jak „bao!". Żołnierze stuknęli butami i wyprężyli się. Starszy oficer podszedł bliżej dwuszeregu.

— Faszystowska banda ukrywa się w tych lasach — powiedział. — Waszym zadaniem jest likwidacja bandytów. Idziecie spełnić proletariacki obowiązek. Życzę powodzenia! — Odczekał chwilę i zawołał: — Czołem, żołnierze!

A stojący w dwuszeregu odpowiedzieli chórem:

— Czołem, obywatelu majorze! — co zabrzmiało jak: „czo-oba-ma!".

Zoni i Horst przekrzykiwali się później tym żołnierskim pozdrowieniem na przerwach.

— W prawo zwrot! — zakomenderował porucznik. Dwuszereg odwrócił się — żołnierze stanęli dwójkami. Oficer odczekał chwilę: — Naprzód marsz!

Chłopcy przyglądali się, jak długa kolumna rusza powoli, potem idzie coraz szybciej w stronę lasu. Żołnierze szli pochyleni, wzniecając butami kurz, który opadał na trawę i chwasty przydrożne. Za kolumną jechał willys z oficerami. Ciągnął na przyczepie dwa cekaemy.

Chłopcy pobiegli za wojskiem, ale tylko kawałek — za most. Zawrócili, kiedy porucznik obejrzał się i krzyknął:

— Wracać, *riebiata*! Do szkoły, ale już!

Puste ciężarówki zostały na placu. Stały tam do wieczora. Tomek, Horst i Zoni wychodzili w czasie przerwy na most. Słuchali, czy w lesie nie odezwą się strzały. Czy nie słychać palby, wybuchów, terkotu cekaemów. Ale panowała cisza. Za to w południe przyjechała sanitarka — duży samochód pomalowany na zielono, z czerwonym krzyżem na białym tle. Żołnierze kierowcy siedzieli potem na stopniach ciężarówek, palili papierosy, grali w karty. Las milczał.

Po szkole Tomek zaraz pobiegł do Bronowicza.

— Dziadku, faszystowska banda ukrywa się w lesie. Żołnierze mają ich złapać i pozabijać! — Opowiedział o wojsku, które rano przyjechało do wsi.

Pułkownik z Wasylem wbijali słupy pod przyszły płot wokół kawałka łąki. Chcieli na noc zamykać konie za ogrodzeniem. Zostawiane luzem, bez spętania lub uwiązania do kołków, odchodziły czasem dalej. Rano Semen chodził szukać do lasu lub na pola za wsią.

Bronowicz odstawił łopatę. Wbił w ziemię obok dębowego słupa tkwiącego w dziurze. Usiadł na stercie kloców przygotowanych do wkopania. Powiedział do wnuka:

— Posłuchaj, w lesie nie ma żadnej faszystowskiej bandy. To są ludzie, którzy nie chcą żyć pod panowaniem komunistów, rozumiesz? Polska jest w niewoli. Mamy rząd, który przywieźli Rosjanie na czołgach. W czterdziestym piątym roku. Jesteśmy za małym krajem, żeby sobie z Rosjanami poradzić. Ci oficerowie i żołnierze, którzy poszli do lasu, pewno nie rozumieją tego. Ale ty powinieneś rozumieć. Tym bardziej że twego ojca zamknęli w więzieniu komuniści. — Spojrzał na pomocnika: — Wasyl to rozumie, prawda?

Semen splunął na bok.

— *Szczob ich czort wziaw, proklatych komunistiw!*

Tomek zapytał:

— A dlaczego Rosjanie przywieźli rząd na czołgach?

— To takie powiedzenie, chłopcze. Obecny rząd, zamiast Polaków, wybrali Rosjanie. Oni o wszystkim decydują, rozumiesz?

Wnuk zajrzał do wykopanego dołu.

— Dziadku, przyniosę trzecią łopatę. Tę zardzewiałą, dobrze? Będę wam pomagał. — I nie czekając na odpowiedź, pobiegł przez łąkę.

Wieczorem przyszedł Zoni z wiadomością, że żołnierze odjechali.

— Oni nikogo nie zabili. Ta banda uciekła.

— To nie żadna faszystowska banda — pouczył go Tomek. — Myśmy nie wybrali sobie rządu. Rosjanie przywieźli rząd na czołgach i teraz rządzą się w Polsce, rozumiesz?

— Aha — powiedział Zoni. — Ty, jutro niedziela, to popłyniemy tam, gdzie są raki, jo?

We wrześniu były wykopki ziemniaków. „Kartoffelernte", mówiła Urszula. Przez dwa dni kobiety z Lipowa kopały ziemniaki na polu Bronowicza. Tomek, wracając ze szkoły, widział daleko, nad rzeką, kolorowe spódnice i chustki pochylonych nad zagonami kobiet. Po obiedzie pobiegł za dziadkiem na kartoflisko.

Kobiety — wśród których była matka Manfreda — Frau Szczepek, Frau Sitek i Frau Olszewski kopały ziemniaki motykami. W kilku miejscach, tam gdzie bruzdy były puste, leżały kopce. Łęty od razu palono. Siwy dym snuł się nad polem. Przypominał warkocze, które wiatr zwiewał w stronę rzeki. Pachniało dymem, głębokimi bruzdami, mokrymi łętami. Kartofle były oblepione ziemią. Bronowicz przekroił scyzorykiem jeden podniesiony z kopca. Był biały jak jabłko, bez pestek.

— Dobre macie kartofle, panie — mówiły kobiety.

— Będą do podziału, *meine lieben Damen* — odpowiadał pułkownik. Kobiety, jako zapłatę, dostawały po worku ziemniaków.

Wasyl zwoził zebrane z kopców pod dom. Podjeżdżał od strony ogrodu, jak najbliżej otwartych okien do piwnicy.

— Stooj! — wołał na Benedykta.

Odczepiał boczną ściankę wozu — ziemniaki z szelestem sypały się pod okienka, uderzały o ścianę domu,

119

toczyły po trawie. Semen brał szuflę poczerniałą od węglowego miału i spychał resztę ziemniaków na drewniane rynny. Po rynnach turlały się do piwnicy. Tomek kilka razy jeździł z Wasylem z pola pod dom. Brał drugą szuflę i starał się pomagać furmanowi. Obaj spychali kartofle na rynny, potem wracali na pole.

Pułkownik chodził wzdłuż pustych bruzd, zatrzymywał się, dorzucał ziemniaki do ognisk (mieli potem jeść pieczone, odłupując czarną skórkę i posypując biały miąższ solą z papierków).

Jeszcze dnie były pogodne, niebo nad Lipowem błękitne. Czerwone i żółte drzewa nad rzeką. Siwy dym. Wolno, w podmuchach wiatru, leciały nitki babiego lata. Tomek, skacząc przez bruzdy, pobiegł, żeby złapać białą nić, ale wiatr dmuchnął i pajęczyna odfrunęła spod wyciągniętej ręki. Stał chwilę z zadartą głową i patrzył, jak odlatuje coraz wyżej, nad korony drzew.

W ciągu tamtego tygodnia zbierali jeszcze głowy kapusty z zagonu blisko kartofliska, buraki i marchew.

Lekcje zaczynały się o ósmej. Dziadek lub Urszula budzili Tomka o siódmej. Zaspany, ziewając, szedł do łazienki, żeby umyć twarz i ręce w zimnej wodzie. Potem jadł talerz owsianki, który podawała Urszula. Do szkoły wychodził przed ósmą. Biegł, podrzucając na ramionach tornister. Manfred zwykle czekał na niego przy płocie lub dalej, na drodze, gdy Tomek się spóźniał.

— Ty tak zawsze późno przychodzisz — mówił z wyrzutem. — Chyba specjalnie, żeby cię pani Wojnicki ukarała.

Siedzieli w jednej ławce — niskiej, z czarnym pulpitem, którego brzegi były jaśniejsze, jak wypolerowane. Pośrodku była dziura na kałamarz, w którym chłopcy maczali stalówki.

Tomek dostał piórnik od dziadka. Był drewniany, pomalowany na pomarańczowo. Na odsuwanej pokrywce miał wyrzeźbione szarotki. „To góralski piórnik", powiedział dziadek. Wnuk nosił w nim czerwoną obsadkę, kilka stalówek, ołówki, gumkę i małą temperówkę. Manfred przynosił pióro owinięte w szmatkę z plamami po atramencie.

Lekcje dla klas trzeciej i czwartej (trzecia w rzędzie pod oknem — czwarta bliżej drzwi) prowadziła pani Wojnicka. Chodziła między ławkami. Jeśli trzecia klasa miała rachunki — dyktowała słupki lub zadania. Jeżeli czwarta miała dyktando — pani Wojnicka dyktowała, przerywając co pewien czas, aby uczniom z trzeciej napisać na tablicy słupki.

Śpiewu i rysunków uczyła inna pani — młoda nauczycielka. Przyjeżdżała na rowerze z Jakubowa. Na imię miała Helga i czasem do dzieci z Lipowa zwracała się po niemiecku, ale zaraz, patrząc na Tomka, tłumaczyła słowa na polski.

Póki dnie były jasne, za oknami świeciło słońce, nie trzeba było zapalać lamp naftowych. Jesienią i zimą dwie lampy oświetlały klasę, zwłaszcza rankami. Stały na parapetach okiennych.

W piecu palił woźny-stróż, pan Podświadek. Był garbaty, dlatego niższy od niektórych chłopców. Zawsze chodził w czarnej czapce z daszkiem. Tomek zapamiętał stróża w tej czapce, z naręczem brzozowych polan, jak wchodzi do klasy w czasie przerwy, aby dorzucić do pieca.

— *Achtung* — mówił — dzieci, zejdźcie z drogi, abyście miały ciepło!

Śmieszył Tomka tym codziennie powtarzanym życzeniem.

Piec stał w kącie klasy — biały, z rzeźbionymi kaflami pod sufitem. Pogłos buzującego ognia słyszeli na lekcjach.

Dorotka z koleżanką siedziały w pierwszej ławce — przed Tomkiem i Manfredem. Czasem Tomek łaskotał dziewczynki gęsim piórem przyniesionym z domu lub piórem jastrzębia znalezionym w lesie (nosił je w piórniku pod temperówką). Dorotka lub Marysia odwracały się szybko, ale on zawsze zdążył schować pióro pod pulpit.

— Oj ty, ty — mówiła Dorotka. — Ja wiem, kto tak robi.

Buzowanie ognia w piecach słyszał także w domu. Dziadek lub Urszula palili jesienią raz dziennie, a kiedy przyszły mrozy, dwa razy. Rano i wieczorem.

Ale najpierw była jesień — mgły nad łąkami. Zapach ognisk — wszędzie na polach palono łęty kartoflane. Las czerwieniał i żółkł. Z klonów sypały się liście na leśne ścieżki. I ścieżki tak samo były żółte.

Tomek chodził z dziadkiem słuchać, jak ryczą jelenie. Był to czas rykowisk.

— Ryczą od połowy września do początków października — wyjaśnił dziadek.

— Dlaczego ryczą? Czy o coś im chodzi? Czy przedtem nigdy nie ryczały?

— To okres godów — mówił Bronowicz. — Jelenie się żenią. Walczą o łanie tylko raz do roku. Później, w zimie, łanie rodzą młode.

— Dlaczego nie żenią się na całe życie? Co roku muszą się żenić? — zdziwił się Tomek.

Pierwszego wieczoru stanęli na łące, blisko drogi do Gałkowa. Gdzieś blisko, zza szpaleru sosen, odezwał się jeleń. Dwa inne odpowiedziały z daleka — z głębi lasu. Ryczały na zmianę. Ten bliżej basem, kończąc każdą serię porykiwań kaszlem. Tamte dwa także kaszlały, ale ich głosy nie były tak wyraźne.

Świecił księżyc. Nad łąkami, nisko, snuła się mgła. I ta mgła, na którą padało światło księżyca, wydała się Tomkowi jaśniejsza niż zwykle — jakby na niewidocznej trawie tlił się ogień, a mgła była dymem.

Tamtej nocy przyśnił mu się jeleń. Wyszedł na łąkę spomiędzy żółtych leszczyn. Tomek stał zanurzony w mgle. Widział, jak jeleń powoli zbliża się — jakby płynął, rozgarniając mgłę rogami. Był coraz bliżej. Jego łeb z wieńcem tuż, tuż, coraz większy. „Kucnę, może mnie zobaczy" — pomyślał we śnie. I zbudził się na sofie w dużym pokoju. Na podłodze leżały kwadraty księżycowego światła zza okna.

A za dnia nad Lipowem przelatywały klucze gęsi i żurawi. Wracając ze szkoły, chłopcy przystawali z zadartymi głowami. Wysoko, na tle chmur lub błękitnego nieba, jeśli dzień był pogodny, leciały sznury ptaków. Klucze miały kształt długich kresek lub odwróconej litery „V" — czasem jedno ramię odstawało od drugiego. Z daleka, z tego zachmurzonego lub błękitnego nieba, słyszeli pokrzykiwania gęsi krótkie, porwane. Lub klangor żurawi — coraz cichszy — to „kru, kru, kru", póki nie umilkło.

Jednego z wieczorów, z końcem września, poszli z dziadkiem na most i dalej, w stronę jeziora. Na śródleśną łąkę, gdzie czasem chodzili w lecie, aby zobaczyć pasące się łanie. Była pełnia księżyca. Ze skraju łąki zobaczyli niedaleko czarny kształt, jakby kopiec usypanej ziemi. Brodząc w trawie — Bronowicz w czarnych kaloszach do pół łydki, Tomek w sznurowanych butach z cholewkami (miał je z Warszawy, schowane na zimę) — ruszyli w stronę czarnego kopca. To był zabity jeleń bez wieńca, odrąbanego zapewne siekierą. Na poranionym łbie znać było głębokie ślady w miejscu, gdzie odłupano poroże. Nie miał tylnych nóg, uciętych przy pachwinach. Z rozkrojonego brzucha wypłynęły wnętrzności. Leżały w kałuży krwi, ta krew już wsiąkła w ziemię. Była tylko czarną plamą. Poczuli słodkawy zapach padliny. Tomkowi zdawało się, że jeleń patrzy na niego martwym okiem.

— Mój Boże — powiedział Bronowicz. I powtórzył po chwili: — Mój Boże.

Stali w ciszy, jaka panowała w lesie. Inne jelenie i łanie odeszły gdzieś dalej. Naokoło polany ściana ciemnych drzew. Nie było wiatru. Powoli zapadała noc.

— Chodź, trzeba dać znać panu leśniczemu.

Poszli przez łąkę z powrotem na leśną drogę. Przed skrajem lasu skręcili w stronę leśniczówki.

Korycki — lipowski leśniczy — był na podwórzu. Rozmawiał z młodym człowiekiem, aspirantem, jak go przedstawił. Stali koło oszklonej werandy, przed domem. Bronowicz otworzył furtkę, weszli na podwórze i zobaczyli dwie sylwetki na tle ciemnych szyb oszklonej werandy. Mężczyźni palili papierosy. Leśniczówka także była ciemna, tylko na parapecie jednego okna stała lampa naftowa. Zza ściany drzew wyglądał księżyc. Podwórze było jasne w księżycowej poświacie.

Leśniczówka jest nad rzeką. Można do niej dojść drogą przez most lub ścieżką nad wodą, do skarpy i miejsca, gdzie chłopcy kąpali się z Wasylem. Między drzewami widać stamtąd czerwony dach. Za budynkami z czerwonej cegły, dalej — już tylko las i las. Inżynier Korycki z żoną i dwójką małych dzieci mieszkają tu od roku czterdziestego szóstego. Przejął leśniczówkę od leśniczego Millera, Niemca, który wyjechał. Tomek był już tutaj, kiedy Bronowicz kupował opał na zimę (po parę metrów sosny i brzozy), a także dębowe kloce i świerkowe żerdzie do ogrodzenia łąki. Teraz, kiedy szli od furtki, dziadek wołał, przekrzykując ujadanie psa z głębi podwórza:

— To my, to my, inżynierze Korycki! To ja z wnukiem!

Witając się, zaczął przepraszać za późną wizytę, ale — jak wyjaśnił — sprawa jest wyjątkowa, nie cierpiąca zwłoki. I opowiedział o martwym jeleniu.

— Leży niedaleko, na śródleśnej łące. — Mówił o odrąbanym wieńcu i tylnych nogach, o krwi. — Wie pan coś o tym?

Korycki i aspirant popatrzyli na siebie. Leśniczy rzucił niedopałek papierosa pod nogi. Rozdeptał na ścieżce.

— Panie pułkowniku, ja nie wiem, na ile mogę być szczery. Bo strach nawet mówić o tym. Człowiek jest bezradny.

— Niech pan się nie obawia — powiedział dziadek. — Ja byłem na wojnie.

— Przy chłopcu możemy rozmawiać?

— Chłopak widział.

Leśniczy jeszcze raz popatrzył na aspiranta.

— Kłusują! Przyjeżdżają samochodami we trzech, czterech. Uzbrojeni, strzelają z karabinów. Nawet seriami z pepeszy. Tego jelenia widzieliśmy rano. Zabili przedwczoraj wieczorem, czy tak, panie Zbyszku?

Aspirant przytaknął.

— Codziennie strzelają. Także w nocy, bo pełnia księżyca. Dziś nad ranem słyszałem warkot samochodów. Musiały być dwa.

— Kim są? Skąd przyjeżdżają? Co to za ludzie? — pytał Bronowicz.

— Milicja z Jakubowa. Może ze Starego Boru? Ja ich nie chcę widzieć na oczy, panie pułkowniku. Mogą zabić człowieka. Mam tu żonę, dzieci. Człowiek jest bezradny.

— No dobrze, ale trzeba jakąś skargę napisać. To są lasy państwowe. Jakie by to państwo nie było, musi chronić lasy.

— Panie pułkowniku — powiedział Korycki — czy pan w to wierzy?

Młoda kobieta otworzyła drzwi werandy, wyszła na próg.

— Koniec palenia! — usłyszeli. — Wracajcie. — Zobaczyła Bronowicza z Tomkiem i zaraz zaczęła zapraszać: — Janku, proś gości na herbatę. Prosimy, prosimy! Bronowicz ukłonił się z daleka.

— Wybaczy, łaskawa pani, już późno. Musimy wracać. — Podał rękę Koryckiemu.

Tomek odezwał się po raz pierwszy, gdy żegnał się z aspirantem:

— Ja pana przewiozłem łódką na drugi brzeg.

— A tak, tak, pamiętam. Kręciliśmy się w kółko na rzece.

— Był jeszcze drugi pan.

— Drugi? — zdziwił się młody mężczyzna. — Niemożliwe. Byłem sam.

— Jeszcze był pana kolega. Na pewno. Jego także przewiozłem.

— Jak masz na imię? — Aspirant pochylił się nad chłopcem.

— Tomasz.

— Tomaszu, przewiozłeś tylko mnie!

Tomek nie upierał się. Nie odezwał się więcej. Leśniczy Korycki pogładził go po głowie.

— Dobrze się uczysz?

— Mam trzy piątki! — zawołał, biegnąc za dziadkiem. Pies przy budzie zaczął szczekać. Skrzypnęła furtka.

Kiedy wyszli z lasu i szli drogą w stronę mostu, Tomek zapytał:

— A kłusownicy to kto, dziadku?

— Ludzie, którzy polują bez pozwolenia. Łapią zwierzęta we wnyki albo, jak ci tutaj, strzelają z pepeszy.

Myśliwi mają pozwolenia, strzelają z dubeltówek. Polują tylko wtedy, kiedy można. Według kalendarza.

— Oni także zabijają zwierzęta — powiedział Tomek.

— No tak, masz rację. Jedni i drudzy zabijają.

Weszli na most. Zapachniało rzeką.

— Naprawdę przewiozłeś łódką dwóch ludzi? — spytał Bronowicz. — Może ci się zdawało?

— Dziadku, zaraz ci opowiem! — Tomek został na moście. Stanął przy balustradzie. Patrzył chwilę na ciemną wodę w dole, potem przebiegł na drugą stronę. W rzece odbijał się księżyc. Wydawało się, że płynie z nurtem, a on stał w miejscu.

Tomek dogonił dziadka.

— Naprawdę było dwóch. Ten pan aspirant i jego kolega. Mieli bardzo zakurzone buty.

Przeszli obok szkoły. W ciemnych oknach odbijał się księżyc. Tak jak w rzece. Szli dalej przez wieś, wśród domów, w których — tu i tam — paliły się lampy naftowe. Naokoło szczekały psy.

— Dziadku, a aspirant to kto? — przypomniał sobie Tomek.

— Kandydat. Kandydat na leśniczego. Ty także jesteś kandydatem. Na dorosłego człowieka.

Wnuk zaśmiał się. Skręcili z drogi przez łąkę na podwórze. I zaraz rozszczekał się Ataman, cieniej niż zwykle — z radości. Urszula musiała usłyszeć to radosne szczekanie. Otworzyła drzwi na werandę i zamknięty dotąd Kajtek potoczył się jak kula po trawie. Popędził na ich spotkanie.

Kilka dni później, o zmierzchu, poszli zobaczyć, co stało się z jeleniem. Pułkownik przewidywał, że padlinę rozwłóczyły lisy. Może leśniczy kazał zakopać? Tomek chciał iść z dziadkiem, chociaż siedział nad zeszytami. Nie zdążył rozwiązać zadań z rachunków. Bronowicz wahał się, w końcu machnął ręką. Poszli.

Pierwsze dnie października były chłodne — rankami na łąkach i na trawie przed domem bielił się szron. Przymrozki ścinały kałuże na drogach. Szli szybko — dziadek pierwszy, stawiając duże kroki. Tomek musiał czasem podbiegać.

— Tylko rzucimy okiem ze skraju łąki. Jelenie poszły gdzieś dalej. Nie usłyszymy nic, na pewno — mówił Bronowicz, kiedy Tomek, zdyszany, doganiał go.

Minęli most, weszli na drogę pod klonami, żółtą od opadłych liści. Byli coraz bliżej lasu — ciemnej ściany drzew. Na skraju stał willys, przy którym nie było nikogo. Przechylony — jednym kołem wjechał w koleinę wypełnioną wodą. Zapachniało benzyną i czymś jeszcze. Może zwiniętą na pałąku plandeką? Obite czarną ceratą siedzenia wydawały się mokre od rosy. Tomek chciał podejść bliżej, ale Bronowicz powstrzymał go:

— Nie podchodź, po co?

Weszli do lasu. Było cicho, tylko szelest liści, po których deptali. Na pasie nieba nad drogą zaświeciła pierwsza gwiazda. Od drzew, od poszycia leszczyn i jałowców wiało wilgocią. Doszli do ścieżki w stronę łąki, na którą skręcili — znów Bronowicz pierwszy, Tomek z tyłu, starając się dotrzymać kroku.

I już była łąka — zrobiło się jaśniej, kiedy wyszli na otwartą przestrzeń. Przystanęli na chwilę. Nic się nie zmieniło — jeleń leżał tam, gdzie wtedy, jak czarny kopczyk usypany z ziemi.

Kiedy podeszli bliżej, znów poczuli zapach padliny. Był bardziej intensywny. Łeb jelenia leżał w tym samym miejscu, ale tam, gdzie było oko, została czarna dziura. Wokół wzdętego brzucha walały się strzępy wnętrzności.

Bronowicz podszedł blisko. Tomek został.

— Dziadku, ja go nie chcę oglądać. Wracajmy!

Pułkownik obejrzał się i w tym momencie zobaczył dwóch mężczyzn. Szli od skraju łąki (trzeci nadszedł później, z przeciwnej strony). Ci dwaj powoli zbliżali się — teraz i Tomek ich zobaczył. Podbiegł do dziadka.

Mężczyźni byli w waciakach koloru milicyjnych mundurów. Bez pasów, porozpinani, obaj w wojskowych saperkach. Wyższy miał na głowie ruską papachę. Nauszniki z tasiemkami zwisały przy policzkach. Szyję owinął szalikiem. Drugi — w brązowej pilotce. Kiedy zatrzymali się, pułkownik zobaczył pepesze zawieszone na ramionach. Zza pleców wyglądały drewniane kolby.

— No i co — odezwał się ten w ruskiej papasze — czego tu szukają? — Mówił cicho, jakby miał chrypę i mówienie sprawiało mu kłopot. — Guza szukają? A może przyszli co ukraść?

— Nie przyszliśmy nic ukraść — powiedział Bronowicz głośno i wyraźnie. — Patrzymy na jelenia zabitego przez kłusowników.

Mężczyzna w pilotce zaśmiał się za plecami pierwszego. Ten w papasze odwrócił się.

— Słyszałeś? Kłusownicy zabili jelenia? A może on sam jest kłusownikiem?

— Nie — powiedział Bronowicz. — Jestem obywatelem tak jak wy. Mam prawo zgłosić leśniczemu, że kłusownicy zabijają zwierzynę w lesie.

Ten w pilotce znowu się roześmiał. Jego towarzysz postąpił bliżej o kilka kroków. Podchodząc, potknął się o kreci kopiec. Zachwiał i podrzucił na ramieniu pepeszę. Podszedł całkiem blisko. W świetle gasnącego dnia Tomek zobaczył twarz mężczyzny — była blada, tylko na policzkach ciemny zarost.

— Ty, obywatel — powiedział do dziadka. — Już nam spłoszyli zwierzynę. Wiesz, co ci powiem?

— Proszę grzeczniej — Bronowicz podniósł głos. — Nie piliśmy bruderszaftu.

Tomek chwycił rękę dziadka.

— Chodźmy, dziadku! Wracajmy!

Mężczyzna w papasze podszedł do padliny i kopnął grzbiet jelenia.

— Słyszałeś? Chłopak dobrze gada! — I nagle, już bez chrypy, wykrzyczał, odwracając się do Bronowicza: — Won! Słyszał? Won stąd!

— Stasiek, co z nim będziesz gadał? — odezwał się ten w pilotce. — Weź pod lufę i każ im biec.

— Ja bym ich posłał, wiesz gdzie — powiedział ten w papasze.

To wtedy z drugiej strony przyszedł trzeci mężczyzna. Odezwał się niespodziewanie za plecami Bronowicza i Tomka:

131

— Zostaw go. To pan pułkownik od Rydza-Śmigłego.

— Od Rydza? — rozkaszlał się ten w pilotce. — Pan pułkownik? Panowie zostali w Londynie.

— Nie wszyscy, nie wszyscy — powiedział mężczyzna w papasze. — Jak towarzysze widzicie.

— Dziadku, chodźmy — prosił Tomek.

Bronowicz przygarnął wnuka ramieniem.

— Zaraz pójdziemy, ale bać się nie masz powodu. Rozmawiamy. Tylko rozmawiamy.

Trzeci mężczyzna obszedł jelenia.

— Idziem dalej, Stasiu. Tego tu zostaw. Nie gadaj z nim.

Jego głos, sylwetka w długim płaszczu wojskowym (na głowie miał czapkę, maciejówkę) — wydała się Bronowiczowi znajoma. Poznał cywila z Jakubowa. To był Bakalarski.

Ten w papasze jeszcze raz kopnął grzbiet jelenia — usłyszeli jakby klaśnięcie. Odwrócił się i odszedł pierwszy. Bakalarski i ten w pilotce poszli za nim. Idąc, rozmawiali, któryś zakaszlał, drugi roześmiał się, splunął.

— Wracamy — powiedział Bronowicz.

Tomek odwracał się kilka razy. Kiedy weszli między sosny, spytał:

— Kto to był, dziadku? Dlaczego tak się złościli?

— To źli ludzie. Kłusownicy — powiedział pułkownik.

Później już nie odezwał się. Milczał przez całą drogę powrotną. Przyspieszył kroku. Tomek znów musiał podbiegać.

132

Minęło kilka dni. Bronowicz pojechał do Jakubowa — był w gminie. Rozmawiał ze znajomym wójtem — znał człowieka jeszcze z okresu, kiedy szukał w okolicy gospodarstwa. Wójt Kaliski czy Kalicki (nie zapamiętał dobrze nazwiska) — gruby mężczyzna w garniturze, w niebieskiej koszuli, pod krawatem, przywitał go życzliwie.

— Z czym szanowny pułkownik przychodzi? Proszę, proszę. Niech spocznie. — Wyszedł na powitanie z wyciągniętą ręką.

Później siedzieli po dwóch stronach biurka. Dzwonił telefon, ale wójt nie podnosił słuchawki. Sekretarka, dziewczyna w czerwonym swetrze, przyniosła szklanki z herbatą.

— Jesień przechodzi, będzie zima. — Która to już, jak szanowny do nas zawitał?

— Trzecia, panie wójcie — powiedział Bronowicz.

— Jak zbiory? Jak się gospodarzy?

— Dobre — mówił pułkownik. — Gospodaruje się bez przeszkód. Ale są inne kłopoty. — I opowiedział o kłusownikach.

Kalicki wysłuchał spokojnie. Nawet coś zanotował w rozłożonym zeszycie. — Będziemy interweniować. Zgłosimy sprawę na komendzie. Towarzysze na pewno pomogą.

— O to chodzi, że trzeba interweniować gdzieś wyżej — powiedział Bronowicz. — Wśród tych ludzi jest Bakalarski.

Wójt odłożył ołówek. Przez chwilę przekładał papiery na biurku. Akurat zadzwonił telefon — tym razem podniósł słuchawkę. — Tak. Będę na naradzie, towarzyszu. Dziękuję, towarzyszu. Dziękuję — powtórzył kilka razy.

Spojrzał na pułkownika.

— Panie szanowny, znam osobiście Bakalarskiego. To oddany władzy ludowej towarzysz. Jeżeli poluje, to na pewno legalnie. Nie uwierzę, że jest inaczej.

— Myślę, że jest inaczej — powiedział Bronowicz, wstając. — Ci ludzie są z Urzędu Bezpieczeństwa. Wszyscy się ich boją.

Wójt Kalicki wydawał się zatroskany. Odprowadził Bronowicza do drzwi.

— A może szanowny pan zapomni o sprawie? Lepiej będzie. Nie warto.

Sekretarka w czerwonym swetrze uśmiechnęła się, kiedy wychodził.

Dzień wcześniej był u sołtysa w Lipowie. Chciał dowiedzieć się, czy wie o bandzie kłusowników — może zgłosiłby sprawę w gminie? Sołtys Lewandowski (zawsze w spłowiałej rogatywce bez orzełka) wyszedł przed dom. Był przesiedleńcem spod Stanisławowa. Zwolniony z łagru w czterdziestym trzecim, trafił do Armii Berlinga. Ranny w czasie ofensywy styczniowej, lekko kulał. W Lipowie dostał gospodarstwo po Mazurce, która wyjechała do Niemiec (tak jak Frau Kalinowski Bronowicza). Mieszkał na końcu wsi — dalej był już tylko dom rodziców Wasyla.

— Panie, ja z nimi wojował nie będę — powiedział stanowczo, gdy tylko Bronowicz wspomniał o kłusownikach. — Oni tu kobiety nachodzą, chcą wódki. Córkę jednej wywieźli do lasu, ledwo dziewczyna uciekła. Niemki przychodzą na skargę, ale co ja mogę? Mają broń.

Rozmawiali przed domem, na podwórzu. Przez cały czas szczekał pies uwiązany przy budzie.

— Trzeba do gminy zgłosić albo na posterunku milicji. To przestępcy — powiedział Bronowicz.

Sołtys spojrzał spod rogatywki.

— Panie, pan chyba nie wie, kim oni są? To nasza władza, milicjanty, urząd. Co ja mogę? Nie będę z kobiety robił wdowy. Ani sierot z dzieci.

Bronowicz zaczął się żegnać. Lewandowski wyszedł za nim na drogę.

— Wojować nie będę, panie — usłyszał za plecami — dość się nawojował przez wojnę!

Minęły dwa dni. Siedzieli po kolacji w kuchni. Wieczorami pułkownik czytał Tomkowi *Ogniem i mieczem*. Ten zwyczaj, głośnego czytania *Trylogii*, pamiętał ze Staniłówki na Ukrainie, z domu rodzinnego. Sienkiewicza czytała matka. W bibliotece ojca stały oprawione w skórę tomy *Ogniem i mieczem*, *Potopu* i *Pana Wołodyjowskiego*. Wydania z lat osiemdziesiątych dziewiętnastego wieku. Pamiętał nawet wydawców: drukarnie Władysława Szulca, Noskowskiego i Lubowskiego. Zapach skóry, tłoczone litery na okładkach. Niżej leżały oprawione roczniki warszawskiego „Słowa", prenumerowanego przez rodziców (drukowało wcześniej odcinki *Trylogii*).

Czytanie wieczorne skończyło się ze śmiercią ojca — Florentego Szymona Bronowicza — jesienią tysiąc dziewięćsetnego roku. Przedtem matka czytała zawsze po kilka stron. Najczęściej po kolacji, w pokoju stołowym. Bronowicz zachował w pamięci postać matki u szczytu stołu — już wtedy siwą, wyprostowaną. Na żabocie pod szyją połyskująca brosza w kształcie jaszczurki. Światło naftowych lamp. Głos matki. Jej trzej synowie — Karol, on i Jerzy — mieli wówczas po kilkanaście lat. Słuchali także: ojciec, ciotki rezydentki — Helena i Zofia — guwernantka Frau Matylda.

Teraz, gdy czytał wnukowi i Lili Marleen *Ogniem i mieczem*, przewracając kartki dwóch tomów przedwojennego wydania — miał przed oczami tamte wieczory w Staniłówce. Koniec dziewiętnastego wieku, lampy w pokoju stołowym, twarze matki, braci, ciotek i ojca — wyraźne jak na starych fotografiach.

„Pewnej pogodnej nocy, na prawym brzegu Waładynki posuwał się w kierunku Dniestru orszak jeźdźców złożony z kilkunastu ludzi"...

Tomek słuchał, podpierając łokciami głowę. Czasem nawet z na wpół otwartymi ustami. Lili Marleen z mniejszym przejęciem. Często zamykała oczy. Oparta plecami o ścianę pod zegarem, drzemała. Kilka razy wstała pierwsza i przykładając palec do ust, aby nie przerywać czytania, szła do pokoju za kuchnią, gdzie już spała Zuzi. Tego wieczoru słuchała jeszcze.

Bronowicz czytał: „Szli bardzo wolno, prawie noga za nogą. Na samym przedzie, o kilkadziesiąt kroków przed innymi, jechało dwóch, jakby w przedniej straży,

ale widocznie nie mieli żadnego do strażowania i czuj-
ności powodu, bo przez cały czas rozmawiali ze sobą,
zamiast dawać baczenie na okolicę...".

Na chwilę przerwał, gdy zegar zaczął wybijać ósmą.
Właśnie wtedy usłyszeli samochód za oknami. Wjechał
na podwórze, omiótł światłami dom, stajnie z oborą,
drzewa w ogrodzie (po ścianie kuchni przesunęła się
smuga światła) — stanął blisko werandy w chwili, gdy
zegar skończył bić ósmą. Kajtek, który spał pod stołem,
zbudził się i skoczył z ujadaniem pod drzwi.

— Ej! — usłyszeli wołanie. — Pan były pułkownik!
Niech wyjdzie!

Bronowicz wstał.

— Weź chłopca, Lili, idź do siebie i nie wychodź. —
Skierował się do sieni.

— Dziadku, dziadku, ja pójdę z tobą! — Tomek zerwał się, zrzucając z ławy tornister (przygotowany, aby
rano, po śniadaniu, tylko wziąć i biec do szkoły).

— Idź z Urszulą — powiedział Bronowicz ostro.
Odsunął nogą psa i otworzył drzwi. Potem drugie na
werandę.

Naprzeciw stał willys z włączonym silnikiem. Ten
sam ze skraju lasu. Bez plandeki — przednia szyba
leżała na masce. Mimo to ludzi nie było widać. Światła wozu oślepiały. Bronowicz podszedł do balustrady
przy stopniach — stanął w światłach. Czekał. Po chwili
reflektory przygasły, tylko silnik pracował dalej. Spod
stodoły, głośno, basem ujadał Ataman. Pułkownik dopiero teraz zobaczył trzech pasażerów. Za kierownicą
siedział ten od ruskiej papachy — dziś bez czapki. Obok

Bakalarski, za nim mężczyzna w pilotce. Kierowca odezwał się pierwszy — podobnie jak w lesie, cicho, jakby znów miał chrypę.

— Pan pułkownik od Rydza szuka podobno guza. Tak się dowiedzieli i pomyśleli, że trzeba zapytać: szuka? — podniósł głos.

Jak wtedy, w lesie, za jego plecami zaśmiał się ten w pilotce.

— Bo może się pogodzimy, co pułkownik? — odezwał się Bakalarski. Uniósł butelkę, zapewne z wódką, podniósł do ust. — Jeszcze można się pogodzić, nie?

— Nie będę z wami rozmawiał — powiedział Bronowicz. — To są groźby. A groźby są karalne.

Trzej mężczyźni roześmieli się. Ten bez papachy zwrócił się do Bakalarskiego:

— Ja ci mówiłem, Edek, że z nim trzeba ostro. Janek, podaj!

Ten za plecami schylił się, a kiedy wyprostował, Bronowicz zobaczył, że trzyma nad głową pepeszę. Podał kierowcy.

— Czekaj — odezwał się Bakalarski. — Pan pułkownik to rozsądny gość. Obieca, że guza nie będzie szukał i w porządku, nie? Mam rację? Czy tak?

Bronowicz wahał się. Cofnąć się? Podejść do nich? Krzyczeć? Stał w przyćmionych światłach i milczał.

— No co? Co powie? — spytał kierowca.

Uniósł pepeszę. Krótka seria wstrząsnęła powietrzem. Zadzwoniły szyby. Ataman zamilkł na chwilę, potem rozszczekał się głośniej.

— Popełniacie przestępstwo — usłyszał swój głos Bronowicz. — Jeśli mnie zabijecie, traficie do więzienia. Panie Bakalarski, niech pan powie koledze, żeby się opamiętał.

— Jedziem, Stasiu — odezwał się Bakalarski. — Chu z nim!

— Chu z nim! — powtórzył kierowca.

Machnął nad głową pepeszą. Człowiek w pilotce chwycił broń — błysnęła lufa. Włączone lampy znów oświetliły dom, werandę, Bronowicza. Willys chwilę cofał się na wstecznym biegu, zawrócił, omiótł światłami podwórze, stodołę, budę psa. Odjechali. Pułkownik wciągnął głęboko w płuca wilgotne powietrze. W tym momencie drzwi na werandę, pchnięte mocno, uderzyły o ścianę. Wybiegła Urszula, za nią Tomek. Kajtek przemknął pod nogami. Skoczył ze schodków i pognał, ujadając.

Lili zarzuciła ręce na szyję pułkownika. Wtuliła się w ramiona mężczyzny. Bronowicz zaczął głaskać włosy kobiety wolną ręką. Drugą przygarniał Tomka. Stali tak we troje, nad schodkami. Widzieli jeszcze, jak willys jechał w stronę lasu, drogą do Gałkowa. Smuga świateł kołysała się, kołysała, póki nie znikła między sosnami. Wtedy usłyszeli, jak zegar w kuchni bije raz. Na wpół do dziewiątej.

Rano mieli jechać do lasu po drewno. Wasyl sprawdził, w których miejscach leżą kupione od Koryckiego pnie. Ale pułkownik odłożył zwózkę na dwa dni. Od ósmej siedział przy biurku, niedawno ustawionym w dużym pokoju (kupił od rodziców Wasyla — biurko i szafę — poniemieckie, jak mówili i zbędne). Pisał do południa. W nocy przemyślał sprawę. Doszedł do wniosku, że tylko Iwanow może pomóc. Od czasu do czasu skreślał zdanie lub słowo. Zmieniał szyk. Zaczynał od początku. W południe przepisał list na czysto.

„Panie Majorze, zwracam się o pomoc, mając na uwadze naszą dawną znajomość. (Po namyśle drugą część zdania skreślił — postawił kropkę za słowem „pomoc"). Lasy wokół Lipowa są nawiedzane przez uzbrojonych kłusowników, którzy mordują zwierzęta, strzelając z pepeszy. Jednym z bandytów — nie waham się użyć tego słowa, bo terroryzują także miejscową ludność — jest pana podwładny, niejaki Bakalarski z Jakubowa. Kiedy ludziom tym, spotkanym w lesie, zwróciłem uwagę, obrzucili mnie wyzwiskami i zaczęli grozić. Groźby spełnili: wczoraj wieczorem, to znaczy dwunastego października, pod znany panu dom w Lipowie zajechał willys i trzej kłusownicy. Wywołany na werandę, ponownie byłem lżony, grożono mi, a przed odjazdem jeden z mężczyzn wystrzelił serię z pepeszy. Na szczęście nie we mnie ani w okna domu, ale z groźbą, że to może nastąpić. Proszę o pomoc, ponieważ spodziewam się nowego napadu. Sołtys, leśniczy, a także wójt w Jakubowie, z którymi rozmawiałem, są zastraszeni i boją się w jakikolwiek sposób przeciwdziałać. Łączę uścisk dłoni — Józef Bronowicz".

Wasyl pojechał z listem następnego dnia. Pułkownik do ostatniej chwili zastanawiał się, czy prosić go o niebezpieczną przysługę? Może lepiej sam pojedzie? Może sam porozmawia z wachmistrzem majorem? Doszedł do wniosku, że Wasyl mniej zwróci uwagę. Jego wizyta — Józefa Bronowicza — może być dla Iwanowa krępująca. Nawet niebezpieczna.

Rano wyjechali bryczką do Starego Boru — stamtąd Semen miał pociąg do Jańćborga. W czasie drogi pułkownik jeszcze przypominał:

— Wejdziesz do budynku, spytasz o majora Iwanowa. Jak powiedzą, że nie ma, wyjdziesz. Listu nie zostawiaj. Rozumiesz?

— Tak, przecież rozmawiali, pane pułkowniku. Już mówił, co mam robić.

— Posłuchaj: jeżeli Iwanow będzie, daj mu do rąk własnych. Wyjmij z buta. Schowałeś dobrze?

— Tak, przecież schowałem. Za cholewę. Już sprawdzał.

— Tylko do rąk Iwanowa — powtarzał Bronowicz. — Czekaj cierpliwie, jeśli zajdzie potrzeba. Nie ruszaj się spod drzwi. Co zrobisz, jak nie będą chcieli dopuścić?

— Jak pozwolą, to wyjdę. Już uczył.

— A jak będą pytać, o co chodzi?

— Powiem, że mam sprawę osobistą.

— Dobrze. A jak spytają, jaką sprawę?

— Powiem, że chodzi o bandytów.

— Dobrze.

Zajechali pod budynek stacji. Wasyl poszedł kupić bilet. Bronowicz został przy bryczce. Patrzył na sosny po drugiej stronie torów. Jak w czerwcu, gdy Joanna przywiozła Tomka. Pomyślał, że gdyby wtedy wiedziała o Bakalarskim, kłusownikach, groźbach, strzałach, które mogły być przeznaczone dla niego — nie zostawiłaby syna pod opieką dziadka. Na pewno.

Wrócił Wasyl z biletem. Rozmawiali jeszcze chwilę, póki nie usłyszeli gwizdu lokomotywy. Ten sam pociąg z Olsztyna zbliżał się do stacji Stary Bór. Tak jak wtedy parowóz w obłokach pary wynurzył się zza zakrętu. Jechał wolno po łuku torów.

Pożegnali się. Bronowicz nie odprowadzał Wasyla na peron.

Semen wracał z Jańćborga ostatnim pociągiem. Przenocował u krewnych w Starym Borze. Do Lipowa przyszedł dopiero w południe następnego dnia. Do Jakubowa zabrał się okazją — na skrzyni wojskowej ciężarówki. Później, drogą przez Gałkowo, szedł piechotą.

Opowiadał Bronowiczowi chaotycznie i długo, jak było. Siedzieli w stolarni na deskach — pułkownik nie chciał, żeby słyszała Urszula.

Strażnik przed budynkiem z tablicą „Powiatowy Urząd Bezpieczeństwa Publicznego" zatrzymał go, gdy tylko stanął na chwilę. Chciał przeczytać napis. „O co chodzi? Chcesz wejść? Do kogo?". — Z peemem, w mundurze, czapka z granatowym otokiem. To ci z KBW — mówił Wasyl. — Powiedziałem: „Ja do majora Iwanowa". „Wchodź. Może cię wpuszczą".

— No to wszedłem. A tam krata przed schodami, a po lewej stronie okienko. Pewno dyżurka. Może Biuro Przepustek? Stanął tam i czekał. Dopiero po chwili wyjrzał drugi w mundurze. Starszy wiekiem, łysy. I do mnie:

„Do kogo? W jakiej sprawie?". No to ja znowu: „Do majora Iwanowa. W sprawie osobistej". Wszystkom gadał, jak pan pułkownik uczył. Ale ten chciał wiedzieć: „W jakiej sprawie osobistej?". Więc powiedziałem: „To major się dowie, jak wpuścicie". Popatrzył na mnie i zamknął okno. Gdzieś poszedł czy dzwonił? Minęło z dziesięć minut — patrzę, a z góry schodzi dwóch po cywilnemu. Otworzyli kratę i do mnie. Stanęli obok — młodzi obaj, chłopci — jeden wysoki, drugi mały — często takich spotykał. Normalni znaczy ludzie, a mówią: „Twarzą do ściany! Ręce oprzyj, stań w rozkroku". No i całego mnie sprawdzili, pane pułkowniku, od góry do dołu. Kurtkę, sweter, czapkę musiał zdjąć, spodnie od pasa w dół obmacali. Tylko butów nie kazali zdejmować, a tam, za cholewą, ten list, jak pan pułkownik kazał, więc dobrze się stało. Później większy mówi: „Dokument masz?". „Mam, tutaj w kieszeni". I brodą pokazałem, że na sercu. To on sięgnął i wyjął z kieszeni. Rozłożył tekturkę, bo dokument i pieniądze noszę między tekturkami, i zaczęli oglądać. Podawali sobie z ręki do ręki, „zobacz, patrz", mówili, „Wasyl", „syn Michała". „Znaczy Michaiła". „Gdzie was tu przyniosło?". „Przywieźli", mówię. „Skąd?". „Spod Przemyśla". „Banderowcy znaczy!". „A broń pane Boże", powiedziałem. „Co masz do majora?". Więc dopiero jemu — temu wysokiemu — wyjaśniłem: „rozchodzi się o bandytów". Może to ich przekonało? Bo o nic już nie pytali. Wzięli dokument i poszli. „Czekaj — powiedział wysoki. — Ręce możesz opuścić".

No więc dalej czekał przed kratą. Z pół godziny albo dłużej? A w tym czasie to kilka razy prowadzili wiazien-

143

nych. Po trzech milicjantów w obstawie, z paskami pod brodą. Ta krata tylko szczękała, jak wchodzili. I znowu cisza.

Już myślał, że zapomnieli, że na darmo jechał, a jeszcze dokument przepadnie, kiedy jeden z tamtych dwóch wrócił. Ten mniejszy. „Chodź", uchylił kratę i kiwnął na mnie. Wtedy, jak wchodził, to pomyślał: „No, Wasylu Michajłowyczu, czy tilki stąd wyjdziesz?". A krata za mną szczęknęła.

Mały zaprowadził mnie na drugie piętro, pod drzwi obite jakby ceratą. „Tu czekaj — powiedział. — Możesz usiąść". A stały tam dwie ławki. W ogóle ten ich budynek, pane pułkowniku, stary, chyba tylko trochę po Niemcach remontowali — dziury w ścianach zalepili cementem, jeszcze plamy było widać. Na schodach farba ze ścian poschodziła, drewniane stopnie wytarte. A na końcu korytarza, tam gdzie czekałem, okno i też krata.

No i trzymali tak znowu pół godziny, a może dłużej? Czasem tylko drzwi się otwierały — te obite ceratą albo obok — bliżej i dalej. Różni ludzie chodzili korytarzem. Otwierali i zamykali drzwi. Cywile, milicjanci, wojskowi w mundurach. Zdawało mi się, że głosy za tymi drzwiami słyszę, nawet krzyk. No i tych wiaziennych ciągle prowadzili. Tam i z powrotem. Jeden, widziałem, że z trudem szedł — powłóczył nogami.

Aż w końcu kobieta wyjrzała zza drzwi obok i mówi do mnie: „Towarzysz czeka na majora?". „Tak — mówię. — Na majora Iwanowa". To ona: „Proszę, wejdźcie". No to wszedłem, pane pułkowniku.

A wcześniej, to jeszcze powiem, gdy nikogo na korytarzu nie było, ten list pana wyciągnąłem zza cholewy i trzymałem w garści, wpół zwinięty, tak że nikt nie mógł zobaczyć. Więc z listem w garści wszedłem.

Pierwszy pokój to był tylko taki przejściowy — biurko, za którym pewno ta kobieta siedziała, za nią stały doniczki z paprotkami, a na biurku telefon, papiery i szklanka z herbatą. Pewno gorąca, bo dymek nad nią zobaczył z pary. A obok w ścianie — drzwi. „Tam, towarzyszu, wejdźcie", powiedziała ta kobieta.

No i jak wszedłem do drugiego pokoju, to w końcu, pane pułkowniku, zobaczyłem tego majora Iwanowa. Nieduży taki, w granatowym ubraniu, niebieskiej koszuli i nawet krawat miał na szyi. Stał za swoim biurkiem. „My się znamy?" — spytał. „Nie — powiedziałem. — Ja od pułkownika Bronowicza".

Wtedy jakoś tak zmienił się na twarzy, tak jakby zesztywniał i nic już nie mówił, a ja podszedłem bliżej i podałem mu list. Bez słowa. I jeszcze, pane pułkowniku: na biurku, na papierach, leżał nagan. Ruski nagan. Oni zawsze takie nosili, w kaburach, na rzemykach, przy pasach. Cofnąłem się i czekam. A ten Iwanow rozwinął kartkę i szybko przeczytał. Popatrzył na mnie, jeszcze raz przeczytał, potem zmiął papier w kłąb i schował do kieszeni. Też tak szybko to zrobił, znów na mnie spojrzał i powiedział po rusku: *„Skażitie jemu moj priwiet"*.

Stałem chwilę przed nim, bo nie wiedziałem, czy coś mówić, pytać, wyjść? A on wtedy kiwnął głową i powiedział jeszcze: *„Eto wsio"*. I głową pokazał na drzwi. No to ja w tył zwrot i wyszedłem. Tej kobiecie powiedziałem „do widzenia" i szybko do drzwi. A ona zawołała za mną: „Wasz dokument, towarzyszu!". Byłbym zapomniał. Leżał na papierach, z samego brzegu biurka. Cofnąłem się od drzwi, wziąłem dokument i schowałem na sercu, tam gdzie był, między tekturki. A tej kobiecie pokłoniłem się drugi raz.

No i na korytarz, do schodów, na dół. Już sam, bo nikt na mnie nie czekał. Do tej kraty podszedłem, ale była zamknięta. Tylko dzwonek obok, guzik na ścianie, który nacisnąłem. Wtedy ten stary wyjrzał z dyżurki, popatrzył, cofnął się i krata zaraz odskoczyła. A potem szczęknęła, ale już za mną, za mną, pomyślałem, na szczastia, bo tak było, jakby na swobodu wyszedł. No i tak, pane pułkowniku, załatwił sprawę, jak kazał. A na ulicy to odetchnął, jak po wyjściu z piwnicy czy grobu.

— Dziękuję, Wasyl — powiedział Bronowicz. — Dziękuję. — Wstał i podał pomocnikowi rękę.

Poszli do domu przez podwórze. Zasiedli za stołem w kuchni. Bronowicz odsunął szklankę z herbatą.

— Daj no butelkę nalewki, Lili. Tej na ałyczy. I dwa kieliszki. Chyba że napijesz się z nami, to postaw trzy.

Dopiero po południu pojechali do lasu. Do wieczora zwozili sosnowe pnie.

Bronowicz, który niedosłyszał na lewe ucho, pytał przez kilka następnych dni:

— Lili, słyszałaś? Strzelają?

A ona odpowiadała, że tak, że słyszy. Wychodzili wieczorami na werandę. Najczęściej po kolacji (Tomek i Zuzi zostawali przy stole). Podchodzili do balustrady, stawali nad schodkami. Pułkownik obejmował Urszulę — przygarniał ramieniem. Nasłuchiwali razem. Kobieta mówiła:

— O teraz, raz, dwa. Cała seria.

Albo:

— Nie słyszy, naprawdę? Blisko dziś strzelają. Bliziuteńko.

Strzelali tego dnia, kiedy Wasyl wrócił z Jańćborga i jeszcze przez kilka dni.

— O teraz, teraz. Tu,tu,tu! Esce,esce. Eno daleko.

— Skończyli? — pytał Bronowicz. — Jeszcze słychać?

Wasyl jeździł we wtorek, a do soboty strzelali. Dopiero od niedzieli ucichło. Może dlatego że przyszły deszcze? W poniedziałek wieczorem z dachu nad werandą i z okapów obok skapywały krople i kiedy Urszula z pułkownikiem wyszli o siódmej, słychać było tylko szum deszczu i te spadające, z przerwami, krople: kap, kap! Ale następne wieczory, choć pogodne, z księżycem, także były ciche. Nie słyszeli już strzałów ani bliskich, ani dalekich. Tylko szelest w gałęziach jabłonek, szczekanie psów, cisza.

Tego pierwszego wieczoru, z ciszą w lesie, Urszula wzięła dłoń Bronowicza, podniosła do ust i pocałowała. Wtedy objął ją mocniej i zaczął całować. W szyję, policzki. Całował po włosach. Stali koło balustrady, krople skapywały obok, od podwórza wiało wilgotnym powietrzem.

— Mój Boże, Lili, czasem zdaje mi się, że tobie jest wszystko jedno. Kochasz mnie?

— Nie chcę, żebyś chodził do tej pani Wojnicki — powiedziała Urszula. — Nie pójdziesz więcej?

W sobotę Tomek przyniósł list.

— Od pani kierowniczki, do ciebie, dziadku!

Pułkownik pił herbatę po wczesnym obiedzie. W soboty Urszula i Zuzi szły do Gałkowa. Wracały w poniedziałek rano. W tym czasie zastępowały ją dwie kobiety — na zmianę: Frau Sitek, matka Zoniego, i Helga Olszewski, matka Dorotki. Przychodziły wydoić krowy i nakarmić drób. Wasyl, jak zawsze, zajmował się końmi.

Bronowicz wyjął list z koperty. Czytał chwilę.

— Pani kierowniczka zaprasza na brydżyka. Ho, ho, cóż to za wyróżnienie! Lili, czy możesz wyprasować białą koszulę?

— Nie zdążę — powiedziała Urszula. — Zaraz idziemy. Chyba że w poniedziałek.

— W poniedziałek będzie za późno. Pani Wojnicka zaprasza na niedzielę.

Urszula wzruszyła ramionami. Stała nad miednicą — głośno postukiwały zmywane talerze. Zwróciła się do Tomka:

— Umyj aby ręce i siadaj, bo ci za sile wystygnie.

— Słyszałeś? — powiedziała Zuzi. — Ja już kończę jeść.

W niedzielę o piątej Tomek poszedł do Manfreda, zaproszony na urodziny. Był jedynym gościem. Matka Maniego przygotowała podwieczorek: ciasto drożdżowe i piszinger, jak mówił Manfred — z wafli przekładanych masą z roztopionego cukru z mlekiem. Pokrajane ciasto i kajmakowy przekładaniec leżały na białych talerzach. Jedli ciasto, kawałki piszingera i pili kompot z jabłek, pachnący goździkami. Potem w ciemnym pokoju, z małymi okienkami, grali w warcaby. Póki było jasno pod oknem, a kiedy ściemniło się — przy stole z naftową lampą, którą przyszła zapalić mama Manfreda.

O siódmej Tomek miał wracać do domu, pod opiekę pani Sitek.

Pułkownik grał w brydża także od piątej. Stosownie do zaproszenia przyszedł punktualnie. W szarym garniturze przywiezionym z Warszawy (szytym na miarę u krawca Zaręby na Kruczej — w Lipowie po raz pierwszy wyjętym z szafy od rodziców Wasyla) i w białej koszuli, którą sam wyprasował starym żelazkiem, pozostawionym przez Frau Kalinowski (żelazną duszę, rozgrzaną do czerwoności w piecu, wkładało się szczypcami do środka i zamykało żeliwną klapkę).

— Dziadku, wyglądasz jak prezydent! — zawołał Tomek, kiedy pułkownik wyszedł na werandę.

— Bierut czy Mościcki? — spytał Bronowicz, ale wnuk, zbiegając po schodkach, nie dosłyszał pytania.

Szli kawałek razem. Pułkownik w swoim garniturze — wysoki, wyprostowany. Wiatr od pól rozwiał siwe, wcześniej starannie przyczesane włosy. Z laską, także przywiezioną z Warszawy, na wszelki wypadek, jak mówił. Obok wnuk, również ubrany odświętnie — w granatowym ubranku z unrowskich przydziałów i czarnych półbutach do brązowych podkolanówek. Co pewien czas podciągał je, przyklękając. Jasne włosy Tomka także potargał wiatr. Z drogi przez łąkę skręcili na szerszą, przez wieś. Wnuk został przed domem Manfreda — Bronowicz poszedł dalej, w stronę osiedla domków na wzgórzu, za Lipowem, gdzie mieszkała kierowniczka szkoły.

Wanda Wojnicka przywitała pułkownika na murowanych schodkach przed drzwiami domu. Pewno zobaczyła z okna, jak otwierał furtkę, lub widziała, że idzie ścieżką pod górę — od drogi.

— Czekamy, czekamy. To bardzo miłe, że przyjął pan moje zaproszenie.

Pułkownik stuknął obcasami, całując kobietę w rękę. Nisko pochylił głowę. Poczuł delikatny zapach perfum — podobnych do tych, których używała żona Izabela. A może zapach pudru? Pani Wojnicka, w białej bluzce, ze złotą broszą pod szyją, w szalu zarzuconym na ramiona, przypomniała Izę — dom rodzinny, Warszawę przedwojenną. Wróciły na chwilę wspomnienia.

Przez małą kuchnię przeszli do pokoju. Tu czekali partnerzy do brydża. Pani Wanda przedstawiła siostrę Natalię i bratanka Jerzego (jak później dogadali się, służył jako podchorąży w 13 Pułku Ułanów Wileńskich). Niewysoki, szczupły, z wyglądu po trzydziestce. Przyjechał z Olsztyna na kilka dni. Siostra Natalia była małomówna — w czarnym swetrze i czarnej spódnicy. Poruszała się z trudem, lekko utykając.

Grali na zmianę: panie kontra panowie, później pułkownik z panią Wojnicką przeciw siostrze i bratankowi. I znów zamiana, on z Natalią, pani Wanda z bratankiem. Po złotówce punkt. Raz licytował szlemika. Ale ten brydż, jak zorientował się wkrótce, był tylko pretekstem do spotkania i rozmowy. Został przerwany po kilku robrach poczęstunkiem, który panie przygotowały. Rozmowy przeciągnęły się — już nie grali więcej.

— No i co z nami będzie, panie pułkowniku? — To pytanie powracało w czasie wieczoru. Bronowicz przypomniał sobie niedawną wizytę Babinicza — rzekomego, jak teraz był pewien, partyzanta. Pytania były podobne. Bratanek obu pań powtarzał, że trzecia wojna jest tuż, tuż.

— Amerykanie nie będą tolerować tego, co wyprawia Stalin. Niech pan weźmie pod uwagę, że sowieciarze zajęli połowę Europy. Włochy i Francja są skomunizowane. Stalin tylko czeka, żeby pójść dalej.

Bronowicz z przyjemnością jadł ciasto (jak później dowiedział się od Tomka, podobne, z kruszonką, upiekła mama Manfreda). Herbata była dobrze zaparzona. W kryształowych miseczkach konfitury z poziomek i płatków róży. Szczególnie te poziomkowe smakowały pułkownikowi. Pili nalewkę z czarnych porzeczek. Obok talerzyków stały rzeźbione kieliszki z grubego szkła.

Starał się ostudzić próżne, jak powiedział, nadzieje, że Zachód nam pomoże lub będzie wojował ze Stalinem.

— Oni są zmęczeni wojną, poza tym nie będą ryzykować ruiny swoich miast. Rosjanie zdążą zbombardować i rozjechać czołgami Paryż.

— Ale Ameryka, Ameryka — powtarzał bratanek. — Truman do tego nie dopuści. Mają wobec nas jakieś zobowiązania.

— Proszę pana, dla Ameryki jesteśmy małym krajem na peryferiach Europy — powiedział Bronowicz.

— Panie pułkowniku, skąd tyle pesymizmu? — żachnęła się Wanda Wojnicka. — Przecież ci okropni komuniści nie dadzą nam żyć.

— Sowieci odbiorą nam dusze — odezwała się siostra Natalia („Natalka", jak zwracał się do niej bratanek: „ciociu Natalko"). Później kilka razy powtórzyła: — To słowa świętej pamięci marszałka Piłsudskiego. Dusze nam zabiorą, proszę pana. Polska zginie.

— Nie zginie, nie zginie! — Bronowicz zacytował porzekadło, które zapamiętał z Warszawy, przyniesione przez córkę z uczelni: — Przeżyliśmy potop szwedzki, przeżyjemy i radziecki.

— Wystarczyłoby, żeby Truman pogroził Stalinowi bombą atomową — powiedział były podchorąży. — Jedna bombka atomowa i wrócimy znów do Lwowa, panie pułkowniku.

Wszyscy się roześmieli. I znów pani Wojnicka powtórzyła:

— Ale co z nami? Co z nami będzie? Teraz, dziś, jutro? Jak długo wytrzymamy pod sowieckim butem?

— Zdrowie miłych pań! — Bronowicz podniósł kieliszek. Chciał chociaż na chwilę odwrócić uwagę od polityki. — To w jakim pułku szanowny pan służył w trzydziestym dziewiątym? — spytał bratanka.

Młody człowiek — syn brata sióstr Wojnickich (obie panie były niezamężne) opowiedział o swoich losach w kampanii wrześniowej. Był podchorążym w 13 Pułku Ułanów Wileńskich. Zagarnięty po siedemnastym

września przez Sowietów, trafił do Ostaszkowa, skąd —
podając miejsce urodzenia na Pomorzu — poszedł do
niewoli niemieckiej.

— Jesienią trzydziestego dziewiątego Niemcy i Rosjanie prowadzili wymianę jeńców polskich. Ci ze wscho-
du, jeśli chcieli, mogli iść do sowieckich obozów. Uro-
dzeni na zachodzie — wybrać stalagi niemieckie. Przez
most na Bugu, panie pułkowniku — opowiadał Jerzy
Wojnicki — szliśmy na zachód, a oni na wschód. Jedni
i drudzy, mijając się, pukali palcami w czoło. No i kto
miał rację?

Bronowicz milczał.

— Tam był Katyń. Mój ojciec leży w Katyniu. Zna-
leźliśmy nazwisko na liście. A pan i ja u Niemców przeżyliśmy!

— Ale w Rosji był także Anders — powiedział Bronowicz. — Wyprowadził sto tysięcy z domu niewoli.
Poza tym to Niemcy zaczęli wojnę. Wymordowali kilka
milionów Żydów. Nas wywieźliby na Syberię, gdyby
wygrali.

Młody człowiek wstał, odsuwając z hałasem krzesło.

— Panie pułkowniku, Anders wyprowadził armię
nędzarzy. Mam w Olsztynie kolegę z drugiego korpu-
su. Zresztą już siedzi, aresztowany przez UB. Zdążył mi opowiedzieć, co przeżył w Rosji. Nie zna pan
sowieciarzy?

— Kochani — zaczęła mówić pani Wojnicka — przestańcie rozmawiać o tych wszystkich okropnościach,
które przeżyliśmy. Zastanówmy się, jak żyć teraz, tutaj,
w okupowanym kraju? Panie pułkowniku!

— Proszę łaskawej pani, zawód nauczyciela jest w takich czasach najważniejszy. To, co pani dzieciom powie w szkole. Jak przygotuje do życia.

— Dzieci tutejsze są pod wpływem zniemczonych rodziców — odezwała się siostra Natalia. — Źle mówią po polsku, a myślą po niemiecku.

Po kilku wypitych kieliszkach mocnej nalewki Bronowiczowi wydało się, że stół się zakołysał.

— No nie, nie, teraz szanowne dobrodziejki przesadzają. Mamy naszą Polskę w sercach. Pamiętamy, jaka była. A dzieci tutejsze są kochane. Wiem coś o tym, bo wnuk przyjaźni się z chłopcami z Lipowa.

Trochę później to, co mówiły panie, bratanek i on sam, zatarło się w pamięci. Pod koniec wizyty — to pamiętał dobrze — stali z młodym Wojnickim pod piecem, w kącie pokoju, z kieliszkami nalewki w rękach i śpiewali żurawiejki. Bratanek powtórzył kilka razy przyśpiewkę 13 Pułku: „Chociaż otok ma różowy, jest to jednak pułk bojowy...". A Bronowicz, przepraszając z góry, jeśli panie poczują się urażone nazbyt frywolną treścią, zaśpiewał basem żurawiejkę 14 Pułku: „Hej dziewczęta, w górę kiecki, jedzie ułan jazłowiecki!".

Machnął kieliszkiem i kilka kropel nalewki kapnęło na podłogę. Siostra Natalia ukryła twarz w dłoniach. A pani Wanda pogroziła mu palcem i powiedziała:

— No, no! Z pana to musiał być niezły gagatek!

Ale śmieli się wszyscy. Mimo to nazajutrz pułkownik napisał krótki list, przepraszając za żurawiejkę. Ten list, we wtorek, wręczył kierowniczce Tomek.

Czasem Bronowicza nękały szumy w głowie. Zwłaszcza wieczorami, kiedy na dworze i w domu panowała cisza, a on — niepewny, czy wnuk śpi — nie mógł od razu iść do Urszuli. Siadał na łóżku, patrzył w ciemne okno, za którym — w listopadzie i na początku grudnia — już tylko deszcze, deszcze, a potem śnieg. Wsłuchiwał się w ten monotonny szum, jakby gdzieś z dworu, z daleka dolatywał dźwięk syreny. „Uuuuu", przerwa i znów „uuuu". Wstawał, podchodził do okna, patrzył, czy Tomek śpi, i szedł, starając się cicho stąpać przez zimną sień do kuchni, odsuwał zasłonę i wchodził do pokoju Lili Marleen. Czasem skarżył się jej na ten szum, a ona mówiła, szepcząc na ucho, kiedy leżeli przytuleni, że to na zmianę pogody, że być może jutro spadnie pierwszy śnieg.

Jeszcze nim spadł, zdążyli z Wasylem opatrzeć ściany wygódki pod jabłonkami. Szpary pozatykali powrósłem ze słomy, na stare deski położyli warstwę siana, przybili papę, wzmocnili konstrukcję kantówką. Zza bezlistnych bzów i jabłonek świeciły teraz jasne listwy, których wiatry, deszcz i śnieg nie pomalowały jeszcze na szaro.

Bronowicz miał zwyczaj mycia się na dworze. W starej miednicy, która stała niedaleko wygódki. Wieczorami nabierał ze studni jedno wiadro i niósł pod jabłonki.

Do studni, przykrytej daszkiem z poczerniałych desek, z klapą odkładaną na bok, szło się ścieżką między krzakami bzów, jaśminów i tarniny. W ciągu dnia Wasyl lub Urszula nabierali wodę kilka razy. Z werandy słychać było skrzypienie łańcucha i piski kołowrotu. Tomek czasem pomagał nosić wiadra dla krów i koni. Szedł za Wasylem lub Urszulą, dźwigając najmniejsze.

Zwykle do koryta z dębowych pni, z którego piły zwierzęta. Stało na łące za stodołą. Zimna woda z wiadra chlustała na gołe łydki i bose stopy.

Tomek i Zuzi nie mogli podchodzić do studni sami. Zawsze w towarzystwie dorosłych. Pochyleni nad cembrowiną zaglądali do środka. Głęboko na dnie widać było połyskującą taflę i skrawek jasnego nieba.

Pułkownik najczęściej wybiegał z domu rano. Rozebrany do pasa, z ręcznikiem na szyi i kawałkiem szarego mydła. Mył się rozkraczony, parskając i chlapiąc wodą. Spłukiwał mydliny nad wiadrem obok.

W listopadzie, gdy przyszły chłody, nie zrezygnował z tego zwyczaju. Czasem kruszył kamieniem cienki lód na miednicy. Kawałki lodu dzwoniły o blaszane krawędzie.

— Dziadku, ty się na pewno zaziębisz — mówił Tomek.

— Nic podobnego. Mężczyzna musi być zahartowany.

— Pan pułkownik nie może w domu — śmiała się Urszula. — Jenacy nie potrafi. Eno tak, eno tak.

Z porannego mycia koło studni zrezygnował, dopiero gdy nastały prawdziwe mrozy i kiedy stara miednica znikła przysypana śniegiem.

Śnieżyca przyszła w nocy z piątego na szóstego grudnia — na Świętego Mikołaja. Gdy Tomek zbudził się rano, zobaczył za oknem białe podwórze, biały dach stodoły i gałęzie jabłonek przysypane śniegiem. Śnieżne płatki spadały, wirując, z pochmurnego nieba.

Na butach dzieci, ustawionych wieczorem przy kuchennych drzwiach, leżały prezenty. Cukierki w torbach z czerwonego celofanu. Kredki dla obojga, czerwony szalik dla Zuzi (zrobiony na drutach przez babkę Matyldę), dla Tomka tekturowe pudełko ołowianych żołnierzy (ułanów księcia Poniatowskiego). Joanna zostawiła paczkę z kartką „Prezenty na św. Mikołaja i Boże Narodzenie". Prosiła, żeby ojciec rozdzielił w odpowiednim czasie. Szóstego grudnia pułkownik wybrał pudełko z ułanami. Pierwsza Zuzi rozpakowała paczkę, później czekała niecierpliwie na Tomka.

— Zobacz, dostałam kredki i jeszcze szalik!

Chłopiec szczególnie ucieszył się z ułanów. Ustawił zaraz naokoło talerza z owsianką. A za oknami padał śnieg. Biała łąka, białe dachy. Na gałęziach drzew, na płotach, wszędzie śnieg.

Tego dnia spóźnił się na pierwszą lekcję.

Na strychu były sanki. Długie, drewniane. Miały nawet sznurek przywiązany do metalowych kółek na końcach płóz. Płozy były obite zardzewiałą blachą. Drewniane listwy kiedyś pomalowano olejną farbą, ale zostały tylko jaśniejsze łaty. Farba poschodziła.

Tomek w butach z cholewkami, w kurtce z podniesionym kołnierzem, który Urszula owinęła szalikiem, Zuzi okutana w płaszcz do pięt — oboje w czapkach włóczkowych naciągniętych na uszy — poszli na górkę za wsią.

Niewielkie wzniesienie na skraju lasu, za rzędem domów (z ostatnim, w którym mieszkała pani Wojnicka), widać było z łąk i drogi do Gałkowa. Rosły tam małe brzózki, choiny i jedna sosna, górująca nad okolicą.

Stok góry opadał w stronę rzeki i lasu za wsią. Można było zjeżdżać, omijając brzózki i świerki, aż do granicy wysokiego lasu. A potem wchodzić z powrotem, ciągnąc sanki lub niosąc deskę do zjeżdżania. Niektórzy chłopcy zjeżdżali na deskach.

Z drogi przez wieś widać było wzgórze. Między brzózkami — kolorowe czapki i szale dziewczynek i chłopców z Lipowa. Wiatr zwiewał białe obłoki z drzew.

Tomek ciągnął Zuzi na sankach, ale tylko kawałek, bo śnieg był jeszcze kopny, nie rozjeżdżony. Dopiero z góry mogli zjechać. Najpierw razem, potem osobno, po koleinach innych sanek. Byli już Zoni i Horst, trochę później przyszedł Manfred. Jego sanki miały oparcie z wygiętej w pałąk listwy na podpórkach. Były także dziewczynki z klasy Tomka: Marysia i Dorotka. Kilka innych. Chłopcy rzucali śnieżkami. Raz i drugi zza koron bezlistnych brzóz wyjrzało słońce, niebo pojaśniało i śnieg przestał prószyć.

Tomek zjechał kilka razy, leżąc na brzuchu. Zuzi proponował sanki Manfreda:

— Są dla ciebie lepsze, mniejsze. My z Manfredem będziemy zjeżdżać na zmianę. Na moich.

— To nasze sanki, nie tylko twoje — powiedziała Zuzi. Wyglądała śmiesznie w przydługim płaszczyku (poły i dół oblepione śniegiem), czapka z czerwonej włóczki przekrzywiona. Gdzieś, w śniegu, zgubiła rękawiczkę.

— Oj, mała, mała, zaziębisz się. Odmrozisz rękę — powiedział Tomek.

— Oj mały, mały — powtórzyła Zuzi.

Usiadła na sankach i przyglądała się, jak Tomek lepi kulę. Rzucił w Dorotkę, a ona oddała mu garścią śniegu, który rozleciał się w powietrzu. Biegali potem naokoło brzozy, śmiejąc się i ciągle obrzucając śnieżkami. W końcu Dorotka potknęła się i upadła — jej biała czapka spadła na śnieg, czarne warkocze rozrzucone. Tomek upadł obok i tak oboje leżeli chwilę, pod brzozą.

Zuzi podniosła sznurek oblepiony śniegiem i zaczęła schodzić z górki. Sanki podskakiwały na zaspach i muldach. Tomek dopiero po chwili zorientował się, że małej nie ma. Wpierw zdawało mu się, że widzi okutaną postać na dole stoku, wśród innych dzieci. Ale to nie była Zuzi.

— Ona sobie poszła — powiedział Manfred. — Tam, tam. Idzie drogą.

Dopiero wtedy zaczął biec, grzęznąc w zaspach, potykając się o przysypane śniegiem krecie kopce, o pnie wyciętych drzewek. Dogonił Zuzi blisko wsi, za domem pani Wojnickiej. Schwycił za rękaw.

— Zuzi, Zuzi, dlaczego wracasz?

Stanęli pośrodku drogi. Dopiero wtedy zobaczył, że mała płacze. Ręką bez rękawiczki rozmazywała łzy na policzkach. Z nosa także ciekło — cała twarz Zuzi była mokra jak w topniejących płatkach śniegu.

— Co się stało? Dlaczego beczysz?

Zuzi załkała krótko, odwróciła się i zaczęła ciągnąć sanki dalej. Tomek — markotny — poszedł za nią.

— Tak zaraz wrócili? — zdziwiła się Urszula. A potem uklękła przed córką i spytała po niemiecku: — *Was war denn das?* Co się stało?

Przed świętami aspirant z leśniczówki przyniósł choinkę. To był ostatni dzień w szkole — Tomek wrócił wcześniej. Na werandzie, oparty o ścianę, stał świerk, na którego gałęziach, u dołu, szkliły się jeszcze zamarznięte płaty śniegu.

W kuchni siedzieli przy stole dziadek i pan aspirant Kwiatkowski w mundurze leśnika. Czapka z ciemnym otokiem leżała na ławce. Tomek stanął w drzwiach.

— Dziadku, jakie piękne drzewko mamy!

— To prezent od pana leśniczego.

— I ode mnie, i ode mnie — powiedział Kwiatkowski. Uniósł się znad ławy, wyciągnął rękę. — Za tamto przewiezienie przez rzekę, pamiętasz?

— Aha — powiedział wnuk Bronowicza.

Urszula postawiła przed dziadkiem i aspirantem szklanki z herbatą.

Choinkę ustawili w dużym pokoju, na stojaku zbitym przez Wasyla z małych desek. Tomek i Zuzi przez ostatnie dnie, aż do wigilii, kleili zabawki: pawie oczka z kółek, łańcuchy z pasków powycinanych przez Urszulę. Na stole w kuchni leżały kolorowe arkusze, kupione w Jakubowie. Kleili wieczorami, pod lampą naftową. Drewnianymi łopatkami nabierali klej ze słoika z napisem „Klej biurowy". Sklejali końce pasków lub naklejali kółka, jedno na drugie. Wieszali zabawki na sznurku między oknem a kredensem. Palce były lepkie, pachniały klejem. Zuzi często krzywo składała końce pasków. Tomek denerwował się:

— Uważaj. Patrz, jak kleisz.

160

Kłócili się. Urszula powiedziała kiedyś:

— Ciszej bądźcie! Pan Jezus, gdyby słyszał, jak się kłócicie, to by się w ogóle nie narodził.

Święta przyszły w śniegu, mroźne, jasne. Dwudziestego czwartego grudnia niebo nad łąkami i ścianą lasów naokoło Lipowa było bladoniebieskie. Słońce wschodziło pomarańczowe. W południe śnieg pojaśniał jeszcze bardziej, mróz szczypał w policzki. Tomek zbiegł z werandy, stanął pośrodku podwórza. Stał tam chwilę, wdychając mroźne powietrze i mrużąc oczy przed blaskiem.

Przed stodołą Wasyl zaprzęgał Benedykta do sań. Były to stare sanie, w spadku po Frau Kalinowski, jak mówił dziadek. Stały zawsze w stajni, za boksami koni, w miejscu, gdzie nad klepiskiem był sufit z desek. Leżało tam siano przywiezione latem z łąk. Tomek lubił wchodzić po drabinie na górę i leżeć na sianie. Zwłaszcza w deszczowe dnie, kiedy o dachówki bębnił deszcz.

Teraz sanie szykował do jazdy Wasyl. Przód miały zaokrąglony, wypięty, deskę dla woźnicy z oparciem, niżej siedzenia pokryte lnianym płótnem. Przypominały wóz na płozach. Płozy były obite blachą. Drewniane boki poszarzały, siedzenia pachniały pleśnią.

— Chodź, chłopak, przejedziesz się! — usłyszał Tomek. — Sanie trzeba popróbować. Zaraz wrócimy.

Ucieszył się i podbiegł do sań.

Pojechali przez wieś, potem główną drogą. Furman machał batem nad grzbietem Benedykta.

— Wioo, malutki!

Tomek siedział na pachnącym pleśnią siedzeniu, owinięty pledem, który Urszula zdążyła rzucić z werandy. Trzymał się metalowych poręczy. Nie miał rękawiczek i palce na pałąkach zaczęły sztywnieć z zimna. Chuchał to na jedną, to na drugą rękę.

Wasyl poganiał konia. Wałach biegł z początku kłusem, potem przeszedł w galop. Wyjechali ze wsi — wjechali w las. Z czubków sosen osypywał się śnieg. Tomek czuł na twarzy mroźne podmuchy, jak kłujące igiełki na policzkach. Mrużył oczy.

Dojechali do krzyżówki, zawrócili. Wracali pustą drogą, między świerkami i sosnami. Znowu kłusem i galopem. „Wioo!" niosło się po lesie. Saniami zarzucało, podzwaniały mosiężne kule na szorach, mroźne powietrze zapierało dech.

Zajechali pod werandę. Wasyl obejrzał się.

— No jak, chłopak, dobrze było?

Tomek odrzucił poły koca i skoczył na śnieg. Poklepał Benedykta po mokrym zadzie. Włoski wokół nozdrzy konia pokrył szron. Wałach pochylił łeb i potrząsnął grzywą. Zadzwoniły mosiężne kule.

A wieczorem, tuż przed wigilią, przyszła Joanna. Tomek zobaczył idącą od strony łąk postać, kiedy wybiegli z Zuzi na werandę, żeby zobaczyć pierwszą gwiazdę. Postać zbliżała się przez podwórze od strony drogi — w kurtce, w czapce futrzanej, z plecakiem. To była kobieta — dzieci przyglądały się nieznajomej. A ona podeszła do werandy bliżej i zatrzymała się kilka kroków przed schodkami, na ścieżce wysypanej popiołem. Zdjęła plecak z ramion i położyła na śniegu. Potem powiedziała stłumionym głosem, jakby powstrzymywała kaszel lub śmiech:

— Tomku, synku, nie poznajesz matki?

— Mama! — ten okrzyk odbił się echem od wrót stodoły (zimą zawartych). Bronowicz i Urszula usłyszeli w kuchni: — Mama przyszła, dziadku!

— No i co teraz będzie? — spytała Lili po niemiecku. — *Ja, und was wird jetzt?*

— Boże drogi, co za niespodzianka! — Pułkownik nie zwrócił uwagi na pytanie lub nie dosłyszał. Szybko podszedł do drzwi. Stanął na werandzie.

Zobaczył wnuka w objęciach córki. Na tle bieli, w szarym zmierzchu. Wysoko, nad stodołą, zamigotała pierwsza gwiazda. A córka i wnuk stali długo, potem Joanna chwyciła syna wpół i obróciła się na ścieżce. Nogi Tomka zatoczyły koło — spadł jeden pantofel.

— Dziadku, dziadku! Mama, mama!

Bronowicz zszedł z werandy — podniósł pantofel ze śniegu. Stanął przy nich.

— Nakładaj, bo się zaziębisz. A ty dlaczego nie dałaś znać? Joasiu, na litość boską, przecież mamy sanie. Mamy sanie!

Dopiero kiedy weszli do kuchni, w której pachniało drożdżowymi pierożkami i struclą z makiem (wypiekami Urszuli) i kiedy Joanna usiadła na zydlu — przysuwając się jak najbliżej pieca (Tomek kucnął przy niej, obok plecaka rzuconego na podłogę) — zaczęła opowiadać. Wysłała depeszę dwudziestego pierwszego, ale ta depesza nie doszła. Dlatego, gdy dojechała do Starego Boru, zdziwiła się, że nikt nie czeka.

— Jechałam całą noc. Pociągi spóźniają się, bo zawieje i śniegi. W Olsztynie musiałam czekać kilka godzin. Dopiero o dwunastej miałam pociąg przez Stary Bór. A na peronie nikogo. Wypatrywałam sań, tego waszego Ukraińca z Benedyktem. A tu nic, pusto. Tylko kawałek podwiózł mnie nieznajomy człowiek. A potem wędrowałam piechotą, zawianą drogą, aż za Jakubowo, do zakrętu i dalej, do lasu i przez las, synku, bojąc się, bo było coraz ciemniej, więc tylko patrzyłam, czy wilcze oczy nie zaświecą w chaszczach!

— Mamo, u nas nie ma wilków!

— A właśnie że są — odezwała się Zuzi spod choinki. Przycupnęła w białej sukience na specjalne okazje, w czerwonym sweterku.

Urszula, pochylona nad stołem, podkręcała knoty lamp naftowych. W kuchni zrobiło się widniej. Ściany, obrus, półmiski i talerze na stole pojaśniały. Odwróciła się do małej:

— Eno, skąd o tym możesz ziedzieć?

— Ziem, bo widziałam wilka w lesie. Ale nie bójcie się, to są dobre wilki.

Dorośli roześmieli się. Tomek postukał palcem w czoło. W tym momencie zegar zaczął wybijać siódmą.

— Idź, idź, ogarnij się, córeczko — powiedział Bronowicz.

Joanna wstała — podniosła plecak.

Pół godziny później zaczęli łamać się opłatkiem. Tego zwyczaju nie znali luteranie, ale pułkownik prosił Lili, aby wigilia była katolicka — z opłatkiem i potrawami, jakie pamiętał z domów rodzinnych. Dzielili się po kolei: Bronowicz z Joanną i Urszulą (obie przygarnął i ucałował), z Tomkiem, z Zuzi, którą podniósł i także pocałował. Potem Joanna ucałowała syna, kucnęła i objęła małą. Tomek biegał z opłatkiem. Zuzi czekała na niego z maleńkim kawałkiem. Póki nie ułamał okruszyny, nie chciała wziąć z jego ręki.

— Pani Urszulo — powiedziała Joanna, podchodząc do Lili — dziękuję za opiekę nad ojcem i synem. Lili uśmiechnęła się. Nic nie powiedziała. Przełamały się opłatkiem i pocałowały.

Zasiedli wokół stołu — dzieci najbliżej choinki, pod którą leżały prezenty. Urszula zaczęła nabierać zupę grzybową z wazy, rozlewała na talerze. Koło lamp naftowych stały już — porozstawiane wcześniej — półmiski z pierogami, z grzybowym farszem i kapustą, z rybami w galarecie (liny i okonie). Na wierzchu ułożone plasterki marchwi i jajek na twardo, przystrojone natką pietruszki (rosła w doniczkach na parapecie). We wnęce białego kredensu czekały tace ze struclami, kompot z suszonych śliwek i gruszek w salaterce i talerz lukrowanych pierników, które upiekła matka Urszuli — Matylda Kraskowa.

— Mój Boże — powiedziała Joanna — ta wigilia przypomina nasze, te dawne, przedwojenne, prawda, tatusiu?

— Wszystko przygotowała Lili. Wszystko dzięki niej! — powiedział Bronowicz. Wstał, żeby zapalić świeczki w lichtarzykach na gałązkach świerku. Płomyki zamigotały — odbijały się w bombkach, zielonych, czerwonych i niebieskich. Zabłysły anielskie włosy. Pawie oczka na nitkach obracały się wolno.

Zjedli potem po kawałku karpia z dużej patelni, z której Urszula nakładała na talerze, zgarniając obok pokrajane plastry ziemniaków. Dopiero kiedy pili kompot, z ciemnowiśniowych miseczek z grubego szkła — dzieci zaczęły roznosić prezenty. Tomek czytał głośno: „dla dziadka", „dla Lili", „dla Tomka". Do Bronowicza podbiegł z paczką, na której napisano po niemiecku: *„Für meine liebe Enkelin Zuzi von Oma Mathilde"*.

— Dla mojej kochanej wnuczki od babci Matyldy — przetłumaczył dziadek.

Dzieci rozpakowały swoje prezenty na podłodze, obok choinki. Tomek dostał łyżwy przywiezione przez Joannę — buty z żabkami i paski do przypinania. Zuzi lalkę od Bronowicza. Miała białą bluzkę z koralami, zieloną spódnicę — zamykała i otwierała oczy. Tomek od dziadka książki: *Winnetou* — dwa tomy. *Przygody Tomka Sawyera*. Urszula chustę w kwiaty, rogowy grzebień i lusterko w srebrnej oprawce. Dla niej i dla dziadka Tomek narysował obrazki. Były zwinięte w rulony i przewiązane tasiemkami. Dla Bronowicza las, jezioro i ptaki na tle chmur. Dla Urszuli bocian na łące.

Ten bocian rozśmieszył Lili. Siedziała na ławie, w chuście na ramionach i śmiała się nad obrazkiem, chyląc głowę.

— Lili, co cię tak bawi? — spytał Bronowicz, ale ona nie odpowiedziała. Niżej pochyliła głowę.

Tomek znalazł pod choinką niepodpisaną paczuszkę. Oglądał, obracał, nie wiedząc, komu ma dać. Zuzi odczekała chwilę:

— To dla ciebie. Ode mnie.

W środku była szyszka.

Tylko Joanna nie dostała nic.

— Mamo, nie martw się, jutro narysuję ci wilka — pocieszał ją Tomek.

Ojciec pocałował w czoło:

— Nie wiedzieliśmy, że przyjedziesz, córeczko!

Zaczęli śpiewać kolędy.

„Gdy się Chrystus rodzi i na świat przychodzi..." — zaintonował pułkownik. „Ciemna noc w jasności..." i dalej, dalej: „Aniołowie się radują, pod niebiosa wyśpiewują: gloria, gloria, gloria in excelsis Deo...", a potem „Wśród nocnej ciszy..." i „Pójdźmy wszyscy do stajenki...", „Do szopki, hej pasterze, do szopki, bo tam cud..."

Tomek śpiewał te, które pamiętał. Urszula nie znała polskich kolęd. Śpiewali Joanna z ojcem. A Zuzi, trzymając w objęciach lalkę, obracała się pośrodku kuchni — między piecem, koło którego znów przycupnęła Joanna, a kredensem z piernikami od babki Matyldy.

„Bóg się rodzi, moc truchleje..." — śpiewali. Bas pułkownika dudnił pod sklepieniem: „Podnieś rękę Boże Dziecię, błogosław ojczyznę miłą..." i jeszcze: „dom nasz i majętność całą i wszystkie wioski z miastami, a Słowo ciałem się stało i mieszkało między nami...".

Kiedy zamilkli, Tomek spytał:

— Dziadku, dlaczego „słowo ciałem się stało"?

Dorośli roześmieli się.

— Później ci wytłumaczę — powiedziała Joanna.

Przez chwilę siedzieli w milczeniu. Zuzi przestała tańczyć, świeczki dopalały się na choince, pachniało igłami, ogień buzował w piecu. I wtedy, po chwili ciszy, Bronowicz z Urszulą zaczęli śpiewać: „*Stille Nacht, heilige Nacht...*".

„Cicha noc, święta noc" — podchwyciła Joanna. Tomkowi zdawało się, że szyby zabrzęczały, jakby ktoś za oknami stukał w klawisze fortepianu.

Przed północą kobiety zaczęły sprzątać i zmywać. Bronowicz z dziećmi poszli do stajni, żeby posłuchać, czy konie i krowy nie przemówią.

— Może chociaż słówko powiedzą? — miała nadzieję Zuzi.

Szli przez podwórze, po skrzypiącym śniegu. Było mroźno, niebo rozgwieżdżone. W wiosce szczekały psy. Kajtek przybiegł na spotkanie (spał z Atamanem w jego obszernej budzie). Skakał naokoło, uradowany.

— Kajtuś, Kajtuś, powiedz coś — prosiła Zuzi.

Pułkownik niósł naftową lampę w blaszanym kloszu, na łańcuchu. Lampa kołysała się — plamy światła tańczyły na śniegu. Z daleka, zza ściany lasu — pewno z kirchy w Jakubowie — doleciało bicie dzwonu. Z przerwami, niewyraźne „bim", cisza i po chwili „bam". I znów cisza.

Ataman wyszedł z budy, otrząsnął się ze źdźbeł słomy, przeciągnął. Dzieci kucnęły przy nim.

— No mów, mów — prosiła Zuzi, ale Ataman tylko polizał małą po policzku.

Weszli do stodoły i poszli dalej — przez stolarnię, skąd powiało chłodem, zapachem trocin i desek. Weszli do części dla zwierząt. Krowy leżały na słomie. Konie w boksach odwróciły łby. Błysnęły białka oczu. Teraz pachniało oborą, nawozem, sianem.

— No co, mała, powiesz coś? — Bronowicz pogładził nozdrza Dońki, musnął ucho, poklepał po szyi.

— Powiedz: „Bóg się rodzi" — poprosiła Zuzi. Ale Dońka tylko podrzuciła łbem, zachrapała i zaczęła grzebać kopytem w trocinach. Nad boksami zatańczyło światło lampy. Ze szpar w deskach wystawały źdźbła słomy.

Wracali przez podwórze w zupełnej ciszy. Psy w wiosce umilkły i dzwon w kirsze przestał dzwonić. Znów śnieg skrzypiał pod nogami. Zuzi odwróciła się (szła pierwsza):

— Może one tylko z nami nie chciały rozmawiać? Ale między sobą to gadają, jo?

— Coś ty, coś ty, tylko ludzie gadają ze sobą — obruszył się Tomek. Weszli na werandę.

— Ale w tę jedną noc, taką świętą noc, to i one mogą gadać, jo? Prawda, wujku?

— Mogą — zgodził się Bronowicz, otrzepując buty ze śniegu. — Masz rację Zuzi.

Pierwszego wieczoru rozmawiali z Joanną do drugiej w nocy. Siedzieli na sofie pod oknem. Na serwantce mrugała świeca. Tomek spał na sienniku na podłodze. W kuchni, za drzwiami do sieni, zegar wybijał godziny. Joanna opowiadała o Janku.

— Do końca sierpnia nic nie było wiadomo. Boże, co myśmy sobie wyobrażały: że go wywieźli do Rosji, do łagru, na Sybir. Tak jak innych AK-owców. Albo że już nie żyje. Chodziłam na Koszykową, do tej katowni UB, ale tam nie chcieli ze mną rozmawiać. Mama napisała do Bieruta i nic. Teściowie, przez znajomą, której mąż był gdzieś wysoko w PPR, także pisali. I to nic nie dało. Janek przepadł, myślałam, że już go nie zobaczę. Pierwszą wiadomość dostałyśmy we wrześniu. Wypuścili kolegę, współwięźnia z celi. Janek prosił, żeby dał znać, co z nim się dzieje. Był na Rakowieckiej, czekał na proces. Ten człowiek przyszedł do nas — podał tylko kartkę, kiedy Antosia otworzyła drzwi. Na kartce, koślawo, napisał o Janku kilka zdań. Że zdrów, że niedługo będzie miał proces.

Joanna zamilkła.

— No dobrze, to najważniejsze: wiemy, że żyje — powiedział Bronowicz.

— A proces to miał sowiecki. Parodia! Te procesy odbywają się w więzieniu, sędziowie mają gotowy wyrok, więzień nie ma adwokata, nawet nie może się odezwać. Po prostu odczytują wyrok. Janka skazali na osiem lat za udział w tej wymyślonej organizacji. Za to, że niby chcieli obalać ustrój, rozumiesz? Widziałam go po wyroku jeden raz, we Wronkach pod Poznaniem. Blady, mizerny, jak nie mój Janek. Męczyli go pewno przez tamte kilka miesięcy. Nic nie mógł powiedzieć, ale domyśliłam się. Rozmawialiśmy przez kratę. To cud, że można było cokolwiek zrozumieć. Krzyczeliśmy. Obok inni krzyczeli, a jeszcze między nami chodził strażnik.

Tomek westchnął przez sen. Zamrugał płomień świeczki.

— Teraz raz na miesiąc widzenie. Teoretycznie, bo trzeba prosić, składać podanie. Mogą się zgodzić albo nie. I paczka raz na miesiąc, tylko co tam w niej jest: smalec, cebula, trochę cukru i paczka papierosów. I tak przez osiem lat.

— Może będzie amnestia? Może wcześniej wyjdzie?

— Nie wierzę, tatusiu. Oni chcą nas zniszczyć. Jestem pewna, że nic się nie zmieni.

— Dziecko — powiedział Bronowicz — nie trzeba tracić nadziei.

— My to zawsze nie traciliśmy nadziei. I co z tego? W trzydziestym dziewiątym, że Zachód pomoże, w czterdziestym czwartym, że pomoże Stalin. I co z tej naszej nadziei? Nic. Nie ma co się pocieszać. Janek odsiedzi swoje.

Zaczęli rozmawiać o sytuacji w kraju i na świecie.

— Teraz — mówił pułkownik — bardzo wielu ludzi się, że będzie wojna. A to przecież mrzonki. Trzeciej wojny nie będzie.

— Nawet gdyby wybuchła, to pewno byśmy nie przeżyli — powiedziała Joanna. — Nie wiadomo, co wybierać.

— Może tu, u nas, jak u Pana Boga za piecem? Przyjechałybyście z mamą, aby przeżyć, co? — I ojciec przygarnął córkę ramieniem.

— Opowiedz, jak żyjecie w tym waszym Lipowie? — poprosiła. — Jak oceniasz Tomka?

— Doskonale. Chłopak odnalazł swój świat. Zaadaptował się całkowicie. Ma kolegów. Lubi szkołę.

Pułkownik mówił długo. Opowiadał o rozmowach z wnukiem, o pomysłowości chłopca, jak to określił, o jego zaradności, inteligencji.

— Będzie sobie dobrze radził w życiu. Zwłaszcza w trudnych chwilach.

Nie wspomniał o partyzantach nad jeziorem, o kłótni z kłusownikami z UB, o wojsku, które przeczesywało las. W opowieści Bronowicza życie w Lipowie było sielanką.

— Duch tego miejsca jest przyjazny, moja droga. Żyjemy jak na wyspie. Szczęśliwej wyspie — mówił.

Usłyszeli z kuchni dwa uderzenia zegara — „bim" i zaraz drugie „bam".

— Może na dziś wystarczy, co Joasiu? Jesteś przecież zmęczona. Jutro Urszula z małą idą do Gałkowa. Będziemy mieli cały dzień.

— Kim dla ciebie jest ta kobieta? — spytała Joanna. — Mówisz do niej Lili.

— To dłuższa historia. Życie przynosi niespodzianki.

— Ale mama, mama. Ona czeka na ciebie w Warszawie.

Bronowicz wstał.

— Nie rozmawiajmy o tym teraz. Nie dziś. Może jutro?

Joanna patrzyła na płomyk świecy. Odbijał się w szybkach serwantki, mrugał.

— Pierwszy pójdę do łazienki — powiedział ojciec. — Zaniosę sagan z kuchni. Będziesz miała ciepłą

172

wodę, wiadro na brudną. Są ręczniki, mydło. Przygotuj posłanie przez ten czas. — Pogładził córkę po włosach. Wyszedł z pokoju, starając się cicho stąpać po skrzypiącej podłodze.

Joanna wyjechała po świętach. Przez trzy świąteczne dni — rano, do południa i przed zmierzchem — chodzili z Tomkiem na spacery. W czapkach wełnianych, naciągniętych na uszy, w kurtkach, opatuleni. Joanna w spodniach i butach narciarskich. Chodzili przez most, w stronę jeziora, potem ścieżką nad zamarzniętą rzeką. Na łąki Tomek zabierał psy. Ataman, spuszczony z łańcucha, biegał jak szalony. Kajtek zapadał się w zaspy. Nie mógł nadążyć za wilkiem, któremu rzucali patyki. Ataman zawsze był pierwszy — przybiegał zdyszany, z ośnieżonym pyskiem. Kładł kijek na śniegu i szczekał basem.

Chodzili po zasypanych polnych drogach, w słońcu, w kłującym w oczy blasku od śnieżnej ponowy. Lepili bałwana (bez powodzenia, bo śnieg był za sypki), rzucali śnieżkami. Mróz trzymał wielki. Joanna brała czasem garść śniegu i nacierała policzki syna, żeby nie odmroził.

Kiedy wracali, głośno tupiąc na werandzie, Bronowicz wychodził naprzeciw. Stawał w drzwiach sieni.

— Zapomnieliście, że czekam z obiadem. Chodźcie prędzej!

W ciepłej kuchni pałały policzki, piekła skóra na czerwonych rękach umytych w zimnej wodzie. Siadali za stołem. Dziadek rozlewał zupę grzybową do głębokich talerzy. Drożdżowe pierożki, z kapustą i grzybami, czekały na półmisku. Na drugie była pieczeń wyjęta z piekarnika (pokrajana przez Urszulę w plastry). Ziemniaki polewali tłuszczem z brytfanki. Sosjera stała obok słoja z ogórkami.

— Synku — powiedziała Joanna — twoja matka zapomniała o takich obiadach.

Rozmawiali do wieczora przy kuchennym stole. Przy naftowej lampie, gdy zapadał zmierzch. Tomek opowiadał o Zonim, Horście i Manfredzie. O panu Grodeckim, o koniach, które pławili w jeziorze. Czasem dziadek przerywał w pół słowa, jak wtedy, gdy zaczął mówić o partyzantach spotkanych nad jeziorem. Zmieniał temat.

Bronowicz rozmawiał z córką późnym wieczorem. W kuchni, póki Tomek nie zasnął w pokoju na swoim sienniku. Potem, jak wczoraj, siedzieli na sofie, pod oknem. Joanna powtarzała co pewien czas.

— Boże, jak tu cicho. U nas, w Warszawie, nawet jednej takiej chwili nie ma.

Pułkownik znów opowiadał o wnuku, o szkole w Lipowie, o pani Wojnickiej — wilniance. I dziś unikał spraw, które mogły zaniepokoić Joannę: nie wspomniał o najściu pijanych ubowców, o strzałach w lesie. Później zaczął wypytywać o życie w Warszawie, o żonę, o starą Antosię i stosunki z lokatorami na parterze. Wracali do aresztowania Janka, a wtedy zawsze do sytuacji w kraju — do tej nieznośnej, jak mówił, obecności sowieciarzy.

Joanna pytała, czy ojciec widzi jakieś światełko w tunelu:

— Czy jest nadzieja? Ile lat podobnego życia przed nami? Jak myślisz? Powiedz, czy coś się zmieni?

Patrząc na odbicie lampy w oknie, Bronowicz powiedział:

— Nic się nie zmieni. Zachód boi się Stalina. A u nas na pewno nie będzie lepiej. Sfałszowali referendum w czterdziestym szóstym, pamiętasz? Grudniowe wybory, te w czterdziestym siódmym, tak samo. Ja głosowałem tu, w gminie, na PSL. Potem znajomy Mazur opowiedział, jak te wybory były fałszowane. On był w komisji wyborczej. Mówił, że przywieźli karty z głosami na listę PPR. Wyrzucili te na PSL. A w styczniu uciekł Mikołajczyk. To koniec złudzeń, Joasiu. Będą z nami robili, co zechcą, co im każe Stalin.

Rankiem, dwudziestego siódmego grudnia, Wasyl podjechał saniami pod dom. Ale odwozili Joannę ojciec i syn. Bronowicz na koźle, w czapce ze zwisającymi nausznikami, w baranim kożuchu kupionym w Myszyńcu — z czarnym kołnierzem podniesionym wysoko (na skórze grube szwy, przy rękawach i w pasie). Córka i wnuk opatuleni w koce. Siedzieli niżej, na siedzeniu obitym lnianym płótnem. Tomkowi wydało się, że już nie pachnie pleśnią. Dzień był słoneczny i mroźny. Na starym termometrze za kuchennym oknem było siedemdziesiąt pięć stopni w skali Fahrenheita.

— Około dwudziestu Celsjusza — powiedział Bronowicz.

Jechali przez las drogą do Jakubowa. Podzwaniały kule na szorach i przy uździe Benedykta. Koń biegł raźno. Sanie kolebały się na śnieżnych koleinach. Zza koron sosen i świerków przebłyskiwało słońce. Na twarzach czuli mroźne podmuchy wiatru. Joanna rozmawiała z synem.

— Mama, dlaczego nie możesz zostać dłużej? Chociaż do Trzech Króli.

— Nie mogę, synku. Babcia na mnie czeka, Antosia. Wysyłamy paczki do twego taty, którego trzymają w więzieniu. Poza tym, jak wiesz, mama chodzi na uczelnię. Mam trzy egzaminy w styczniu.

— A dlaczego tatę trzymają w więzieniu?

— Musiałabym długo tłumaczyć. Może z dziadkiem porozmawiasz, kiedy wrócicie? Dziadek ci powie.

Bronowicz odwrócił się, pochylił w stronę wnuka.

— Nie pamiętasz? Rozmawialiśmy nieraz. W Polsce rządzą komuniści. Twego ojca uznali za wroga.

— To my jesteśmy ich wrogami?

Matka i dziadek roześmieli się. Joanna przytuliła mocniej syna. Zakolebało saniami na śnieżnej koleinie. Wyjechali z lasu. Bronowicz obejrzał się po raz drugi.

— To oni są naszymi wrogami. My się tylko bronimy.

Jechali dalej przez Gałkowo i Jakubowo drogą do Starego Boru. Czekali na pociąg z Jańćborga do Olsztyna. Posiedzieli trochę w nieopalanej poczekalni, później stali, przytupując, na peronie. Było jak zawsze: daleki gwizd, parowóz wyłonił się zza zakrętu. Tomek objął matkę, wtulił głowę w kurtkę pachnącą mrozem. Stali tak, póki pociąg nie wjechał na stację.

— No już, już, dobrze — powiedział Bronowicz. Pocałował córkę w zimny policzek.

Joanna podniosła plecak. Ucałowała Tomka ostatni raz. Bronowicz otworzył drzwi, podał paczkę z produktami, podtrzymał za łokieć, kiedy wchodziła po wysoko zawieszonych stopniach. Okna wagonów pokrył szron. Joanna przez chwilę stała w uchylonych drzwiach. Podnieśli ręce.

— Mama — zawołał Tomek — pozdrów babcię i Antosię!

Wagony zaczęły toczyć się wolno. Stali i patrzyli, póki ostatni nie zaświecił czerwoną latarnią i znikł za zakrętem.

Do Trzech Króli nie było lekcji w szkole. Tomek chodził z chłopcami nad leśne jeziorko. Kilka takich oczek (o których mówili „Teufelssee") było w lesie, niedaleko drogi nad wielkie jezioro. Trzeba było pójść za most, skręcić w lewo, iść nad łąkami do dużego lasu i tam zaraz, wśród mokradeł porośniętych kępami borówki pijanicy i bagna (Tomek pamiętał sprzedawane w pęczkach na targu przy Grójeckiej) — było pierwsze jeziorko. Latem przypominało czarne oko zapatrzone w niebo. Zapach kwitnącego bagna czuło się z daleka. Trudno było dojść do wody. Teraz, zimą, wszystko zamarzło pod śniegiem. Chłopcy przyniesioną szuflą odgarnęli białą warstwę z tafli blisko brzegu. Powstało lodowisko. To tu Tomek zaczął się uczyć trudnej sztuki, jak powiedział dziadek, jazdy na łyżwach. Zoni i Manfred, nawet milczący Horst, pocieszali go, że będzie łatwo, że zaraz się nauczy, ale kiedy pierwszego dnia, po przymocowaniu do butów łyżew, stanął na lodzie — nogi same rozjechały się, zamachał rękami, skłonił do przodu, wygiął do tyłu i klapnął na plecy, wzbijając lodowy pył. Koledzy śmieli się. Wszyscy trzej mieli łyżwy jeszcze z czasów niemieckich, przykręcane do butów na podeszwie i obcasach.

Po pierwszym upadku Tomek stał długo, przyglądając się, jak Zoni i Horst jeżdżą. A oni biegali po lodzie lekko, jakby w ogóle nie mieli łyżew. Pochyleni, machali rękami i przebierali szybko nogami na zakrętach. Po kilku minutach podjechali do Tomka i chwycili pod łokcie. Powoli, popychany i podtrzymywany z dwóch stron, zaczął jechać. Odpychał się raz lewą, raz prawą łyżwą. Cierpliwie objeżdżali wymiecione ze śniegu koło. Po kwadransie — spocony, w przekrzywionej czapce — spróbował sam. Jeszcze machał rękami, łyżwy rozjeżdżały się, przewracał się, wstawał z białymi śladami na łokciach. Jechał dalej.

— O tak, tak! — wołał Zoni. — Dobrze!

Po kilku dniach — przed świętem Trzech Króli — jeździł już pewniej. Od rana chciał biec na leśne lodowisko, ale Bronowicz pilnował, żeby nie chodził sam.

Na Nowy Rok zaprosili Tomka rodzice Urszuli.

— Niech chłopak zobaczy Gałkowo, ojców dom, jak żyjemy — mówiła Lili. — W niedzielę go odprowadzę.

Tomek ucieszył się.

— Dziadku, zgódź się. Ja nigdy nie widziałem Gałkowa.

— Zobaczysz nasze kury i królika, co się nazywa Mufi — powiedziała Zuzi.

Nowy Rok wypadał w niedzielę. Urszula zabrała dzieci w czwartek po obiedzie. Bronowicz chciał, żeby jechali saniami, ale Wasyla nie było (wcześniej oporządził konie i krowy — znikł przed obiadem). Trzeba by samemu wyciągać sanie, wyprowadzać Benedykta. Zrezygnował, tylko poszedł z Urszulą i dziećmi przez las.

Kajtek pobiegł za nimi. Co chwilę przepadał wśród przysypanych śniegiem jałowców i bezlistnych leszczyn. Wybiegał na drogę ze śniegiem na grzbiecie. Tomek próbował lepić kule. Podrzucał wysoko. Kajtek szczekał i skakał. Węszył potem na drodze wśród śnieżnych okruchów.

Zatrzymali się na skraju lasu, skąd widać było dachy Gałkowa. Z kominów szły słupy siwego dymu, proste jak pnie sosen. Nie było wiatru.

— Dziadku, zobacz, u nich dym idzie prosto do nieba! — zawołał Tomek.

— Niech pójdzie z nami. Ojce się ucieszą — zaczęła zapraszać Urszula.

Pułkownik wymawiał się:

— Nieogolony jestem. Bez marynarki. Nie przygotowany na wizytę. Może innym razem?

Lili nie nalegała. Postał chwilę, patrząc, jak odchodzą. Dzieci w czerwonych czapkach, Tomek w kurtce z unrowskiego koca, uszytej na miarę w Warszawie. Chusta Urszuli w kwiaty, żółte i różowe, prezent świąteczny. Jej sylwetka na tle białych pól — szła kilka kroków za dziećmi. Nie odwróciła się ani razu. Tylko Tomek i Zuzi machali na pożegnanie.

Po minucie gwizdnął na psa, odwrócił się i poszedł drogą do Lipowa. Nagle z uczuciem wielkiego przygnębienia, jakie go dopadło. Kajtek plątał się pod nogami. Bronowicz oddychał głęboko, próbował pogwizdywać, ale to przygnębienie nie ustąpiło aż do chwili, gdy zasnął w pustym domu.

Ale wcześniej, na werandzie, czekała Frau Olszewski — matka Dorotki. Przyszła z córką. Siedziały na ławce obok drzwi do sieni. Widziały, jak Bronowicz idzie powoli przez podwórze. Wstały, gdy zatrzymał się koło schodków.

— Nakarmiły kury. Jajka podebrały. Są tu w koszyku. A ona czeka na Tomka — powiedziała kobieta. — Żeby zaprosić na *Neujahr*. Będzie *Vesperbrot*. Ona mówi, że po polsku to się zwie podwieczorek. Dla koleżanek i kolegów.

— No proszę, a Tomka nie ma. Poszedł z Urszulą do Gałkowa — wyjaśnił Bronowicz. — Wrócą w niedzielę.

— Jak rankiem, to niech przyjdzie na piątą. — Frau Olszewski popatrzyła na córkę. — O, jak zmartwiona, pan spojrzy, Herr Bronowicz. Ale nie martw się, nie martw. On przyjdzie.

— Ucieszy się! — Bronowicz wszedł na werandę i zaczął otrzepywać buty ze śniegu. — Przyjdzie na pewno!

Dorotka — w płaszczyku z kołnierzem z króliczego futerka i czapce z białej włóczki — stała obok matki i uśmiechała się. Rozmawiali jeszcze chwilę. Kobieta powiedziała, że wieczorem zajdą z Frau Sitek, aby krowy wydoić.

W domu napalił w piecach. Parzył herbatę w kuchni. W pokoju włączył, ale zaraz zgasił radio. Później położył się na łóżku. Leżał przykryty kocem i patrzył w okno, za którym niebo ciemniało. Zapadał zmierzch. Widział czarne gałęzie jabłonek za szybą. Stawały się coraz bardziej niewyraźne, aż znikły. Z pieca obok płynęły fale ciepła, słyszał, jak na dworze szczekają psy. Milkły, było cicho, znów szczekały. Coraz dalej i dalej, aż umilkły zupełnie. Bronowicz zasnął.

Zbudził się po ósmej lub o wpół do dziewiątej wieczorem w ciemnym pokoju. Chwilę leżał, patrząc w to miejsce, gdzie było okno. Wydało mu się, że słyszy głosy za ścianą. Stuknęło raz i drugi, zachrobotało. Odrzucił koc, wstał i podszedł do okna. Śnieg za werandą, po drugiej stronie, tam gdzie była kuchnia, wydawał się jaśniejszy, jakby oświetlony. Pomyślał, że to niemożliwe, że ma tylko przywidzenie — nie zapalał przecież lampy, nie zostawił zapalonej w kuchni.

Bez butów, w skarpetkach i koszuli, przeszedł przez zimną sień i otworzył drzwi po drugiej stronie. Stanął w progu, jeszcze trochę zaspany, zamrugał powiekami. Pośrodku kuchennego stołu paliła się naftowa lampa. W łazience, za szybką w drzwiach, także było światło. Bronowicz podszedł bliżej. Za drzwiami ktoś prał bieliznę w balii, szorując po blaszanej tarze. Słyszał chlupot wody, szorowanie. Przez chwilę było cicho, potem znów chlupot, chrobot na blasze. Otworzył drzwi i zatrzymał się na progu, zdumiony. Nie mógł pojąć, co się stało.

— Lili? — spytał cicho. — Lili! — krzyknął. — Wróciłaś?

Urszula — tylko w bieliźnie: w przydługich pantalonach i różowym staniku, w chusteczce naciągniętej na czoło — odwróciła się od balii. Grzbietem dłoni potarła policzek. Kilka płatów piany spadło z łokcia na podłogę.

— Zapomniała o praniu — powiedziała.

Bronowicz podbiegł do niej. Objął, przytulił. Zaczął całować usta, wilgotne policzki, szyję.

— Lili, Lili, nie masz pojęcia, jak dobrze, że jesteś!

Stali nad parującą balią. Z krawędzi zwisały wyprane koszule pułkownika. Czuł mokre palce kobiety na karku, jej oddech na policzku, ciepłe piersi. Przez chwilę zdawało mu się, że wszystko wiruje: łazienka, płomień lampy na komodzie, ściany, balia z bielizną.

— Chodź! Chodź zaraz! Idziemy!

Kochali się w ciemnym pokoju, na drewnianym łóżku. Na podłodze leżały pantalony, stanik i koszula pułkownika.

— Mój Boże — powiedział — Lili, czy wiesz, że ja wiem, co to znaczy szczęście?

Trzy dni i noce z Urszulą (nie poszła do Gałkowa ani w piątek, ani w sobotę), kiedy byli tylko we dwoje i kochając się, nie bali, że Tomek lub Zuzi zbudzą się — byłyby naprawdę szczęśliwe dla Bronowicza, gdyby nie kilka słów powiedzianych przez Lili po niemiecku, ostatniej nocy — sylwestrowej.

Pierwszego wieczoru długo byli w kuchni — Urszula zapaliła świece. Jedli kolację, siedząc obok siebie, blisko, naprzeciw okna, w którym odbijały się dwa płomyki.

— Spójrz — powiedział — to odbicie w szybie o czymś przypomina.

— O czym?

— Jeśli jest prawdą, że mamy dusze i że po śmierci zaczyna się inne życie, to ktoś się nam przygląda. Tak jak my teraz patrzymy na świece w szybie. A kiedy zgasną, zostanie świadectwo.

— Jakie świadectwo?

— Zapisane na szybie — powiedział Bronowicz.

Urszula zaśmiała się.

Jedli chleb z Gałkowa, upieczony przez matkę Lili. Wędliny z prywatnej masarni w Jakubowie. Połówki jajek na twardo w sosie przypominającym majonez (specjalność Urszuli). Tylko herbata „Ulung" pachniała pogorzeliskiem, jak powiedział pułkownik.

— Coś mi przypomina ten zapach. Chyba palone badyle na polu. Pogorzelisko!

Kiedy szli spać — tego wieczoru i nazajutrz — w łóżku Bronowicza, w dużym pokoju, pułkownik łapał muzykę w radiu „Pionier". Czasami wśród trzasków udawało mu się nastawić na zachodnią stację — Luksemburg lub Monte Carlo. Puszczano bez przerwy muzykę taneczną. W pokoju, oświetlonym świecą na serwantce, słuchali fokstrotów, grano tanga i walce. Jazzowe przeboje Glenna Millera.

Pierwszego wieczoru leżeli już przykryci kocami, kiedy piosenkarz zaczął śpiewać modny szlagier — *Lady of Spain*. Z emfazą, jakby zachłystywał się słowami. Bronowicz kilka razy słyszał angielskiego szansonistę, jak o nim mówił. „*Lady of Spain I love you...*" — śpiewał Anglik.

Urszula odrzuciła koc. Boso, w nocnej koszuli, spod której świeciły gołe pięty, zaczęła tańczyć w takt muzyki. Szybciej, unosząc ręce i obracając się wkoło, póki piosenkarz śpiewał, później wolno, w miejscu, kiedy grali tango. Pułkownik usiadł na łóżku, objął kolana i patrzył, jak Lili tańczy. A ona tańczyła i tańczyła, w milczeniu, bliżej i dalej od serwantki. Bliżej i dalej od łóżka, okna. Płomień świeczki filował, kiedy machnęła ręką. Czasem, gdy zbliżała się do łóżka, Bronowicz chciał chwycić za koszulę, ale Lili uchylała się, wymykała, odsuwała dalej. Nie przestawała tańczyć.

— Pięknie. Jesteś gwiazdą baletu. Jak motyl. Naprawdę przypominasz motyla. To taniec motyla.

— Chyba ćmy, bo noc — zaśmiała się, kiedy trochę zdyszana usiadła w końcu na kocu. — A to, jak tańczyłam, także zapiszą na szybie?

Ostatniej nocy, kiedy leżeli zmęczeni, jeszcze przytuleni, czując, jak mówił Bronowicz, że bardziej być ze sobą nie można, Urszula zaczęła szeptać do ucha pułkownika. Po niemiecku, niewyraźnie, cicho. Z początku nie mógł zrozumieć, czuł tylko ciepłe usta Lili przy swoim uchu. Miłe łaskotanie.

— Co mówisz? Powiedz wyraźniej. Mów po polsku.

Wtedy, odsuwając się trochę, powiedziała:

— Zdaje się, że będziemy mieli dziecko. — I powtórzyła po niemiecku: — *Wir werden ein Kind haben.*

Pułkownik uniósł się na łokciu.

— O Boże, naprawdę? Jesteś pewna?

— Zmartwiłeś się — powiedziała Lili. — Nie cieszysz się?

Bronowicz nie odpowiedział. Położył się na wznak. Jednym ramieniem obejmował jeszcze Urszulę. Czuł jej plecy pod ramieniem. Dotykał palcami piersi. Wydało mu się, że czuje serce pod dłonią: puk-puk-puk. Usłyszał, jak mówiła:

— Nie chcesz, żebym urodziła? Powiedz tylko, to pójdę do jednej kobiety u nas. Ona to umie robić. Miała dużo roboty, jak Sowieci byli.

— Nie mów tak. Jesteś pewna? — powtórzył.

— Od dwóch miesięcy nie mam, wiesz czego. Miałam do oktabra. A w november już nie. To mam iść do tej kobiety?

— Nie — powiedział Bronowicz. — Tylko co powiesz rodzicom? Zuzi?

— A ty? Co powiesz córce, żonie? Temu chłopcu? Rodzice nie wiedzą. — Lili odwróciła się plecami.

Leżeli w milczeniu. Bronowicz gładził jej policzek, szyję, gołe ramię. Objął mocniej w pasie, przygarnął. Znów zaczęli się kochać, jakby chcieli zapomnieć o rozmowie, o tych kilku słowach powiedzianych po polsku i po niemiecku: „Będziemy mieli dziecko. *Wir werden ein Kind haben*".

Oprócz trzydziestu jajek w pudełku tekturowym („pół kopy", mówił Bronowicz) — każde zawinięte w kawałek gazety, pęta kiełbasy z masarni w Jakubowie, słoika z miodem z Gałkowa, suszonych grzybów i strucli, Joanna powiozła do Warszawy list od Tomka do ojca. Rano, pierwszego dnia świąt, spytała, czy nie napisałby kilku słów? „Twój tata na pewno się ucieszy. Wyślę ze swoim listem".

Po powrocie ze spaceru Tomek zasiadł do pisania. Dziadek dał mu kopertę z papierem (z tych różowych, wyściełanych szarą bibułką). Pisał w kuchni, najpierw w zeszycie na brudno, później przez godzinę przepisywał.

Joanna dopiero w pociągu otworzyła kopertę. „Kochany tato — pisał Tomek koślawymi literami — tutaj, u dziadka Józefa (przez „u" otwarte) mi jest dobrze (przez „ż" z kropką). Mamy dwa psy, dwa konie, trzy krowy, dziesięć kur (przez „ó" z kreską), koguta, pięć gęsi i kaczki, ale nie wiem ile, bo one latem siedzą po krzakach. No i do tego dziadek, ja, Lili Marleen (jedno słowo: „Lilimarlen"), co nam gotuje. Ona ma córkę Zuzi, która nie chodzi do szkoły. Ja chodzę do trzeciej klasy i mam kolegów, co się nazywają Zoni, Mani i jeden Horst. Umiem już jeździć na koniach. Na Boże Narodzenie dostałem od mamy łyżwy (przez „rz"). Zuzi mówi (przez „u" otwarte), że w lesie są wilki, ale Lilimarlen powiedziała, że nie ma. Latem to łowiłem ryby. Dużo ci tato mógłbym napisać, ale kończę, bo muszę (przez „ó" z kreską) rozmawiać z mamą i dziadkiem. Całuję ciebie, syn Tomasz".

Joanna wsunęła list do różowej koperty. Zaczęła patrzeć na śnieżny krajobraz za oknem. Nie była pewna, czy wyśle. Może lepiej nie? A jeśli zwróci uwagę? Będą wiedzieli, że Tomek jest u dziadka. Pewno i tak wiedzą, wszystko wiedzą, ale po co prowokować?

Ostatecznie nie wysłała listu. W swoim do męża wspomniała tylko o świątecznej wizycie („byłam u ojca na wigilii"). Nie wymieniła nawet nazwy mazurskiej wsi.

Urszula poszła po dzieci, zaraz po obiedzie, w niedzielę. Przez wszystkie dnie, kiedy byli sami, wstawała wcześniej — paliła w piecach, doiła krowy, sypała kurom ziarno w kurniku, psom lała do misek ciepłe mleko. Kiedy przychodził Wasyl, żeby zmienić ściółkę w boksach i sypać koniom owies, wracała do domu.

Bronowicz — ogolony, ze śladami piany po mydełku do golenia na szyi lub kremu Nivea na policzkach — czekał na nią w kuchni. Pachniało kawą zbożową, którą parzył w dzbanku. Urszula stawiała na płycie garnek z mlekiem. Obok, w mniejszym, gotowała jajka. Czasem stawała za plecami pułkownika i wycierała ślady po goleniu, a on brał jej rękę i całował w zagłębienie dłoni.

Na spotkanie Urszuli i dzieci poszedł — tak jak w czwartek — przez zasypane śniegiem łąki i drogą przez las. Kajtek pobiegł za nim. Przepadał co chwilę pod jałowcami, węszył, biegł po śladach saren. Doszli do skraju lasu. Pułkownik kilka razy odrzucał połę kożucha i wyjmował zegarek na dewizce. Umówili się o trzeciej, ale minął kwadrans i Urszuli nie było. Po dwudziestu minutach zaczął iść w stronę wsi. Tak jak w czwartek dym z kominów w Gałkowie szedł prosto do nieba. Blisko pierwszego domu zobaczył czerwone czapki dzieci i chustę Urszuli. Kajtek pobiegł na spotkanie, szczekał, skakał na Zuzi. Tomek niósł paczkę — pudło owinięte w szary papier. Trzymał za sznurek.

— Dziadku — wołał z daleka — zobaczysz, co dostałem!

— Czekałam tylo, że może zajdziesz — powiedziała Urszula, gdy szli przez las. — Matka naszykowała poczęstunek.

— Nie mówiłaś, żeby zajść. Miałem czekać na lizjerze.

Urszula spojrzała z ukosa, spod chustki.

— Na czym? Co mój miły gada?

Bronowicz nie wyjaśnił.

W paczce Tomka była łódka wystrugana z dużego kawałka kory. Z żaglem z kawałka płótna, z ławeczkami i sterem. Tomek ustawił łódź na parapecie w dużym pokoju i pobiegł na *Vesperbrot* — podwieczorek u Dorotki.

Rozmawiali późno, przed snem.

— Dziadku, wiesz? To dziadek Zuzi podarował mi łódź. On mówił, żebym uważał, jak będę puszczał na jeziorze, bo wiatr dmuchnie w żagiel i ona popłynie.

— Jak ci tam było?

— Dobrze. Bardzo dobrze. Babcia Zuzi pilnowała, żebym tylko jadł. Mówiła „aby". „Aby tylo nie był głodny". Mają dwa koty, ale jeden nie dał się nawet pogłaskać. Kogut jest większy od naszego. Dziadku, oni mają jeszcze drugą babcię. Zuzi mówiła, że to mama jej babci. Ma chyba sto lat.

— Rozmawiała z tobą?

— Nie. Ona tylko siedziała w drugim pokoju i patrzyła na nas. Ale Zuzi mówiła, że ona nie widzi. A tego królika Mufiego musieliśmy łapać, bo mała go wypuściła z klatki i on od razu zaczął kicać. Tak szybko, szybko.

— Złapaliście?

— Zuzi złapała za uszy, a ja go niosłem.

— Biedny Mufi.

— Nie, dziadku, on nie jest biedny. On jest gruby i wszystko ma.

— Wszystko?

— Ma klatkę, wodę w misce, nawet liście sałaty z lodu.

— Z lodu?

— Tak, bo oni mają piwnicę z lodem.

— No to możemy spać spokojni o los Mufiego. Dobranoc. — I pułkownik zdmuchnął świecę na serwantce.

Tomek naciągnął pierzynę na głowę. Już spod pierzyny odezwał się niewyraźnie:

— U Dorotki mówili po niemiecku, a u Zuzi po polsku, wiesz dziadku?

— Śpij, śpij — powiedział Bronowicz.

Wesele Wasyla odbyło się w Łączkach, rodzinnej wiosce Hani. Pierwszego lub drugiego dnia świąt Bożego Narodzenia. Wasyl opowiadał po świętach o mszy w kościele, o weselnikach z Łączek i Zalasu, o rodzinie Hani — braciach, siostrach, ciotkach i wujkach. O sąsiadach, którzy przyszli.

— Duża rodzina, pane pułkowniku, sto, może nawet więcej ludzi bawiło się. Tańczyli do rana w remizie strażackiej.

— A od ciebie kto był? Krewni przyjechali? Ci spod Pasłęka, z Miłomłyna? Ci, co blisko morza?

— *Wid mne mało. Bat'ko, maty, brat Stepan.* Z Miłomłyna przyjechał *diad'ko Bazyli, brat maty. Ce wse.* Po weseli Hanusię przywiózł do Lipowa. Teraz *tilki, aby zhoda doma buła.*

— Będzie, będzie zgoda. Ona małomówna, spokojna, zgodna. Mam rację?

— Pane pułkowniku, *chto znaje duszu żinky?* — powiedział Wasyl.

W styczniu przyszedł z Hanią zaprosić pułkownika na spotkanie rodzinne.

— *Czotyrnadciatoho sicznia, swiato Wasylija Wełykoho.* Patrona. — Miał przyjechać pop z Pasłęka, aby młodej parze pobłogosławić. — *Pobłahosłowyty nas —* mówił Wasyl. — Rodzina przyjedzie spod Darłowa. *Diad'ko Bazyli.* Kuzyni spod Braniewa. *Zaproszuju was, pane pułkowniku, szczob wy pryjszły.*

Tomek z chłopcami pobiegł rano na leśną ślizgawkę. Urszula z Zuzi były w Gałkowie. Bronowicz przyjmował gości sam — w kuchni. Poczęstował herbatą.

— Prezent jaki trzeba szykować — powiedział. — Przyjdziemy, przyjdziemy.

— Jaki tam prezent, pane pułkowniku, nie trzeba nic! Chłopca prosimy zabrać. Będzie niedziela, szkoły nie ma. Pobawi się. Małe kuzyny przyjadą.

Hania, jak wtedy, we wrześniu, milczała. Piła herbatę, dmuchając na parę. Ostrożnie podnosiła filiżankę do ust. Kożuszek, z wyłogami z czarnego baranka, położyła na ławie. Zaróżowiona, patrzyła na Bronowicza niebieskimi oczami.

— W domu zgoda? — spytał. — Z maty dobrze?

— *Diakowaty Bógowi. Pod obrazom Bogomatiri* — powiedział Wasyl. — Zgoda, zgoda.

Kiedy wychodzili, już w sieni, spytał niespodziewanie:

— Pane pułkowniku, szcze Hania mogłaby wam pomóc? Tej Urszuli? W mieszkaniu, w oborze, dom posprzątać? *Szczo może byti?*

Bronowicz, zaskoczony, powiedział:

— Trzeba z Urszulą porozmawiać, ale pewno tak, pewno tak. Niech Hania przyjdzie pojutrze.

Lili propozycję Bronowicza przyjęła źle. Tak jak się spodziewał. Rozmawiali w poniedziałek wieczorem. Przekonywał, że trzeba pomóc młodym:

— Tej Hani szkoda. Ona tu sama, w obcym środowisku. Będziesz miała do pomocy dwie ręce.

— Po co mi czyjeś ręce? Mam swoje.

— Ona taka spokojna, zgódź się, Lili.

— Co mam się godzić albo nie? Pan pułkownik tutaj rządzi. — Urszula wzruszyła ramionami i poszła słać łóżka na noc.

Ale potem, kiedy przyszedł do niej i usiadł na posłaniu, powiedziała, budząc się z pierwszego snu, jakby tamtej rozmowy nie było:

— Niech przyjdzie, zawsze dam jej co do roboty, *mein guter Mann.*

Wasyl zapraszał na następną niedzielę, za tydzień, piętnastego stycznia, a kilka dni wcześniej, w środę lub czwartek, Tomka zaczepił na moście Wlhelm Grodecki.

Chłopcy wybiegli w czasie przerwy na drogę przed szkołą. Rzucali śnieżkami w dziewczyny. Grodecki słyszał krzyk, śmiech i piski. Stał w czarnej kurcie z podniesionym kołnierzem, w czapce polówce, podpierając się laską. Patrzył na rozkrzyczane dzieci.

Kiedy chłopcy pobiegli na most, zatrzymał Tomka — chwycił za rękaw.

— Halo,halo, dżeń dobry chlopak. A ty mnie znasz?

Tomek, zdyszany, ze śniegiem na włosach i na swetrze, dopiero wtedy ukłonił się. Szurnął butami po śniegu.

— Pewno, że znam. Pan grał z dziadkiem w szachy.

— Ano, ano — powiedział Grodecki. — Ja cię proszę teraz, chlopak, spytaj no dziadka, kiedy mogę do was przyjść. Ja na ciebie zaczekam jutro, tak samo w południe, jo?

— Tutaj, na moście?

— Ano, ano. Jakby on pytał, o co chodzi, to mów, że w szachy przyjdę grać. Dobra, chlopak?

— Dobrze! Jutro panu powiem!

I Tomek pobiegł do chłopców przy balustradzie. Przewieszeni przez poręcz, odłamywali z drewnianych belek sople i ciskali, celując w czarny nurt pośrodku skutej lodem rzeki. W szkole odezwał się dzwonek. Pan Grodecki zaczął powoli odchodzić, podpierając się laską. Chłopcy pobiegli za nim.

— Dziadku, on wyglądał jak czarny kruk. Tylko taki wielki, bez skrzydeł — opowiadał Tomek przy obiedzie. — Mówił, że chce zagrać w szachy, żebyś powiedział, kiedy może przyjść?

— Niech jutro przyjdzie, o czwartej. Jak już zjemy, a ty siądziesz do lekcji — powiedział Bronowicz. — Pierwszy raz od tamtej jesieni przyjdzie. Dlaczego to przestał nas odwiedzać? — Pułkownik popatrzył na Urszulę. — Wiesz, Lili, domyślasz się?

— *Ich habe ihn nicht gerade ins Herz geschlossen* — powiedziała Urszula. — Jedzcie dzieci ładnie! — stuknęła łyżką o stół.

Grodecki czekał — tak jak zapowiedział — na moście. Stał, jak wczoraj, nieruchomo, czarna kurta, polówka, laska. Tomek od razu podbiegł do niego.

— Proszę pana, dziadek zaprasza dziś na czwartą!

Pułkownik otworzył drzwi na werandę, kiedy zobaczył czarną postać idącą przez podwórze. Przywitali się w sieni.

— No, no, długo nie przychodził mój partner do szachów, co?

Weszli do kuchni. Grodecki w milczeniu zdjął kurtę, położył na ławie, laskę oparł o ścianę. Usiedli po dwóch stronach stołu. Tomek zaraz przyniósł pudło — szachownicę, zaczął ustawiać figury. Bronowicz wcześniej zapalił lampę — jeszcze czuć było zapach nafty i kopcącego knota. Urszula postawiła szklanki z herbatą na stole. Wyszła zaraz z kuchni.

— Co słychać panie Grodecki? — spytał dziadek. — *Was gibt's?* — powtórzył. Wybrał lewą z zaciśniętych dłoni Tomka i trafił na czarnego piona.

Obrócili szachownicę.

— Żyje się, *Herr* Bronowicz. Człowiek łatwo nie umiera, chociaż czasem miałby ochotę, no nie? — odpowiedział po niemiecku stary Mazur. — Pomrzeć wcześniej, czasami, nie byłoby źle.

— A czego to, *Herr* Grodecki, z takim pesymizmem patrzy na życie? Jeszcze nad nami słońce świeci.

Grali do siódmej. Przed wyjściem stary Mazur pochylił się nad stołem. Odsunął szachownicę i leżące obok figury.

— Co chciał jeszcze rzec, panie Bronowicz? Mnie mówili, że ten wasz Ukrainiec będzie miał gości. Że do naszego Lipowa zjadą Ukraińcy z całej krainy. Niech uważa, jak tam pójdzie. Ostrożnie gada, bo oni słuchają. Mają swoje uszy.

— Kto powiedział, że jestem zaproszony? — spytał Bronowicz. — Od kogo słyszał? *Wer hat das gesagt?*

Grodecki zaczął się podnosić. Potrącił laskę. Tak jak jesienią, na werandzie, upadła z głośnym stukiem. Podnosił chwilę, przytrzymując się blatu ręką, wyprostował się i spojrzał na pułkownika.

— Ja nawet nie będę tłumaczył, bo chyba wszystko wie, pamięta. Ja nie przyszedł byle co gadać.

Pożegnali się. Bronowicz odprowadził gościa na werandę. Mroźny wiatr od pól sypnął drobnym śniegiem. Pułkownik stał chwilę, patrząc, jak czarna postać znika w mroku. Znów powiał wiatr, sypnął śnieżnym pyłem. Wtedy odwrócił się i wszedł do sieni.

Czternastego o piątej poszli do Wasyla. Przed domem na końcu wsi, wzdłuż drogi, między pryzmami odgarniętego na pobocza śniegu, stało kilka sań. Konie miały narzucone na grzbiety derki, przez szyje przewieszone worki z obrokiem. Łby w pałąkach hołobli. Przeszli obok, w zapachu końskiej sierści i siana, którym wymoszczono sanie. Weszli na podwórze. Rozszczekały się psy. W oknach domu stały lampy naftowe. Na belce ganku, przed wejściem, wisiała także jedna zapalona. Światło padało na śnieg. Zza drzwi i okien słychać było gwar i śmiechy.

Starzy Jakynowyczowie, rodzice Wasyla, wyszli na próg. Matka w białej bluzce — czerwone korale na szyi, niebieski szal na ramionach. Ojciec w czarnym garniturze — czerstwa twarz, ciemne oczy jak u syna. Wyciągnął do Bronowicza wielką dłoń.

— *Wyjszły prywitaty was serdeczno.* Witajcie, pane pułkowniku. Czekamy.

Bronowicz pocałował kobietę w rękę. Uścisk gospodarza był mocny, dłoń sucha. Weszli przez ganek i sień do dużej izby.

Pod ścianami ustawiono w podkowę stoły. Nad głowami siedzących gości, na kilimie między oknami, wisiał święty obraz. Ciemną twarz Matki Bożej w złotej aureoli oświetlała lampka oliwna. Płomyk migotał za czerwonym szkłem.

Pod kilimem, naprzeciw drzwi, siedzieli młodzi — Wasyl i Hania. On w białej koszuli i w czarnym garniturze jak ojciec; panna młoda w białej bluzce i zielonej chuście na ramionach. Na szyi, jak u teściowej, czerwone korale. Uśmiechnęła się do pułkownika. Między nimi — młody pop, w czarnej sutannie. Później, już zza stołu, wydał się Bronowiczowi starszy: łysiejący mężczyzna, z gładko wygolonymi policzkami. Od uszu do uszu, wokół twarzy, miał krótką brodę. Jeszcze później, kiedy śmiał się częściej lub mówił dłużej, błyskały srebrne zęby.

Teraz, gdy zatrzymali się z Tomkiem w drzwiach, gwar przy stołach przycichł. Bronowicz zobaczył kilka znajomych twarzy: był sołtys Lewandowski, jego żona i córka, które znał z widzenia. Frau Sitek i Frau Olszewski. Stały obok, przy drzwiach.

Na stołach, na lnianych obrusach, połyskiwały butelki z niebieskiego szkła — z wódką, być może z samogonem. Na tacach leżały bochny białego chleba i weselne placki — korowaje. Czekały talerze i szklanki, niektóre już pełne. Twarze były zaczerwienione, kobiety uśmiechały się. Białe koszule, czarne garnitury, jasne bluzki. Korale, korale na szyjach dziewczyn. Wszyscy patrzyli na nich.

— Witamy serdeczno pana pułkownika — powtórzył Jakynowycz.

Zza stołu uniósł się Wasyl.

— Pane pułkowniku — wołał — prosimy do nas! Miejsce czeka.

Jakynowycz wyszedł na środek izby, przed stoły.

— Ojca Bazylego proś teraz, synu! — I zaraz sam zwrócił się do popa: — *A to bat'ku nasz, zadowolnyte naszi błahosti: pobłahosław syna ta newistku!*

Wszyscy wstali. Przez chwilę słychać było szuranie ław, chrobot odsuwanych krzeseł. Bronowicz z Tomkiem zostali przy drzwiach. Zapadła cisza.

— Panie, przyjacielu człowieka — zaczął modlitwę ojciec Bazyli — zapal w naszych sercach niezniszczalną światłość poznania Ciebie i otwórz oczy naszego umysłu, abyśmy poznali naukę Twojej Ewangelii. — Mówił po polsku, miękko, z kresowym akcentem. — Wzbudź w nas także bojaźń ku wypełnieniu Twoich błogosławionych przykazań, abyśmy pokonawszy wszelką żądzę cielesną, prowadzili życie, tak myśląc i czyniąc, aby podobać się Tobie. — Wasyl i Hania pochylili głowy. Nad nimi migotał płomyk w lampce oliwnej. — Albowiem Tyś jest uświęceniem naszych dusz i ciał, Chryste Boże — mówił pop Bazyli — i Tobie chwałę oddajemy, z Przenajświętszym Twoim Ojcem i Najświętszym, i Dobrym, i Życiodajnym Twoim Duchem, teraz i zawsze i na wieki wieków!

Uniósł dłonie i chwilę trzymał nad głowami młodych.

Tomek zapamiętał ten moment i jeszcze modlitwę odmówioną chórem. *„Otcze nasz, szczo jesy na nebesach"*, zaczął ojciec Bazyli, a wszyscy powtarzali za nim: „święć się imię Twoje, przyjdź królestwo Twoje...", *„Dein Wille geschehe"*, słyszał obok Frau Sitek. „Jako w niebie tak i na ziemi", mówił dziadek.

Kiedy skończyli, w ciszy zadzwoniła na stole potrącona szklanka. Potem znów zaszurały ławy, zachrobotały krzesła. Goście zaczęli siadać, wrócił gwar, śmiechy, zaczęły się rozmowy.

— Chodź Toma do dzieci — powiedziała Jakynowyczowa do Tomka.

Bronowicz podszedł do stołu. Kiedy siadał, odezwały się skrzypce. Grajek przeciągnął po strunach smyczkiem, a zaraz potem, głośno, zagrała harmonia. Pułkownik obejrzał się. Naprzeciw stołów, pod ścianą, siedzieli muzykanci. Starszy trzymał skrzypce, głowę przechylił na ramię, nogą przytupywał. Harmonista był młodszy — w białej koszuli haftowanej pod szyją i na rękawach. W barankowej czapce naciągniętej na czoło. Grał, także przytupując.

Melodia wydała się znajoma. W chwili, gdy pułkownik witał się z Wasylem, harmonista zaśpiewał wysokim tenorem: *„Ty kazała w ponediłok, pidem razom po barwinok, ja prijszow — tebe nema, pidmanuła, pidweła..."* — I zaraz, naokoło stołu, weselnicy podchwycili refren. Dopiero wtedy przypomniał sobie piosenkę śpiewaną przez żołnierzy w Humaniu. Szli z bratem Karolem do szkoły — ulicą Dworcową, za maszerującym oddziałem. Przyłączył się do chóru: *„Łuszcze buło, łuszcze buło ne chodyt', łuszcze buło, łuszcze buło ne lubyt', łuszcze buło ta j ne znat', czym teper zabuwat'..."*.

I znów solo, spod ściany, odezwał się harmonista: *„Ty kazała u wiwtorok, pociłujesz raziw sorok, ja pryjszow — tebe nema, pidmanuła, pidweła..."*

„Łuszcze buło, łuszcze buło..." — zahuczało naokoło.

Kiedy potem, przez kilka następnych dni i nocy, najczęściej przed snem, przypominał sobie tamten wieczór u Jakynowyczów, słyszał znów melodie wygrywane przez muzykantów i śpiewane chórem dumki i przyśpiewki. Niektóre, jak pieśń żołnierzy maszerujących ulicą Dworcową, znał z dzieciństwa — z lat przed pierwszą wojną. Goście brali się pod łokcie, śpiewając — kołysali się, trzymając pod ręce. Wydawało się, że stoły kołyszą się razem, dzwonią butelki, chyboczą płomienie lamp naftowych. Zwłaszcza zapamiętał dwie przyśpiewki, które śpiewano mimo protestów pana młodego. Za każdym razem Wasyl unosił się zza stołu i wołał: „*Tycho, tycho, ne spiwaty, ne spiwaty!*".

Te protesty zapewne bardziej prowokowały. Kilka dziewczyn, mołodyć, jak myślał o nich Bronowicz, zanosiło się perlistym śmiechem, nim znów zaczynały śpiewać: „*Bałamute wyjdy z chaty, choczesz mene rozkochaty, bałamute bijsia Boha, ty bahatyj, ja wboha...*". I tak dalej, a potem drugą, przy której protesty Wasyla były szczególnie głośne: „*U sasida żinka myła, u sasida chatynka biła, a u mene ni chatynky, nema szczastia, nema żinky...*".

Pamiętał także dziewczyny, które śpiewały, trochę zawodząc, przy cienkim akompaniamencie skrzypiec: „*Czy ja u maty ne choroszeńka żyła, czy ja u bat'ka ne choroszeńka rosła, wziały ż mene ta j widdały, hołowońku prepasały, taka ż dola uże moja, hirka ż dola uże moja...*". Lub jeszcze bardziej smętną, którą zaintonowała czarnowłosa dziewczyna, silnym głosem, a inne podchwyciły dopiero po chwili — o brzozach, co szepczą nad „*riczeńką*": „*Mynetsia krasne liteczko, powijut' chołoda, obsypłetsia z nas łystiaczko, ta j powerne wesna...*".

Ostatnią zwrotkę, tej znanej także z dzieciństwa, dumki Bronowicz odśpiewał razem z dziewczynami — basem, zyskując, jak mu się zdawało, szczególne uznanie gości: „*Obsypłetsia jich łystiaczko, ta j powerne wesna, a mołodist' ne wernetsia, nikoły uże moja...*".

Później, razem z chórem kilku mężczyzn, zaśpiewał jeszcze: „*Wziaw by ja banduru, taj zahraw jak znaw...*", i dumkę wyśpiewywaną przez pana Zagłobę, o czym niedawno czytał Tomkowi: „*Hej tam, tam na hori, tam żenci żnuť, a popid horoju, jarom dołynoju, Kozaki iduť...*". „*Hej dołynoju, hej!...*" — huczało pod stropem weselnej izby.

Przed siódmym stycznia — „*pred Chrystowym Rizdwom*", jak mówił Wasyl — u Jakynowyczów było świniobicie. Przyjeżdżał masarz z Jakubowa. Semen przyniósł pęto kiełbasy i kaszankę. Teraz masarskie wyroby podano na stół. Była krajana kiełbasa „do ręki", biała na gorąco, szynki, salcesony, schab. Obok gliniane misy z kwaszonymi ogórkami, z grzybami w occie (rydze, maślaki, prawdziwe). Bochny chleba i placki korowaje pokrajano na tacach. „Śpiewające mołodycie" roznosiły półmiski i misy. W okopconych garach barszcz ukraiński. Nalewały chochlami na talerze. Jakynowyczowa, Frau Sitek i Frau Olszewski pomagały.

Zaczęła się prynuka.

— Pane pułkowniku — mówił Jakynowycz, pochylony nad Bronowiczem — prosimy brać, nabierać więcej. *Ne żalijte sobi, ne żalijte!*

Bronowicz dziękował, jadł, wypił trochę za dużo, bo wódki wciąż dolewano. Twarze gości stały się mniej wyraźne. Obraz Matki Bożej na kilimie zachybotał. Pułkownik zamykał oczy, otwierał, starał się oddychać głęboko. Kilka razy zdążył zakryć szklankę dłonią, gdy Wasyl chciał dolewać z niebieskiej butelki.

Rozmawiał przez stół z popem Bazylim, później z wujem Semena — *diad'kom* Michałem z Pasłęka. Duży mężczyzna przysunął się na ławie bliżej, uścisnął dłoń Bronowicza.

— My z Wasylkiem bałakali o panu pułkowniku ne raz i ne dwa. Bo pewno oba wojowali w dziewiętnastym, co? Tylko po dwóch stronach.

— A tak, tak, byłem na froncie w dziewiętnastym roku — powiedział Bronowicz.

— Pod Jazłowcem wy mnie wzięli do niewoli, ale potem puścili. Dalej to już razem wojowali, co? — śmiał się wuj Michał.

Nad stołem pochylił się pop Bazyli.

— A z kim to wy razem wojuwały, Michał? Powiedz panu pułkownikowi, przypomnij.

— Nie trzeba, nie trzeba. Pamiętamy oba dobrze.

Przerwali rozmowę, kiedy sołtys Lewandowski wznosił toast za młodych. Chwiejąc się (żona podtrzymywała za łokieć) i balansując nad stołem szklanką z wódką, zaczął przemawiać, przekrzykując gwar:

— Życzę wam, młodzi, szczęścia i pomyślności, abyście w naszym Lipowie, na odzyskanych ziemiach, żyli szczęśliwie! Abyście byli obywatelami, oby-wate-lami — powtórzył — naszej ludowej ojczyzny, za którą przelewalim krew!

— Cicho, dosyć — powiedziała Lewandowska. Pociągnęła męża za łokieć. Naokoło stołu zaklaskano. Sołtys zdążył zawołać:

— Gorzko, gorzko!

— Gorzko, gorzko — powtórzyło kilka głosów.

Hania przez chwilę odwracała głowę. Wasyl musiał objąć rękami, przytrzymać, nim pocałował w usta.

Bronowicz także wzniósł toast. Wstał kilka minut później. Postukał o szklankę łyżką. Kiedy przycichło, powiedział:

— I ja wam życzę szczęścia. Tu, w Lipowie, mam nadzieję, szczęścia wam nie zabraknie, bo jesteście młodzi. Młodzi, a szczęście to młodość! Nam, starym, może się zdawać czasem, że za dużo straciliśmy, że za dużo nam zabrano. Że nasze życie teraz, pod nadzorem („*pid nahladom*" — powtórzył po ukraińsku), jest smutniejsze i trudniejsze niż było dawniej. Ale wy, Wasylu i Haniu, pamiętajcie o waszej młodości i żyjcie szczęśliwie. Z Bohom!

Usiadł, a weselnicy znowu zaklaskali. Wasyl przechylił się przez stół — uścisnął dłoń pułkownika. Pop Bazyli zmrużył oko.

— A to dlaczego, pane pułkowniku, mamy być teraz smutni, pod tym *nahladom*, co? *Pid czyjim to nahladom?* — Zaśmiał się. Błysnęły srebrne zęby.

Za plecami Bronowicza stanął niski mężczyzna — siwy, w czerwonej kamizeli z włóczki, krawat przekrzywiony. Zdjął pewno marynarkę, bo w izbie było gorąco (do pieca z białych kafli w rogu pokoju wciąż dokładano polan). Kiedy pułkownik obejrzał się, mężczyzna powiedział cichym głosem:

— Za Hanię chciałem podziękować. Ja jej ojciec. Ot, bałem się o córeczkę, ale teraz wiem, że ona wśród dobrych ludzi, to żem już spokojny.

Bronowicz uniósł się, podali sobie ręce. Hania, kiedy ojciec mówił, trzymała dłonie przyciśnięte do policzków. Teraz zawołała przez stół:

— Tata, lepiej już idź! Nie zawracaj głowy panu pułkownikowi.

— O, niech no posłucha, jak to się wstydzi ojca. Niby kobieta, a jeszcze dziecko.

— Ma pan wspaniałą córkę — powiedział Bronowicz. Zachwiał się i ciężko usiadł na ławie. Chciał coś mówić do Hani, ale znów, o kilka miejsc dalej, podniósł się Lewandowski. Wołał, wymachując lewą ręką (za prawą trzymała żona):

— My tu po naszemu też możem zaśpiewać! Zaśpiewaty wy z nami! — I zaintonował trochę za nisko, fałszując: — „Rozszumiały się wierzby płaczące...".

„Rozpłakała się dziewczyna w głos..." — podchwyciło kilka głosów. Także Bronowicz zawtórował: „Oczy w górę podniosła błyszczące, na żołnierski, na twardy życia los...".

„Nie szumcie wierzby nam..." — śpiewali weselnicy. Lewandowski dyrygował, wywijając lewą ręką. Żona ciągnęła go za prawą:

— Siadaj, głupi, cicho!

Zaczęły się tańce. Muzykanci zagrali oberka, potem polkę i coś szybkiego — cygańskiego lub węgierskiego czardasza. Wasyl z Hanią zatańczyli kilka razy. Bronowicz poprosił czarnowłosą mołodycię, która przez stół uśmiechnęła się do niego. Dziewczynę „z najpiękniejszym głosem", jak powiedział w tańcu. Zapamiętał szuranie nóg na deskach, hołubce wybijane przez młodych, śmiechy. I oczy czarnowłosej dziewczyny.

Na początku wieczoru, gdy skończyło się błogosławieństwo i odmówiono „Ojcze nasz", Tomka zabrała Jakynowyczowa.

— Chodź, Toma, chodź. W drugim pokoju bawią się dzieci. Pójdziesz do nich?

Zgodził się chętnie. Biegał później z dwoma chłopcami na most pokazać rzekę. Rzucali śnieżkami przed domem. Grali, leżąc na podłodze, w warcaby. O dziesiątej, senny i trochę znudzony, stanął za plecami Bronowicza.

— Dziadku, chodźmy już — usłyszał pułkownik.

W dużej izbie jeszcze tańczono. Chłopiec przecisnął się pomiędzy parami, wśród śmiechów, potrącany przez podpitych weselników.

— Dziadku, chodźmy — zaszeptał nad uchem.

Bronowicz objął wnuka ramieniem. Tomek poczuł zapach wódki.

— Zaczekaj trochę, nie wypada tak zaraz iść.

— Ale już późno. Długo tu jesteśmy.

Z ławy naprzeciwko podniosła się Hania.

— Ja go zaprowadzę, panie pułkowniku. Posiedzę przy nim.

Wasyl obruszył się:

— Hanusia, Haneczka, jakże tak? Tomek zaczeka.

Ale młoda żona już szła naokoło stołu. W sieni nałożyła kożuszek z baranka, Tomkowi pomogła włożyć kurtkę z unrowskiego koca.

— Już Toma idziesz? Nie zaczekasz na dziadziusia? — Jakynowyczowa przygarnęła chłopca i pocałowała w czoło.

Bronowicz, podtrzymywany przez Wasyla, wrócił do domu o pierwszej w nocy. Szli wśród ciemnych domów, pod rozgwieżdżonym niebem. Skrzypiał pod butami śnieg.

— Ja, pane pułkowniku, kocham Hanusię, ale czy ona mene kocha? *Ne znaju.*

— Kocha, kocha na pewno — powtarzał pułkownik.

Pamiętał, że przez całą drogę, od czasu do czasu chwytany pod łokieć przez Wasyla, powtarzał: „Kocha, kocha, kocha".

Czy myślał wtedy o Urszuli, czy o czarnych włosach i oczach mołodyci? O tym, jak śpiewała o brzozach, z których obsypały się listki? „Wpadła pułkownikowi w oko", powiedzieliby koledzy z pułku: jej włosy splecione w krótki warkocz, te ciemne oczy. Piersi pod białą bluzką, które w tańcu przyciskał. Jak miała na imię? Jak jej imię? O to imię, zapewne kuzynki Wasyla, nigdy nie zapytał.

W domu zastali śpiących — Tomka na sofie i Hanię na łóżku Bronowicza. Leżała przykryta kożuszkiem, z podwiniętymi nogami — sznurowane wysoko buciki rzucone na podłogę. Światło naftowej lampy na parapecie, z przykręconym ledwo ledwo knotem, skąpo oświetlało pokój.

Spod sofy Tomka wyczołgał się Kajtek i bijąc o podłogę ogonem, przyczołgał do nóg Bronowicza. Pułkownik schylił się, klepiąc psa:

— A ty co tu robisz, mój drogi?

Wasyl klęknął koło łóżka ze śpiącą Hanią.

— Kochana moja, żinko — usłyszał Bronowicz — wstawaj, obudź sia!

I ten obraz, klęczącego Wasyla i zaspanej Hani, która uniosła się na łokciu, zapamiętał jeszcze.

Tomek nie zbudził się. Nawet nie westchnął przez sen.

Pod koniec stycznia przyszły mrozy, po sto i więcej stopni na starym termometrze za kuchennym oknem. Bronowicz przeliczał stopnie ze skali Fahrenheita na Celsjusza. Wychodziło po dwadzieścia pięć, trzydzieści i więcej. Śniegi zasypały drogi do Lipowa. Urszula i Zuzi przestały chodzić w soboty do Gałkowa. Przez dwa tygodnie Tomek nie miał szkoły — były kłopoty z opalaniem dwóch klas i pani Wojnicka odwołała lekcje.

W czasie tych wielkich mrozów, gdy oboje mało wychodzili z domu, Tomek zaczął uczyć Zuzi czytania i pisania. Najczęściej przed kolacją siadali przy stole w kuchni. Elementarz Falskiego, pożyczony z małej biblioteki szkolnej, leżał pod lampą. Zuzi pisała litery w zeszycie w linie: cały alfabet od „a" do „ż". Kopiowym ołówkiem, duże i małe litery — linijka pod linijką. Kiedy wychodziły krzywo, Tomek upierał się, aby przepisała. Kłócili się, Zuzi miała ochotę płakać, ale po tygodniu przeczytała po raz pierwszy sama: „To Ala i kot Ali".

— Nawet nie piszą, jak się nazywa.

— To nieważne. Lepiej czytaj dalej — mówił Tomek.

Powoli, z początku poruszając wargami i szepcząc, potem prawie wykrzykując słowa, Zuzi czytała: „To most. Tam stoi Ala. I mama Ali tam stoi".

Urszula i pułkownik przysłuchiwali się lekcjom.

— Esce będzie sama uczyć kiedy — śmiała się Lili.

Rano do Tomka przychodzili Zoni i Manfred. Jak latem i jesienią — na podłodze w dużym pokoju — ustawiali żołnierzy. Strzelały armatki na groch, zmieniali się przeciwnicy. Ułani księcia Józefa szarżowali na niemieckich grenadierów (po niecelnym strzale przesuwani o dwie podłogowe deski do przodu). Niektóre szarże osiągały cel: niemieccy grenadierzy ginęli lub byli brani do niewoli. Jeńców można było wymieniać.

Wieczorami Tomek kleił samochody z pustych pudełek po zapałkach i z kawałków tektury — z pudełka po pralinach, które przywiozła Joanna na święta. Palce znowu pachniały białym klejem. Willysy i ciężarowe studebakery dowoziły żołnierzy na linię frontu. Czasem koło, źle przyklejone, odpadało, wtedy żołnierze szli do niewoli, jeśli willys zapuścił się za blisko pozycji nieprzyjaciela.

Bitwy na podłodze przeciągały się do obiadu. Urszula wchodziła do pokoju lub przybiegała Zuzi.

— Kończyć tę wojnę! — wołała. — Teraz będzie obiad.

Zoniego i Manfreda zapraszano na talerz zupy.

Jeśli przyszedł słoneczny dzień, chłopcy szli na sanki, na łyżwy lub dalej, do lasu, szukać wilczych śladów. Urszula mówiła, że w Gałkowie nocami słychać wycie wilczej watahy, która krąży w pobliżu. Chłopcy chodzili za most, w stronę dużego jeziora, ale widzieli tylko jelenie i sarnie ślady na śniegu. Wilczych tropów nie znaleźli. W Lipowie zresztą nie mówiono o wilkach. Raz tylko Tomek usłyszał wycie. Zasypiał już w pokoju, na swojej sofie, kiedy zza okna wyraźnie dobiegło „uuu", powtórzone po chwili głośniej „uuu"! Zerwał się i boso, przez zimną sień, pobiegł do kuchni.

— Dziadku, wilki wyją za oknami! — krzyknął, z rozmachem otwierając drzwi.

Urszula z pułkownikiem siedzieli przy stole (z lampą naftową pośrodku). Bronowicz wstał:

— Wilki wyją? Coś ci się przesłyszało.

Poszedł zaraz na werandę. Była pełnia księżyca. W mroźnym powietrzu nikły obłoki pary z ust. Na granatowym niebie, nad dachem stodoły, mrugały gwiazdy. Było cicho — nawet psy w wiosce nie szczekały. Pułkownik pomyślał, że chłopcu przyśniło się wilcze wycie. Odczekał chwilę — już miał wchodzić do sieni, gdy spod stodoły odezwał się Ataman: „uuu" rozległo się głośno i wyraźnie. „Uuu", wył, unosząc pewno łeb do księżyca. Tak jak wyją wilki w księżycowe noce — przeciągle, długo, na jednej nucie. Może słyszał z daleka odzew pobratymców?

— Wilcza krew daje znać o sobie — powiedział Bronowicz, wchodząc do kuchni. — To twój przyjaciel, Ataman, wyje. Jest pełnia księżyca. Idź spać.

Urszula krzyknęła „och!" i zakryła usta dłonią. Tomek jeszcze chwilę siedział na ławie. Machał bosymi nogami nad podłogą. Dziadek zmierzwił mu włosy na głowie: — No, idź, chłopcze. Wracaj do łóżka, bo się zaziębisz. Mężczyzna nie powinien się bać wilczego wycia.

— Ja się nie boję — powiedział Tomek. Wstał i poszedł po zimnej podłodze do drzwi.

Najczęściej Urszula z pułkownikiem rozmawiali późno, w nocy. Bronowicz przychodził do pokoju za kuchnią, zawsze sprawdzając po drodze, czy wnuk na pewno śpi. Kochali się na szerokim łóżku pod oknem.

Od szpar okiennych wiało zimnym powietrzem. Później, nim posnęli, rozmawiali szeptem.

W styczniowe noce pytał o Hanię, czy jest pomocna, czy jej obecność rankami i wieczorem (ustalili, że będzie pomagać przy dojeniu krów i karmieniu drobiu) nie irytuje Urszuli? Chciał wiedzieć na pewno.

— Powiedz, Lili, szczerze, bo przecież nie możesz mieć na głowie kogoś, kogo nie chcesz.

Urszula odpowiadała niechętnie, ale po tygodniu-
-dwóch zorientował się, że polubiły się z Hanią. Słyszał, jak rozmawiają, śmieją się. Obie żartowały z Wasyla.

Nocami wypytywał też o ciążę Urszuli. Czy wie już na pewno, że jest „przy nadziei", jak mówił.

— Czy nic się nie zmieniło?

Urszula i na te pytania odpowiadała niechętnie.

— Co się miało zmienić? Pan pułkownik nie chciał, abym szła do kobiety, co by usunęła. Chciałeś czy nie?

— Nie chciałem — szeptał Bronowicz. — Ja się naprawdę cieszę, że będziemy mieli dziecko. Pytam, bo przecież wtedy nie byłaś pewna, że jesteś przy nadziei.

— Byłam, byłam pewna — mówiła. — A to będzie moje dziecko. To ja urodzę, nie pan pułkownik.

— Ależ Lili — żachnął się — przecież nic się nie zmieni. Nie bój się.

— Wszystko się zmieni. I dla mnie, i dla ciebie.

Kiedyś powiedziała po niemiecku: „Ja będę panną, co ma nie jedno, ale dwoje dzieci". Bronowicz te słowa zapamiętał: *„So werde ich ein Mädel sein, das nicht eins, sondern zwei Kinder hat"*.

209

Wtedy także żachnął się, objął mocniej, przytulił. Znów zaczęli się kochać. Nie widział twarzy Urszuli po ciemku. Czuł tylko czasem mokry policzek przy swoim.

W lutym, po fali styczniowych mrozów, Tomek przyniósł ze szkoły list od pani Wojnickiej. Zaniósł dziadkowi do stolarni. Urszula nie widziała.

„Szanowny i Drogi Panie Pułkowniku — pisała kierowniczka wilnianka. — Zapraszamy z siostrą na podwieczorek w niedzielę o piątej. Wprawdzie będziemy tylko we troje, jeśli Pan łaskawie przyjmie nasze zaproszenie, tak że z brydżyka nici, ale mamy dużo spraw do omówienia, bo tyle na świecie się dzieje!".

Z wykrzyknikiem. I tak dalej — kilka uprzejmych słów na zakończenie. Bronowicz obracał kartkę w palcach. Zapachniało perfumami, które wtedy, gdy był na brydżu, poczuł, całując panią Wandę w rękę.

Wieczorem powiedział Urszuli o zaproszeniu. Jesienią, na werandzie, obiecał, że nie będzie odwiedzał kierowniczki. Teraz pomyślał, że byłoby niezręcznie — nieuprzejmie, jak szeptał do ucha Lili, gdy leżeli, jak zawsze, na łóżku pod oknem, a od szpar nad głową wiało.

— Zgódź się, Lili. Ta pani zupełnie nie interesuje mnie jako kobieta. Tylko ty się liczysz.

Lili milczała. Za kotarą przy drzwiach poruszyła się Zuzi. Powiedziała wyraźnie:

— Ja się nie boję wilków.

— Co gadasz? — Urszula uniosła się na łokciu. Ale mała nie odezwała się więcej.

Odczekali chwilę, potem Bronowicz znów zaczął szeptać:

— Lili, zgodzisz się? Byłoby nieuprzejmie, gdybym nie poszedł.

— A ja się nie liczę, co? — powiedziała głośniej. — Niech pan pułkownik idzie. Mnie i tak w niedzielę nie będzie.

— Ona naprawdę mnie nie obchodzi.

— Jo, jo. Idź sobie. Mnie tam wszystko jedno.

— Ona... — zaczął mówić Bronowicz, ale wtedy zakryła mu usta ciepłą dłonią i już nic więcej nie powiedział.

Pani Wojnicka, tak jak jesienią, wyszła na schodki przed dom. Było ciemno, ale pewno, tak jak wtedy, zobaczyła pułkownika przez okno, idącego ścieżką wydeptaną w śniegu, od drogi. Może skrzypnęła furtka?

— Prosimy, prosimy, czekamy — mówiła pani Wanda. — Jak miło, że drogi pan nie zapomniał o nas. Przyjął zaproszenie.

Bronowicz pocałował dłoń kobiety. Znowu zapachniało perfumami.

— Boże mój, jakżebym mógł zapomnieć? Cała przyjemność po mojej stronie.

Otrzepał ze śniegu nogawki spodni, postukał butami o schodki i wszedł za gospodynią do domu. W kuchni, na wieszaku, powiesił płaszcz z bobrowym kołnierzem, na którym błysnęło kilka płatków śniegu.

Siedzieli, jak wtedy, przy stole — z lampą naftową zawieszoną nad serwetą w kwiaty. Abażur z zielonego szkła oświetlał porcelanowe filiżanki i kryształowe kieliszki. Pili nalewkę z ałyczy. Herbata pachniała jak ta, którą parzyła w Warszawie Izabela. Bronowicz powiedział:

— Moja żona, herbaciara, parzy tak samo dobrą jak pani dobrodziejka!

— Angielska, angielska, z paczki. Niedawno brat przysłał z Olsztyna. Ta tutejsza jest przecież nie do picia — mówiła pani Wanda.

Były poziomkowe konfitury i cytrynowe ciasto.

— Na pana cześć upieczone. Natalka piekła.

Jej siostra mówiła niewiele. W czarnym swetrze, od którego, jak wydawało się Bronowiczowi, zalatywało naftaliną. Siedziała zamyślona. Mówiła pani Wanda — ożywiona i uśmiechnięta. Na białej bluzce brosza, fioletowy szal na ramionach. Siwe włosy upięte w kok.

— Panie pułkowniku, niechże pan bierze ciasto! Dlaczego tylko łyżeczka konfitur? Zbierałyśmy z siostrą te poziomki niedaleko domu.

— Poziomki, poziomki — powtórzył pułkownik. — One zawsze przypominają dzieciństwo, nieprawdaż? W Staniłówce, na Podolu, zbieraliśmy z braćmi na skraju dąbrowy.

Miłą atmosferę wieczoru zakłóciło niespodziewane pytanie Natalii, która, patrząc w okno za plecami Bronowicza, jakby coś zobaczyła za ciemną szybą, spytała nagle: — Więc po co pan szanowny poszedł do tych Ukraińców?

Pułkownikowi zdawało się, że nie dosłyszał lub nie zrozumiał.

— O co łaskawa pani pyta?

— O tych Ukraińców, z którymi pan podobno śpiewał i tańcował.

Wanda Wojnicka spoważniała — przestała się uśmiechać.

— Natalko, nie poruszaj tego tematu. Może pan pułkownik nie chciałby o tym rozmawiać?

Bronowicz, zaskoczony, powiedział:

— Nie, dlaczego? Na wszystko odpowiem. Wyjaśnię, proszę bardzo.

— My się tu zamartwiamy o drogiego pana od tego wydarzenia. Wesela — nie wesela. Po co pan z nimi zadaje się, panie pułkowniku? — spytała Wanda Wojnicka.

— Ach, chodzi o Wasyla — zaczął mówić Bronowicz. — On jest moim parobkiem, furmanem, żartobliwie nazywam go Semenem. Bez niego nie dałbym sobie rady. Z inwentarzem, z uprawą pola.

Chciał mówić dalej, ale siostra Natalia przerwała:

— To Ukrainiec! Oni wszyscy są siebie warci. Pan nie wie, co z nami wyprawiali na Wołyniu?

— A w siedemnasty roku i potem — usłyszał głos pani Wandy — na Podolu? Powinien pan wiedzieć. Pamiętać.

— No dobrze, pamiętam. Ale to zupełnie inni ludzie. Wysiedleni znad Sanu, z okolic Przemyśla. Przez nasze władze komunistyczne. Wyrządzono im ogromną krzywdę.

Usłyszał śmiech Natalii i kiedy spojrzał na nią, pomyślał, że tak mógłby śmiać się kruk czy raczej kruczyca: w czarnym swetrze, pochylona nad filiżanką i talerzykiem z konfiturami. Śmiała się przez chwilę, jednocześnie pokasłując.

— Natalko, Natalko — powiedziała pani Wanda.

— Z okolic Przemyśla — śmiała się jej siostra. — Czy to ma znaczenie? Oni wszyscy są tacy sami. Piłowali Polaków piłami, zakopywali żywcem w ziemi. Kobietom obcinali piersi!

Bronowicz zamilkł. Siedział przygnębiony. Milczenie trwało chwilę, potem znów odezwała się pani Wanda:

— Nie słyszał pan, co się działo na Wołyniu? Wymordowali tysiące bezbronnych ludzi. Tylko dlatego, że byli Polakami.

— Rezuny — powiedziała Natalia. — Straszni. A pan dobrodziej z nimi tańcuje.

Dopiero wtedy pułkownik zdenerwował się. Przez chwilę pomyślał nawet, że powinien wstać i wyjść. Nie przekona przecież tych kobiet. Nic nie znajdzie na swoje usprawiedliwienie. Dla nich Wasyl, stary Jakynowycz i bat'ko Michał to mordercy. Rezuny!

— Bardzo przepraszam — powiedział — ale nie zgadzam się z opinią szanownej pani. Ludzie są różni. My, Polacy, także różnimy się między sobą. Jeśli weźmiemy pod uwagę to, jak poczynają sobie reżimowi ubecy — Polacy przecież, nasi rodacy — to oni również są mordercami. Tortury, o jakich słyszy się od ludzi, którzy ocaleli z ubeckich kazamatów, nie różnią się od gestapowskich czy tych, które stosowali ukraińscy rezuni, jak to usłyszałem przed chwilą. Czym się różnią jedni od drugich? Oprawcy są w każdym narodzie. W każdym społeczeństwie znajdą panie sadystów.

— Panie pułkowniku — powiedziała Wanda Wojnicka — na Wołyniu mieliśmy systematyczną akcję palenia całych wsi, mordowania tysięcy Polaków. Kobiet, dzieci. W najokrutniejszy sposób!

— A pańscy ubowcy to Żydzi! — Siostra Natalia znów zaniosła się ni to śmiechem, ni to kaszlem.

— Mamy przyjaciół w Olsztynie. Oni cudem ocaleli — mówiła Wanda Wojnicka. — To, co widzieli na własne oczy, przechodzi wszelkie wyobrażenia. UPA przybijało niemowlęta do pni drzew.

— A pan łaskawy, tutaj, z nimi: lalala! — głos Natalii kruczycy.

— Nikogo z Wołynia nie spotkałem, to prawda — powiedział Bronowicz. — Ale nasi Ukraińcy z Lipowa to uczciwi i dobrzy ludzie. Nie mam co do tego żadnych wątpliwości. Proszę pani — zwrócił się do Natalii — proszę sobie przypomnieć, kto palił cerkwie na Kresach przed trzydziestym dziewiątym? To my, my Polacy. Ja sam, z moim pułkiem, byłem w rejonie, gdzie systematycznie — podkreślił to słowo — sys-te-ma-tycz-nie — palono cerkiew za cerkwią. Nasi żołnierze kolbami rozpędzali Ukrainki, jeśli próbowały bronić.

— To było konieczne. W tych cerkwiach uczono nienawiści do nas — powiedziała Natalia. — Nie mordowaliśmy nikogo.

— Nie mordowaliśmy? — Tym razem Bronowicz udał, że się śmieje. — A słyszała łaskawa pani o tym, co się działo w Bieszczadach? Wokół Sanoka, Leska, na tych naszych obecnych kresach w cudzysłowie? Teraz to my palimy, wysiedlamy i zabijamy. Nasi lipowscy Ukraińcy mogą o tym opowiedzieć.

— Nie, nie, nie. Nie ma porównania. Nie mamy żadnego wpływu — powiedziała Wanda Wojnicka. — To zupełnie co innego! Dziś rządzą nami Żydzi Stalina, a na Wołyniu mordowali nas nacjonaliści ukraińscy. Oni wszyscy są siebie warci!

— Pani Wando — powiedział jeszcze Bronowicz — Feliks Dzierżyński był, o ile pamiętam, polskim szlachcicem. A dziś jest patronem wszystkich ubeków.

— No dobrze, już dobrze, nie kłóćmy się — zaczęła mówić pani Wanda. — Widzę, że nie przekonamy drogiego pana. A pan pułkownik nie przekona nas. Najważniejsze, że jesteśmy tu razem. Ja czuję się czasem jak na wyspie obleganej przez tych wszystkich, mówiących po niemiecku, Mazurów. W obcym świecie.

— Ja, pani Wando — powiedział Bronowicz — przeciwnie, znalazłem tutaj swój dom.

Siostra Natalia znów się zaśmiała. Chciała coś powiedzieć, ale siostra stuknęła łyżeczką w stół.

— Natalko, dosyć!

Później rozmowa utykała. Panie narzekały na mrozy, na konieczność palenia w piecach dwa razy dziennie.

— Chłopak z sąsiedztwa przychodzi. Same nie dałybyśmy rady — mówiła Wanda Wojnicka.

Pułkownik opowiedział o Tomku, o wydarzeniu z wilkami, które rzekomo miały wyć na podwórzu.

— Nasz pies, zapewne daleki krewny wilków, wył koło budy. Była pełnia księżyca.

Kobiety pośmiały się z Tomka. Pani Wanda powiedziała:

— Rodzice będą mieć pociechę z chłopca. Jest wyjątkowo inteligentny.

216

Odprowadziła pułkownika na schody przed domem. Kiedy odchodził, usłyszał:

— Niech pan tej naszej kłótni nie bierze sobie do serca, broń Boże!

Bronowicz odwrócił się:

— Ależ skąd, ależ jakżebym mógł, łaskawa pani.

Skrzypnęła furtka.

Ale wracał przez wieś przygnębiony. Brnął do drogi wąską ścieżką, wydeptaną w śniegu, później szedł obok zasp na poboczach. Wśród ciemnych domów. Jak zawsze szczekały psy.

Tomek spał na sofie w dużym pokoju. Urszula siedziała przy zapalonej świecy w kuchni (nafta skończyła się, Wasyl miał nazajutrz iść do Jakubowa z bańkami, kupować dla Bronowicza i rodziców).

— No i co? Aby zadowolony? — spytała. Nie poszły z małą do Gałkowa — zostały na niedzielę w Lipowie. Śniegu znowu nawiało za dużo. Droga przez las była nieprzejezdna — nawet gdyby Bronowicz chciał wieźć saniami. Usiadł teraz obok, zapatrzył się w płomień świecy. Po chwili objął ramieniem Urszulę i mocno przygarnął.

W marcu przyszła wiosna — kilka słonecznych dni. Najpierw z dachów zaczęły skapywać krople. Tomek lubił przyglądać się z werandy, jak topnieją lodowe sople, zwisające z okapów, i jak woda zalewa deski schodków. Kap, kap, kap bez końca, jak sekundy odmierzane przez zegar w kuchni. Później woda zaczęła lać się z okapów, póki cały śnieg na dachu nie stopniał. Pod ścianami stały kałuże, w których odbijało się niebo. Wszędzie pachniało topniejącym śniegiem, tylko obok stodoły obornikiem.

Podczas tych kilku pierwszych wiosennych dni jeździli z Wasylem na pole — wozili obornik. Zrzucali w kilku miejscach, na dawnym kartoflisku. Tomek pachniał później obornikiem jak kocur Wielkogłowy, który śpi z krowami w oborze.

Do szkoły zaczął chodzić w kaloszach przyniesionych z Gałkowa przez Urszulę. Brodził w koleinach ze stojącą wodą, gdy szedł rankami. W worku nosił kapcie. Nakładał w szkolnej sieni, pod wieszakiem, na którym wisiały kurtki i palta dzieci.

Na rzece stopniał lód. Chłopcy biegali w czasie przerwy na most. Przechyleni przez balustradę, patrzyli na ciemny nurt. Rzeka płynęła szybciej, pełna wirów, gałęzi, piany.

Minął marzec, przyszedł kwiecień. Wracając ze szkoły, znów widzieli klucze gęsi. Teraz leciały na północ. W rowach przydrożnych zakwitły kaczeńce. W lesie — zawilce i przylaszczki. Wieczorami w ogrodzie za domem śpiewał kos. Wygwizdywał różne melodie — raz ciszej, raz głośniej, świstał cienko, jakby czymś zasmucony, a potem zaraz zaczynał radośnie, jakby się cieszył: la-la--la, la-la-la! Słuchali koncertów, siedząc na werandzie.

— On się na pewno uczył w ptasiej szkole dla śpiewaków — powiedział Bronowicz. — Muzycznej.

— Dziadku, ty mnie nabierasz. Kosy nie chodzą do żadnej muzycznej szkoły.

— No to skąd umiałby tak pięknie śpiewać?

— Sam od siebie. Ja też tak potrafię. — I Tomek spróbował zagwizdać jak kos, ale wyszło tylko słabe poświstywanie.

— Coś ci nie idzie — powiedział dziadek. — Nie tak łatwo być kosem.

Wielkanoc przyszła w kwietniu, chłodna i wilgotna. Tomek przyniósł znad rzeki gałązki wierzbowe z dużymi kotami, jak mówił. Bazie postawiono w dzbanku na stole kuchennym. Bronowicz przywiózł z Jakubowa baranka z cukru. Na glinianym talerzyku, pomalowanym na zielono, z chorągiewką, został ustawiony obok bazi i półmiska z jajkami na twardo. Te jajka Urszula gotowała w wodzie z łupinami cebuli. Były jasnobrązowe, przybrane gałązkami barwinka, które Zuzi przyniosła z ogrodu. Na świątecznym stole brakowało tylko koszyka ze święconym, o czym pułkownik wspomniał, gdy pierwszego dnia świąt Zmartwychwstania Pańskiego — w niedzielę — siadali do świątecznego śniadania.

— Wy tego zwyczaju nie znacie, Lili, ale u nas zawsze chodziło się w soboty święcić do kościoła. Pamiętasz Tomku? Chodziłeś z mamą do kościoła Jezuitów na Rakowiecką.

Wnuk nie pamiętał, za to Zuzi powiedziała z buzią wypchaną jajkiem na twardo:

— Moja babcia mówi, że najważniejsze, aby tylko Jezusa Chrystusa, Pana naszego, nosić w sercu.

Tomek roześmiał się:

— Coś ty, coś ty, serce nie może nikogo nosić!

219

— Nie śmiej się. Babcia gadała zawsze, że najważniejszy jest Pan nasz, Jezus Chrystus. Musisz go nosić w sercu.

— Lili, masz wyjątkowo pobożną córkę — powiedział pułkownik.

Z końcem kwietnia zakwitły ałycze wokół ogrodu. Wydawało się, że dom stoi otulony białą chmurą. Pod ałyczami, w cieniu, aż fioletowo było od kwitnących fiołków. Tomek, wracając ze szkoły, skręcił za dom. Zobaczył Zuzi stojącą nieruchomo pod jabłonką.

— Zuzi — zawołał, ale ona nie obejrzała się. — Zuzi, Zuzi! — krzyknął głośniej. Wtedy, nie odwracając się, machnęła ręką, jakby dawała znak, żeby zamilkł. Tomek podszedł wolno, starając się stąpać cicho po trawie. Pochylił się nad Zuzi i krzyknął: — Hu, ha!

Dopiero wtedy odwróciła się.

— Coś ty zrobił? Ty głupi, przez ciebie ona znikła.

— Kto znikł? Jaka ona?

— Jedna dziewczynka, która tu przychodzi do mnie. Ale nigdy nic nie mówi. Tylko stoi i patrzy.

— Jaka dziewczynka? Co ty opowiadasz?

— Naprawdę. Była, ale znikła, jak ją przestraszyłeś.

— Gdzie była? Pokaż.

Zuzi wyciągnęła rękę: — Tam, w cieniu. Stała na fiołkach. I kot był koło niej. O, jeszcze tam chodzi. Ociera się o drzewko. Ona go głaskała, naprawdę.

Tomek zrzucił z ramienia tornister i pobiegł w stronę ałyczy.

— Łapać, trzymać! — wołał.

Upadł na trawę w miejscu, gdzie zaczynały się fiołki. I zaraz poczuł falę fiołkowego zapachu. Kot Wielkogłowy czmychnął między krzaki porzeczek. Tomek został. Leżąc na brzuchu, machał nogami w powietrzu. Sandał z lewej nogi spadł na trawę.

Zuzi przyszła po chwili. Kucnęła obok.

— Tak ją przestraszyłeś, że pewno długo nie przyjdzie.

— Coś ty, coś ty — powiedział Tomek. — Tutaj nikogo nie było. Tylko kot. Zdawało ci się albo wszystko wymyśliłaś.

— Ona była. Naprawdę — upierała się Zuzi. — Miała różową sukienkę.

— I białą czapkę na głowie, tak?

— Skąd wiesz?

— Wymyśliłem. Tak jak ty, że ją widziałaś.

— Jak nie wierzysz, to możesz sobie nie wierzyć — powiedziała Zuzi.

— Pewno, że nie będę wierzył. — Tomek usiadł na trawie. Podciągnął podkolanówkę, nałożył sandał i wstał. Odszedł w stronę domu.

Zuzi została na klęczkach nad fiołkami, których zapach raz wydawał się mocny, raz znikał jak dziewczynka w różowej sukience.

W czerwcu zaczęły się poziomki. Tomek chodził z Urszulą i Zuzi na polanę przy drodze do Gałkowa, gdzie było ich najwięcej.

— Poziomkowa łąka — mówiła Zuzi.

Ciągnęła się hen, w stronę leśnego jeziora i tam podmokła, porośnięta kępami irysów, storczyków, mięty, fioletowych dzwonków. Krzakami tarniny. Dalej, u krańca łąki, widzieli ciemną linię drzew nad brzegiem jeziora. Tu, bliżej lasu, rosły poziomki.

Chodzili w kaloszach, które Urszula kazała nakładać w obawie przed żmijami — mogły leżeć, wygrzewając się na słońcu. Tomek i Zuzi zbierali do blaszanych kubków — Urszula wprost do kanki. Czasem, gdy dzieci odchodziły dalej i nikły, kucając, przesłonięte wysoką trawą, Lili wołała:

— Ej, ej, gdzie wy są, ludkowie?

Poziomki były duże, w miejscach odsłoniętych ciepłe od słońca. Te najdojrzalsze łatwo było rozgnieść, nim wrzuciło się do kubka. Opuszki palców Tomka i Zuzi były czerwone — pachniały poziomkami. Oboje, zbierając, zjadali te największe. Tomek, unosząc głowę, wrzucał czasem kilka naraz — z garści do ust. Resztę wsypywał z kubka do kanki, którą Urszula stawiała w trawie.

Nad łąką, wysoko, krążyły myszołowy — zataczały kręgi na błękitnym niebie. Słyszeli kwilenie ptaków.

— One tak płaczą — powiedziała Zuzi — bo nie zbierają z nami poziomek i jest im smutno.

Tomek zaśmiał się zza kępy trawy. Urszula znów zawołała:

— Ej, ej, ludkowie, nie odchodźcie aby za daleko!

Czasem zaczynała kukać kukułka — druga odpowiadała z daleka. Nad łąką niosło się kukułcze „kuku, kuku" — bez końca. Siedziały niewidoczne, na sosnach, na skraju łąki lub nad jeziorem.

— O, kukawecka! — zawołała Zuzi, gdy pierwszy raz usłyszeli kukania. Wtedy blisko — zdawało się tuż-tuż. Tomek wyjrzał zza kępy traw.

— Nie kukawecka, tylko kukułka.

— A ja mówię kukawecka, prawda mamo? Tak się mówi: telo kukawecka!

Urszula nie dosłyszała, a Tomek znów się zaśmiał. Schował w trawie.

Wracali w upalne przedpołudnia, jeżeli szli zbierać rano (w soboty lub niedziele), albo wieczorami, kiedy wychodzili po obiedzie. Urszula niosła ciężką kankę pełną uzbieranych poziomek. Czasem Tomek lub Zuzi próbowali pomagać. Pięciolitrowa kanka była za ciężka dla małej, a Tomek niósł zawieszoną na kiju (kij oparty na ramieniu). Upuścił raz kankę, czym bardzo zdenerwował Urszulę i Zuzi.

Jedli potem poziomki na deser, po obiedzie lub po kolacji — w kubkach albo filiżankach.

— To najwspanialszy deser na ziemi — mówił pułkownik. — Czy jedliście coś lepszego?

W ostatnią czerwcową niedzielę, do wieczora, Tomek był nad rzeką. Pułkownik poszedł osiodłać Dońkę — chciał, po upalnym dniu, pokłusować za most, w stronę dużego jeziora i tam wykąpać się, jeśli woda nie będzie zbyt zimna.

Z uzdą i siodłem na jednym ramieniu, z przewieszoną przez drugie ramię torbą, szedł w stronę ogrodzonego palisadą kawałka łąki, na którym pasły się Dońka i Benedykt. Dochodził do ogrodzenia, gdy zobaczył idącego od strony Gałkowa mężczyznę. Zbliżał się powoli, lekko utykając — przerzuconą przez ramię marynarkę przytrzymywał jedną ręką, czapkę niósł w drugiej. Bronowicz postawił siodło na trawie, oparł o słup, uzdę i wodze przewiesił przez belkę. Czekał na nieznajomego. Mężczyzna zbliżał się powoli. Pułkownik widział, jak jego siwe włosy poruszył wiatr. Był w białej koszuli, twarz ogorzała. Utykał na lewą nogę. Wydawało się, że pociąga stopą po trawie.

Zatrzymał się kilka kroków przed Bronowiczem.

— To pan pułkownik? Dziadek Tomka?

— Tak jest — powiedział Bronowicz. — Czym mogę służyć?

— Służyć, służyć — powtórzył mężczyzna. Postąpił jeszcze krok, ale bliżej nie podchodził. — Jo tu nie przyszedł, żeby sam o służenie prosić. Jo przyszedł o moim dziewcaku gadać, co u was służy.

— O, pan Kraska, ojciec Urszuli, czy tak? Bardzo proszę. Zapraszam do domu. Pogadamy, poczęstuję nalewką. — I pułkownik, z wyciągniętą ręką, przeszedł kilka kroków w kierunku Mazura. Ale Kraska cofnął się, tracąc przy tym równowagę. Zamachał czapką.

— Jak się będziem żegnać, to sobie ręce podamy, panie. Tera ino chce gadać, bośmy nabazili się krzyża z kobietą przez to wasze niłowanie.

Bronowicz wrócił pod palisadę. Za nim Dońka, która przygalopowała ze środka ogrodzonej łąki — chętna do kłusowania — potrząsnęła łbem. Zarżała cicho. Pułkownik milczał. Teraz dopiero ojciec Urszuli podszedł bliżej.

— Dowiedzielim się od niej eno co, że się dziecka spodziewa. A wy, panie, ojcem jesteście. Czy tak? Gadała wam o tym?

— Mówiła mi — powiedział pułkownik. — Ja się cieszę. Dam dziecku nazwisko.

— Nazwisko, nazwisko — powtórzył Kraska. — Telo nie o nazwisko się rozchodzi, ale o ślub. Co by Urszulka miała zostać waszą żoną, panie, i normalnie żyła, a nie tak jak na to idzie: jako ta dziewca z dzieciakami. Czy to, panie, uczciwie będzie? Sprawiedliwie?

Bronowicz milczał.

— Ona, panie, już takiego jednego ksiozięcia miała. We wojnę jeszcze się z nim zadała. Polak przywieziony tu do roboty u sąsiada. Cośmy wtedy się namartwili z nieziastą moją, ale nic nie pomogło: Zuzi się narodziła w czterdziestym trzecim, a jak Sowieci przyszli, to ten Polak wyjechał ino co i tylko dziewce płakało. A teraz znów, pan pułkownik, ksioze, w drugie dziecko ją obleka. Godzi się tak bez ślubu, bez tej przystojnoj miłości? Godzi się tak? Jo?

Bronowicz milczał.

— Pan pułkownik jest ofiserzem, ma honor, nie? Jak to się esce ma do tego honoru?

— Proszę pana — zaczął mówić Bronowicz — ja kocham pana córkę. Nie skrzywdzę na pewno. Jest chyba szczęśliwa ze mną i ja jestem szczęśliwy. Czy to nie najważniejsze?

Johan Kraska pokręcił głową.

— Nie, panie. Dla mnie, dla jej matki, nie o takie szczynście idzie. Eno inne szczynście. Żeby żyła wśród ludzi godnie jak każda inna nieziasta, co miała albo ma ślubnego męża. A nie tak, co by jej babie plotki dokuczały. I ludzki śmiech udręcał. Czy pan to rozumie?

— Rozumiem — powiedział Bronowicz. — Ale najważniejsze, że jest szczęśliwa. Ja jej nie porzucę przecież. Nie dam skrzywdzić.

— Już jom krzywdzi. I nie rozumie. Ja się tylko boję, że wszyscy z tej przyczyny ucirzpimy. Ona, pan ksioze i my, strychowe — matka i jo.

Stary Mazur odwrócił się i zaczął odchodzić. Bronowicz został przy palisadzie. Dońka położyła łeb na belce. Objął ciepłą szyję konia i stał, patrząc za odchodzącym. Kraska szedł w stronę drogi do Gałkowa przez pustą łąkę. I teraz trzymał marynarkę przerzuconą przez ramię. W drugiej ręce czapkę. Pociągał lewą stopą.

Wieczorem, kiedy Tomek wrócił znad rzeki (z menażką, z której wystawały płetwy okoni i płoci), dziadek leżał na łóżku w dużym pokoju. Wydawało się, że śpi.

— Dziadku — zawołał stając w otwartych drzwiach — złowiłem małego szczupaka, ale go wyrzuciłem z powrotem do rzeki!

Bronowicz nie odpowiedział. Na podłodze, pod łóżkiem, stała butelka. Korek leżał obok.

— Dziadku, ten szczupak złapał się na robaka. Zoni się tylko śmiał.

— Trochę źle się poczułem — powiedział dziadek. — Idź, zjedz kolację. Jest chyba kwaśne mleko i ziemniaki z obiadu. Potrafisz zapalić w piecu?

— Myślałem, że usmażymy ryby — powiedział wnuk. — Zobacz dziadku, ile złowiłem! — Podszedł bliżej, podsunął menażkę.

Ale pułkownik nawet nie spojrzał.

— Musisz sam sobie poradzić — powiedział. Zamknął oczy.

Nazajutrz, w poniedziałek, miał jechać do Jakubowa, gdzie w gminie odwiedzał co pewien czas „pełnomocnika do spraw obowiązkowych dostaw". Dostawy zboża, mięsa, a także wyznaczone kwoty do zapłacenia w kasie gminy — stały się powodem powtarzającego się co kwartał utrapienia.

W czterdziestym siódmym, kiedy Bronowicz przyjechał i urządzał się w Lipowie, uzyskał zwolnienie. Pomógł wójt, do którego zaniósł podanie. Ale już w czterdziestym ósmym i dziewiątym zaczęły przychodzić wezwania do zapłacenia podatku oraz dostarczenia mięsa i zboża (ilości podawano w kilogramach).

Po roku, gdy pierwszy raz odwiedził „pełnomocnika", nie załatwił nic. Towarzysz Mioduszewski Roman, o czym dowiedział się z tabliczki na drzwiach — łysy urzędnik w marynarce wypchanej na ramionach, kraciastej koszuli, z połówką papierosa tkwiącego w drewnianej cygarniczce — powtarzał:

— Nie mogę obywatelu — tu zaglądał do podania — Bronowicz, czy tak? To jest wasz obywatelski obowiązek.

Dopiero podczas drugiej wizyty, jesienią, gdy postawił obok biurka na podłodze litrową butelkę z niebieskiego szkła (za radą Wasyla, żeby „przemówić do ręki") — rozmowa była inna.

— Ja, panie pułkowniku, wiem dobrze — mówił pełnomocnik — że dla osadnika z centrali to za dużo. Ale jak ja panu odejmę, to komu innemu muszę dodać. Czy pan rozumie?

Bronowicz powtarzał, że rozumie, oczywiście, ale że jego zdaniem na tym terenie w ogóle nie powinno się ludzi nękać dostawami.

— Tu przecież gleby piaszczyste. Piąta, szósta klasa. Najczęściej kobiety same gospodarzą, bo mężczyźni poginęli na wojnie. Co takie nędzarki z jedną krowiną i hektarem łąki mogą dać? One z dzieciakami i tak ledwo żyją.

Mioduszewski krzywił się, przymykał powiekę, gdy dym papierosa drażnił oko.

— Ja, panie pułkowniku, nie decyduję. Władza ludowa decyduje. Góra — podnosił palec, brązowy od nikotyny, i pokazywał na sufit. Kaszlał dłużej.

— Panie Romanie, to ogromny haracz — mówił Bronowicz po kilku wizytach, stawiając butelkę obok biurka — chce mnie pan z torbami puścić?

Mioduszewski znowu krzywił się, czasem rozkładał ręce, ale w końcu zaczynał liczyć, przesuwając drewniane krążki na drutach liczydła (zawsze leżało na papierach pod ręką). Kreślił lub darł stare wezwanie i wypisywał nowe. Podawał nad biurkiem pułkownikowi.

— Tak będzie lepiej?

Bronowicz składał podpis na nowym „poświadczeniu".

Wizyty u Mioduszewskiego z czasem zaczęły się przedłużać. Pełnomocnik, rodem z Grodna, jak powiedział, chętnie opowiadał o swoich przeżyciach wojennych. Z armią kościuszkowców przeszedł szlak znad Oki do Berlina. Cudem, jak mówił, ocalał pod Lenino. Na pytanie Bronowicza, jak trafił do Berlinga i dlaczego nie zabrał się z Andersem, nie odpowiedział. Także na pytanie, w którym roku i dokąd został wywieziony z Grodna. Za to długo opowiadał o spalonej Warszawie, którą widział w styczniu czterdziestego piątego. Jeśli Bronowicz zaczynał mówić o trzydziestym dziewiątym, o swoich losach, o tym, jak trafił do oflagu, Mioduszewski słuchał tylko przez chwilę, kaszlał, przerywał i wracał do swoich przeżyć.

Chętnie opowiadał o synach i żonie — krawcowej.

— Przedwojennej, panie kochany. Zapraszam, ulica Grunwaldzka numer sześć. Kobieta ma talent w rękach. Garnitur może uszyć.

Młodszy syn służył w wojsku — był w Bieszczadach.

— Pan wie, co te ukraińskie bandy tam wyprawiały? — zapytał w czasie kolejnej rozmowy. — Przecież zabili nam generała.

Bronowicz nie podjął tematu. Ale żegnał się z Mioduszewskim jak z dobrym znajomym.

— To do następnego razu, panie Romanie. Chyba że haracz przyślecie nieduży.

Żal mu było zwłaszcza cieląt od krów, które byk Jakymowyczów zapładniał. Odhodowane — po kilku tygodniach — musieli z Wasylem odwozić do punktu „obowiązkowych dostaw". Wierna lub Góralka ryczały później przez tydzień, płacząc, jak mówiła Zuzi, po swoich dzieciach. Worek lub dwa żyta Bronowicz kupował. Czasem wymieniał ziemniaki na zboże. Liczył pieniądze. Tych przywiezionych z Warszawy i trzymanych w skrytce na strychu — po trochę ubywało.

Wtedy, w poniedziałek, do Jakubowa nie pojechał. Z bólem głowy, niewyspany i nieogolony, poszedł piłować deski do stolarni. Wasyla posłał po kantówkę (potrzebną na budowę szopy, którą mieli stawiać). Tomek poszedł do szkoły.

Urszula przyszła po ósmej. Bronowicz wyjrzał ze stodoły, gdy usłyszał radosne szczekanie psów. Zuzi klęczała koło budy Atamana. Pośrodku podwórza stała Lili obok pękatego wózka dziecięcego, na którym przywiozła walizkę. Zaczęła iść w jego stronę. Chyba wtedy pierwszy raz zauważył jej zmienioną sylwetkę — wydatny brzuch — także to, że szła wolniej.

— Ja ciebie, kochany, przepraszam — powiedziała. Zarzuciła ręce na szyję Bronowicza, a on objął ją i przygarnął.

— Nie wiedziałam, że ojciec tu idzie. Powiedział mi dopiero na ziecór. Tak się zgniewałam, że teraz do nich nie wrócę.

— Lili, Lili — zaczął mówić — tak nie można. Ja go rozumiem.

— Ale dlaczego nie gadał wcześniej? Jak powiedziałam, żem przy nadziei, to nie rzekł nic.

— Lili, Lili.

— Ja tego nie rozumiem, kochany. Gdy się kogoś miłuje, to się miłuje.

— Niłuje, mówił twój ojciec.

Stali jeszcze, obejmując się, pośrodku podwórza, gdy przybiegła Zuzi.

— Mamo, Ataman też będzie miał dziecko, bo ma wielki brzuch! — usłyszeli nagle.

Wtedy, jak odepchnięci, odskoczyli od siebie. Bronowicz schylił się.

— Zuzi, Ataman to pan pies. Panowie nie mogą mieć dzieci.

— Eno nie opowiadaj głupstw — powiedziała, śmiejąc się Urszula.

Bronowicz wrócił do stolarni.

Wieczorem, późno, gdy przyszedł do niej, jak zawsze po drodze sprawdzając, czy Tomek śpi, rozmawiali dłużej. Pułkownik, obejmując, mówił do ucha:

— Twój ojciec powiedział, że już przeżyłaś miłość, że ten twój ukochany, Polak, który tu trafił w czasie wojny, wyjechał, jak przyszli Sowieci. A ty zostałaś z Zuzi i płakałaś po nim. Tak było?

— Jo — szepnęła Urszula.

— Jak miał na imię?

— Stacho.

— Nigdy już nie odezwał się? Nie napisał?

— Nigdy.

Bronowicz położył się na wznak, ręce skrzyżował pod głową. Urszula ułożyła się obok. Czuł jej policzek na zgięciu łokcia — ciepły ciężar. Włosy Lili czymś pachniały — myła pewno w Gałkowie. Może płukała wywarem z rumianku?

— Co ja mogłem mu powiedzieć? Nic a nic. Tyle że ciebie nie skrzywdzę, że się kochamy.

— A on co gadał?

— Że nie o to chodzi jemu i twojej matce. Chcieliby, żeby to była „przystojno miłość".

— Mutti płakała okropnie, jak wychodziłam. „Uli, Uli — mówiła — tyś dla nas jest najważniejsza".

— Mój Boże — powiedział Bronowicz.

Leżeli potem długo w milczeniu. Za kotarą Zuzi poruszyła się, małe łóżko zaskrzypiało.

— Teraz to tylko mnie niłujes? — usłyszał.

— Nie jesteś pewna? Kochana!

— Bo tylo niłowałeś.

— Pewno, że tak. Ciebie na świecie nie było, a już niłowałem. Na Ukrainie, w Humaniu, Marysię, koleżankę z żeńskiego gimnazjum. Potem w Kijowie, Zosię, Polkę ze spalonego dworu. W Odessie Ołenę. W dziewiętnastym roku, jak kwaterowaliśmy w Śniatyniu, Marusię, Ukrainkę.

— *Mein Gott* — szepnęła Urszula.

— Potem w dwudziestym, w Warszawie, poznałem Izę. Izabelę. Przez dwadzieścia lat, bez mała, byliśmy dobrym małżeństwem. Z Izą to dopiero była przystojno niłość. A właściwie „przystojno" to znaczy jaka?

— Dobra, dobra. Taka, co ludzie szanują.

Bronowicz milczał długo. Potem znów zaczął szeptać:

— Wiesz, kiedy człowiek sześć lat żyje bez kobiety, tak jak my, zamknięci w oflagu, to przystojno czy nie przystojno miłość nie ma żadnego znaczenia. Człowiek tęskni do kobiety. Do rąk, włosów, oczu, ciała, dotyku. Tęskni tak do bólu, do rozpaczy, wiedząc, że dzień po dniu, dzień po dniu będzie mijał i żadnej kobiety nie dotknie. W tym zamknięciu, w tej klatce. A naokoło mężczyźni, mężczyźni, mężczyźni! A ty tęsknisz. Rozumiesz?

Teraz Urszula milczała.

— Przecież tego nie mogłem ojcu tłumaczyć — powiedział głośniej.

— Tęskniłeś do żony, do swojej Izy?

— Wiesz — zaczął znów szeptać — że nie. Do Izy nie tęskniłem. Tęskniłem do takiej wyśnionej kobiety. Do takiego ideału.

— Do jakiej? Co gadasz?

— Do ciebie bym tęsknił. Na pewno.

— A dlaczego do niej nie tęskniłeś?

— Tęskniłem do córki, do domu. Do tej naszej Warszawy przedwojennej. Do wieczorów na Płatowcowej. Do akacji na ulicy. Nawet do portretu Marszałka w moim gabinecie, wiesz?

— A do niej? Przecież to kobieta.

— No dobrze, powiem ci. Kiedy wracasz po tych sześciu latach, a twoja kobieta jest zmieniona, inna niż pamiętałeś i kiedy jeszcze nie ma ochoty na miłość, bo ochłodła przez tę wojnę zupełnie, bo ma dość wszystkiego, bo choruje, ciągle coś jej dolega, to zaczynasz rozumieć, dlaczego do niej nie tęskniłeś. I zaczynasz rozumieć, że musisz znaleźć sobie inną kobietę. Taką, która będzie chciała kochać. Kochać, kochać — powtórzył. — Czy to miałem twemu ojcu tłumaczyć?

Urszula znów szepnęła:

— *Mein Gott* — zamknęła oczy.

— Zasypiasz?

— Jo.

Wtedy zaczął się podnosić na łokciu. Uniósł głowę Lili, podkładając dłoń pod policzek, ostrożnie ułożył na poduszce. Usiadł na łóżku. Zaczął nakładać piżamę, rzuconą na podłogę. Powiew zza uchylonego luftu poruszył zasłoną. Pułkownik patrzył chwilę na gwiazdy widoczne za wąskim kawałkiem okna. Wstał i boso poszedł w stronę kotary między kuchnią a pokojem Lili.

Znów przyszła niedziela — lipcowa, upalna. Bronowicz przeliczał stopnie ze skali Fahrenheita na Celsjusza. Wychodziło po trzydzieści i więcej w cieniu.

W sobotę w szkole rozdano cenzurki. Tomek, uradowany, przybiegł ze swoją zaraz po uroczystości. Ze wszystkich przedmiotów miał piątki, jedynie z polskiego stopień obniżony — czwórkę. „Trochę za dużo błędów ortograficznych robisz", powiedziała pani Wojnicka, wręczając jasnoróżowy papier z orłem bez korony i nadrukiem: „Szkoła Podstawowa Numer Jeden". Niżej, już ręcznie, atramentem, dopisano „w Lipowie". Przedmioty i stopnie także były wpisane atramentem na wykropkowanych linijkach, niżej.

— Dziadku, dziadku — wołał, biegnąc przez łąkę w stronę miejsca za stodołą, gdzie Bronowicz z Wasylem stawiali szopę — zadaszenie na drewno, jak mówili, na pnie i polana, na opał (jesienią i zimą trzeba było palić w piecach bez przerwy — mokre drewno, po deszczach lub spod śniegu, paliło się źle). — Dziadku — mówił zdyszany — zobacz, jakie mam świadectwo!

Pułkownik z Wasylem zaczęli oglądać papier.

— Pięć, pięć, pięć — czytał dziadek. — Proszę, gratuluję! — Przygarnął wnuka, zwichrzył włosy, pocałował.

— Nasz chłopak to jest *zdibnij*, co, pane pułkowniku? — powiedział Wasyl.

Później, w kuchni, chwaliła świadectwo Urszula. Tylko Zuzi, klęcząc na ławie, pochylona nad stołem, na którym leżała cenzura Tomka, długo wodziła palcem po wypisanych stopniach. Czytała, sylabizując, szeptem:

— Ra-chun-ki bar-dzo do-bry, przy-ro-da bar-dzo do-bry, pol-ski do-bry. Mamo, on ma z polskiego tylko dobry!

Tomek zabrał świadectwo ze stołu.

— No to co? Jak dobry, to też dobrze. Ty byś miała niedostateczny.

W niedzielę do obiadu był nad rzeką. Poszli z Horstem i Zonim do miejsca naprzeciw leśniczówki — tam, gdzie w ubiegłym roku kąpali się z Wasylem. Tak jak wtedy skakali z wysokiego brzegu do zielonej wody. Przez gałęzie olch przeświecało słońce. Wydawało się, że jasne plamy popłyną rzeką dalej. Mokrzy wychodzili na brzeg — leżeli na łące powyżej skarpy, na trawie wygrzanej słońcem. Potem znów biegli, żeby skoczyć do wody.

W południe przyszły dziewczyny: Marysia, Dorotka i Helga. Chłopcy zobaczyli kolorowe sukienki na ścieżce między pokrzywami, wśród wielkich łopianów. Dziewczynki rozłożyły koc trochę dalej. Dorotka przyszła z koszykiem, w którym przyniosła kanapki i butelkę z herbatą. Spódniczki i bluzki zdejmowały odwrócone plecami do chłopców.

— Nie wstydźcie się! — zawołał Zoni. — Chodźcie bliżej. Woda ciepła!

Pierwsza stanęła na brzegu Helga: najgrubsza spośród trzech dziewczynek. Granatowe pantalony opinały pośladki. Małe piersi schowane pod białą koszulką. Zoni podbiegł z tyłu, objął w pasie — Helga zaczęła piszczeć, wyrywała się, ale Zoni nie ustępował. Krok po kroku popychał do krawędzi skarpy. Razem polecieli do wody. Strzeliły bryzgi, klasnęło głośno. Wrzask dziewczyn słychać było na moście. Dopiero po kilku minutach przestały krzyczeć. Pływały później pieskiem, wzdłuż brzegu. Trzymały się dalej od wypłukanego przez nurt dołu. Horst i Zoni wypływali na środek rzeki — wracali. Tomek z zatkanym nosem (ściskał palcami, biegnąc) rozpędzał się i skakał ze skarpy. Jeśli koło dziewczyn, znów zaczynały krzyczeć.

Nurkowali. Oblewali się wodą. Zoni wszedł na konar olchy i stamtąd skoczył. Tomek długo przymierzał się — chciał też wejść na drzewo, ale zrezygnował.

Dziewczyny zjadły kanapki, siedząc na kocu. Chłopcy leżeli na trawie. Wysokie źdźbła chwiały się nad głową, czasem bzyknęła mucha. To wtedy Tomek pomyślał, że ta chwila — kiedy skóra na rękach i brzuchu wysycha powoli na słońcu i kiedy widać, przez przymknięte powieki, jak trawa kołysze się naokoło, a po policzku spływa zimna kropla z mokrych włosów — ta chwila to jest właśnie szczęśliwe życie.

Horst i Zoni odeszli brzegiem, także Helga i Marysia poszły wcześniej. Tomek leżał w trawie, nie wiedząc, że została Dorotka. Była niedaleko, na szarym kocu. W pomarańczowej koszulce i granatowych pantalonach podobnych do tych, jakie miała Helga. Usłyszał nagle:

— Jak ześ głodny, to przyjdź tu.

Wyjrzał zza wysokich traw.

— O, jesteś! — ucieszył się. Wstał i pobiegł na koc. Zjadł kanapkę z plasterkiem jajka na twardo i wypił z dna brązowej butelki, zamykanej na biały kapsel, łyk zimnej herbaty.

Leżeli potem, jedno obok drugiego, podparci na łokciach, czując na plecach gorące słońce, a pod sobą ciepły koc. Słuchali, jak wiatr szumi w gałęziach olch. Patrzyli na trawy na łące. Czasem powiew chylił źdźbła, jakby płynęła po łące fala. Tomek uniósł się, przysunął bardziej w stronę Dorotki.

— Cieszysz się?

— Jo.

— Powiedz, z czego się cieszysz?

— Że tu przyszłam.

— Ja też — powiedział i położył się z powrotem, przysuwając jeszcze bliżej. Czuł teraz ciepłe ramię Dorotki przy swoim. Znowu bzyknęła mucha. Zaskrzeczała blisko spłoszona sójka.

— A wy, co się tak wygrzewacie? — usłyszeli niespodziewanie. — Do rzeki! Kąpać się!

Tomek zerwał się, kucnął zaraz. Dorotka uklękła obok. Nad nimi stał aspirant Kwiatkowski — pewno przyszedł ścieżką z leśniczówki. Bez koszuli, z ręcznikiem przewieszonym przez ramię, uśmiechał się, rozbawiony.

— O, pan Tomek, wnuk pułkownika! Kąpałeś się?

— Pewno, że tak.

Dorotka zaczęła składać koc.

— Leżcie sobie. Opalajcie się. Ja tylko na chwilę, zaraz wracam. — I aspirant Kwiatkowski zaczął zdejmować spodnie. Skoczył potem z brzegu, zanurkował — kawałek dalej wypłynął z zielonej wody i zaraz popłynął crawlem na środek rzeki. Stojąc, zanurzony po pas, zawołał: — Hej, hej, chodźcie tu do mnie! Ale oni już nie mieli ochoty na kąpiel. Tomek włożył trykotową koszulkę. Harcerskie spodenki nakładał, siedząc na trawie. Na bose stopy wsunął sandały. Dorotka zabrała koszyk i koc. Poszli brzegiem w stronę mostu — ścieżką wśród łopianów i pokrzyw.

Po obiedzie namówił dziadka na spacer. Bronowicz odkładał pójście kilka razy — wychodził na werandę, sprawdzał stopnie na termometrze.

— Niech trochę chłodniej będzie. Może zachmurzy się pod wieczór. Strasznie gorąco.

Ostatecznie wyszli przed szóstą, kiedy kilka obłoków pokazało się na niebie i słońce przygasło. Poszli nad leśne jezioro, gdzie Tomek z Wasylem pławili konie. I teraz Tomek prosił, żeby osiodłać Dońkę i Benedykta (jeździł już na małym siodle, kupionym przez Wasyla na targu w Myszyńcu od sowieckiego żołnierza). Ale pułkownik nie zgodził się.

— Zgrzeją się, spocą, potem wbiegną do zimnej wody. Trzeba by rozsiodłać najpierw. Duży kłopot. A jeszcze jak spotkamy tych, co wtedy chcieli zastrzelić Wasyla?

— Dziadku, ich dawno tam nie ma! — zawołał Tomek. Ale nie nalegał.

— Ile to kilometrów? Dwa, trzy? — pytał Bronowicz.

— Na koniach szybko byśmy dojechali.

— Damy radę jako piechurzy.

Poszli przez łąki, potem lasem do drogi, która — między szpalerem grabów i lip — prowadziła w dół. I tym razem w cieniu, pod konarami, nie czuło się upału. Spod drzew, od wielkich paproci rosnących na poboczach, wiało chłodem.

Bronowicz — w niebieskiej koszuli z podwiniętymi rękawami, w płóciennych spodniach, w półbutach na bosych stopach i w słomkowym kapeluszu, przywiezionym z Warszawy — szedł za wnukiem. Tomek — w swoich harcerskich spodenkach i trykotowej koszulce. Co pewien czas wysypywał z sandałów piasek (kucał wtedy przed dziadkiem, który zatrzymywał się i czekał). Rozmawiali, idąc.

— Dziadku, ty wyglądasz jak wielki słonecznik.

— Słonecznik? Dlaczego?

— Bo one mają takie same kapelusze.

— To raczej panowie mieli dawniej. Nosili kapelusze przed wojną.

— Dziadku, a jak było przed wojną?

— Zupełnie inaczej.

— Ale lepiej czy gorzej?

— Uważaj, bo potkniesz się. Jednym było lepiej, innym gorzej.

— A nam? — Tomek szedł odwrócony tyłem.

— Nam było lepiej.

Doszli do miejsca, skąd widać było w dole, pomiędzy drzewami, jasną taflę wody.

— Dziadku, doszliśmy! — zawołał wnuk i zaczął biec drogą w dół. Rozłożył ręce, jakby chciał objąć jezioro. Bronowicz poszedł wolno za nim. Kiedy stanął na brzegu, chłopiec już brodził w wodzie. Sandały leżały na trawie. Podniósł garść kamyków z dna, podrzucił. Spadły z pluskiem naokoło.

Pułkownik usiadł na pniu. Tomek pamiętał ten pień i miejsce, gdzie leżał pistolet maszynowy schmeisser.

— Dziadku, tam siedział partyzant!

Bronowicz patrzył na zatokę, w której odbijały się obłoki. Bliżej, przy brzegach, sosny i świerki. Daleko, pośrodku jeziora, woda migotała w słońcu. Dwa łabędzie pływały za zielonym pasem trzcin. Powiał ciepły wiatr i pułkownik poczuł na twarzy muśnięcie. Zdjął kapelusz.

— To rzeczywiście piękne miejsce.

Właśnie wtedy przyszedł ból: objął nagle klatkę piersiową, był kłujący i ostry. Bronowicz odetchnął głęboko, raz i drugi, ale ból nie ustąpił. Wtedy usiadł na trawie i oparł się o pień. Rozłożył ręce. Kapelusz strącił z pnia. Odchylił głowę i siedział tak jakiś czas, nieruchomo, starając się spokojnie oddychać. Ale ból nie ustępował. Każdy ruch ręką, uniesienie głowy, zgięcie kolana powodowały przypływ jeszcze większego. Podchodził do gardła, obejmował ramiona.

Tomek odszedł kawałek, brodząc w płytkiej wodzie. Płoszył stada rybek. Uciekały przed nim, rozpryskiwały się na boki jak błyskające pod wodą blaszki. Kiedy zawrócił, zobaczył, że dziadek leży na trawie koło pnia. Słomkowy kapelusz obok.

Chłopiec przebiegł kilka kroków, rozbryzgując płytką wodę. Wyszedł na brzeg, podbiegł do Bronowicza.

— Dziadku, zasnąłeś?

Pułkownik otworzył oczy. Zobaczył klęczącego wnuka.

— Trochę źle się poczułem. Poleżę chwilę, zaraz przejdzie. — Trzymał dłonie skrzyżowane pod szyją. Przyciskał do ramion, palce zbielały. Jeden z półbutów zsunął się z nogi. Z trawy wystawała goła stopa. Duży palec był trochę zakrzywiony.

— Dziadku, ty umierasz! — zawołał Tomek.

Bronowicz uśmiechnął się.

— Może jeszcze nie teraz? Czekaj, spróbuję usiąść. Kiedy siedzę, jest lepiej. — Dźwignął się na łokciu, uniósł i oparł o pień. Przez chwilę palcami obu rąk gładził trawę. Na czole miał drobne krople potu.

— Dziadku, wstaniesz? — pytał wnuk. — Czy będziesz mógł iść?

— Nie dam rady. Może Wasyl przyjechałby wozem?

— Coś cię boli?

Bronowicz zamknął oczy. Chłopiec zerwał się i pobiegł boso drogą przez las. Sandały zostały w trawie.

Bronowicz pół siedział, pół leżał bez ruchu. Jeśli poruszył się lub odetchnął głębiej, ból stawał się silniejszy. Czasem mijał, wtedy starał się ruszać rękami, kręcił szyją, zginał kolana — próbował siadać na pniu, ale ból zaraz wracał.

Patrzył na obłoki, na korony sosen. Kilka razy przeleciała nad nim rybitwa. Słyszał, jak zakrzyczała, lecąc dalej, głośno i płaczliwie. W pewnej chwili wydało mu się, że ktoś przyszedł, że stanął obok. Otworzył oczy, uniósł głowę, ale nikogo nie było. Później słyszał znajome głosy: Izy, potem Joanny, jakby gdzieś z bliska. Nie rozróżniał słów. Spod przymkniętych powiek patrzył na niebo.

Tomek, zdyszany, zgrzany i spocony, ledwo łapiąc oddech, wbiegł na werandę. Potknął się, omal nie upadł. Podparł ręką. Klęknął.

— Lili Marleen, Lili Marleen! — zaczął wołać.

Urszula wybiegła na werandę.

— Co, co? Co się dzieje?

— Lili Marleen, dziadek umiera w lesie.

— *Mein Gott*, co ty gadasz?

— Leży tam, nad jeziorem. Nie może wstać. Mówił, żeby pójść po Wasyla, po konia.

Urszula zbiegła z werandy. Tomek, jak cień, za nią. Pobiegli po Benedykta, którego wyprowadzili zza ogrodzenia. Chłopiec trzymał za kantar, kiedy Lili wypychała wóz ze stodoły. Mieli kłopoty z założeniem wędzidła, ułożeniem szorów na grzbiecie i bokach. Przypięciem pasów do orczyka. Z ustawieniem konia między dyszlami. Benedykt nie wiedział, czego od niego chcą, obracał się, potrząsał łbem.

W końcu pojechali przez łąki, drogą do Gałkowa i dalej. Skręcili w stronę leśnego jeziora. Urszula powoziła.

— Heja, heja! — pokrzykiwała. — *Schnell, schnell!* Heja!

Tomek przykucnął za plecami kobiety. Trzymał się rękami skrzyni z dwóch stron. Deski były szorstkie, końce palców bolały od zaciskania. Kiedy byli na ocienionej drodze, pod grabami i lipami, i szybciej jechali w dół, po deskach wozu, po plecach Urszuli i po zadzie Benedykta przemknęły jasne plamy. W dół, w dół, coraz prędzej. Z impetem zajechali na brzeg.

Nic się nie zmieniło: Bronowicz na wpół leżał oparty o pień. Kapelusz obok. Odwrócił głowę, nawet podniósł rękę zgiętą w łokciu. Ale ręka zaraz opadła. Urszula zeskoczyła, podbiegła pierwsza, uklękła.

— Jezus, co z tobą? — Schyliła się i przytuliła policzek do czoła Bronowicza.

Pułkownik uniósł rękę i opuszkami palców musnął jej dłoń.

— Dopadło mnie. Nie mogłem wstać. Ale teraz lepiej.

Tomek kucnął obok.

— Dziadku, Benedykt po ciebie przygalopował.

Bronowicz dźwignął się na łokciu.

— Może jakoś dojdę do wozu. — Mocniej oparł się o pień. Zamknął oczy i zaczął się podnosić. Podpierał rękami. Kucnął w końcu przy pniu.

— Boli, boli? — pytała Urszula.

— Mniej. Zaraz wstanę.

Ale wstawanie nie szło najlepiej. Lili chwyciła pod ramiona, Tomek ciągnął za ręce. Bronowicz krzywił się, pokasływał. Nogi uginały się.

— Kolana mam jak z waty — wysapał.

Dopiero gdy objął oboje i podciągnął się wyżej, chwytając za ramiona Tomka i Lili — wstał. Powoli, powłócząc stopami (jedna bosa), podtrzymywany z dwóch stron, doszedł do wozu.

Benedykt pił wodę na płyciźnie, przy brzegu. Wóz stał wyżej — przednie koła zanurzone. Chwilę trwało podsadzanie pułkownika. Wsunął się, przytrzymując rękami skrzyni. Położył na deskach. Urszula szarpnęła lejcami, Benedykt zaczął się cofać, pchając wóz wyżej, na łąkę. Lili zawróciła. Zatoczyli koło na polanie. Tomek podniósł z trawy kapelusz, but dziadka i swoje sandały. Wskoczył na wóz. Pojechali.

Bronowicz patrzył teraz na przesuwające się nad drogą korony drzew. Wyżej pas nieba i znowu obłoki, obłoki. Wozem trzęsło, podskakiwał na nierównej drodze. Lili znów pokrzykiwała:

— Heja, heja! Prędzej!

Wyjechali z lasu, Benedykt pobiegł przez łąki, na przełaj. Na werandzie stała zapłakana Zuzi. Ataman, którego spuściła z łańcucha, powitał ich, szczekając. Przybiegł Kajtek. Psy biegały naokoło wozu. Kiedy Bronowicz zsuwał się z desek, podtrzymywany przez Urszulę i Tomka, Ataman oparł łapy o brzeg wozu i polizał pułkownika w policzek.

Wieczorem, późno, Wasyl przywiózł felczera z Jakubowa — Ernesta Fischera. Ten felczer, inwalida bez lewej dłoni, którą stracił w trzydziestym dziewiątym, w czasie „polskiej wojny", jak mówił, był jedynym medykiem w okolicy. Tylko on mógł pomóc: zbadać, wypytać, poradzić. Do szpitala w Jańćborgu Bronowicz nie chciał jechać. Zresztą podróż bryczką — trzydzieści kilometrów z okładem, „teraz, gdy zapada noc", jak powiedział — także Urszuli wydała się niemożliwa. Jak trafiliby do szpitala? Ile godzin trzeba by jechać?

Felczer Fischer służył w armii niemieckiej. Był w służbie medycznej Wehrmachtu. W latach trzydziestych skończył szkołę dla felczerów w Królewcu. W czterdziestym roku wrócił do Jakubowa i tu, do końca wojny, pomagał lekarzowi Wilhelmowi Dombrowskiemu w małym ośrodku zdrowia. Dombrowski zginął w czterdziestym piątym, zastrzelony przez sowieckich żołnierzy. Jego pomocnik cieszył się dobrą opinią wśród Mazurów. Zawsze życzliwy i chętny do pomocy.

Wasyl pojechał wozem Jakynowyczów — w dwa konie. Zaraz po tym, jak Tomek przybiegł z wiadomością o zasłabnięciu dziadka.

O dziesiątej weszli z felczerem do pokoju, w którym od trzech godzin pół siedział, pół leżał pułkownik — na łóżku obok serwantki, z dwoma poduszkami podłożonymi pod plecy. Urszula przynosiła z kuchni zimne okłady (ścierki zmoczone wodą ze studni). Przykładała na czoło. Ból pleców przechodził, czasem wracał, ale był słabszy.

— Jest lepiej, lepiej się czuję — powtarzał Bronowicz. — Daj mi spokojnie poleżeć, Lili. — Patrzył w okno, za którym zapadał zmierzch. Kiedy Urszula wychodziła, zdejmował okłady z czoła i kładł na podłodze.

— Ale! Czemu pan pułkownik zdejmuje? — denerwowała się. — One chłodzą czoło. Nie będziesz miał gorączki.

Tomek siedział na sofie. Patrzył na dziadka i myślał: co się dzieje, gdy dusza wylatuje z człowieka, jak umrze? Czy to widać? Czy zobaczyłby biały obłok lub mgiełkę — jak unoszą się nad wielkim łóżkiem, błąkają pod sufitem i wylatują przez okno, do nieba? Gdyby dziadek, nie daj Panie Boże, umarł teraz?

Chłopiec zamknął oczy, zacisnął powieki i zaczął modlić się szeptem, aby tylko tego nie zobaczyć. Bronowicz usłyszał szept.

— Co tam mówisz?

— Modlę się za ciebie, dziadku.

— Jeszcze nie umieram, jeszcze nie umieram — powtórzył pułkownik.

Kiedy Wasyl i Fischer weszli, na serwantce paliła się lampa naftowa, ale i tak w pokoju panował półmrok. Urszula i Hania (przybiegła, podwieziona kawałek przez Wasyla) stanęły w drzwiach. Bosa Zuzi, w koszuli do pięt, obok (leżała już w łóżku).

— Wracaj — denerwowała się matka. — Eno już!

Mała schowała się za Hanię. Tomek stanął obok serwantki.

— Dobry wiecór — powiedział Ernest Fischer, podchodząc blisko łóżka. — Co to, panie, się wydazyło? Może mi opowie? — Był wysoki, przygarbiony, w czarnym swetrze. Pękatą walizeczkę z brązowej skóry postawił na podłodze.

Pułkownik uniósł się na łokciu.

— Po co? Po co to całe zamieszanie? Wasyl niepotrzebnie pana fatygował!

Ernest Fischer machnął kikutem lewej ręki.

— Nie szkodzi, tak trzeba. Bardzo dobrze. — Przysiadł na krawędzi łóżka. — Niech pan ino gada, jak było.

— Przy tym całym audytorium? — spytał jeszcze pułkownik. Ale zaczął opowiadać o bólu w klatce piersiowej, o trudnościach z oddychaniem, o kaszlu. Dreszczach. Tu Tomek wtrącił:

— Ja widziałem. Palce dziadkowi dygotały. Dziadek się trząsł, jak leżał na trawie.

Fischer wyjął z walizeczki słuchawki lekarskie. Końcówki rurek włożył do uszu. Siedząc na krawędzi łóżka, pochylony, zaczął przykładać czarne kółko do pleców, potem do piersi Bronowicza (pułkownik podwinął koszulę). Trwało to długo. Obecni w pokoju milczeli, przyglądając się, jak przystawiał kółko w różnych miejscach. Czasem pomagał sobie kikutem lewej ręki. Kiedy skończył, przez chwilę trzymał dłoń Bronowicza za nadgarstek — badał puls prawą ręką.

— To, panie, buł atak serca — powiedział. — Czymżeś się psemęcył albo i martwił za dużo. A tera jak jest z tym bolem?

— Przechodzi, przechodzi. Niepotrzebna pańska fatyga. Spać mi się tylko chce.

— No to miejmy nadzieję, że po tym spaniu się pocuje lepsiej — powiedział Fischer. — Ale kilka dni musi poleżeć. Nie robić nic. O zmartwieniach nie myśleć. Spać, spać, odpocywać. Ja tu, panie, specjalnych leków nie mam. Aby trochę waleriany zostawię. To będzie sobie brać po dziesięć kropel na cukier albo wodę, przez te kilka dni. Dobze? — Wyjął z walizeczki brązową butelkę, postawił na serwantce koło lampy.

— Ho, ho, to chyba dla całego pułku ułanów! — zażartował Bronowicz.

Ernest Fischer wstał.

— Z Bogiem, panie. Zycę zdrowia.

Pułkownik uniósł się na łokciu.

— Zaraz, zaraz, proszę zaczekać. Ile to jestem winien za wizytę? Za fatygę?

— Ino modlitwę, co by Pan Bóg był łaskawy — powiedział felczer. — Z Bogiem panie. — Odwrócił się. Wyszli z Wasylem z pokoju.

Tomek i Zuzi wybiegli za nimi na werandę i dalej, przed dom, pod rozgwieżdżone niebo. Biegli chwilę za wozem — do drogi przez łąki. Konie parskały. Wozem kolebało. Oddalał się, znikał w mroku, odprowadzany przez Kajtka, zanoszącego się ujadaniem. Spod budy wtórował basem Ataman. Trawa była mokra od rosy. Zmoczyła bose nóżki Zuzi i dół nocnej koszuli.

Kiedy rano Tomek zbudził się i odrzucił na bok pierzynę, zobaczył, że dziadek siedzi, tak jak wczoraj — oparty plecami o poduszki. Trzymał na kolanach rozłożony zeszyt. Pisał coś kopiowym ołówkiem, tym samym, którym i Tomek pisał czasem, śliniąc zatemperowany koniec. Kreski na papierze były wtedy grubsze, a na języku zostawał fioletowy ślad, jak po czarnych jagodach.

Chłopiec przeciągnął się i ziewnął.

— Co piszesz, dziadku?

— Zapisuję dyspozycję na wypadek, gdybym odszedł — powiedział Bronowicz. — To się nazywa testament.

— Dokąd chcesz odejść, dziadku? — zaniepokoił się wnuk.

248

Bronowicz odłożył zeszyt na serwantkę, usiadł wygodniej. Zakaszlał.

— Ludzie starzy odchodzą, to znaczy umierają. Wczoraj, nad jeziorem, powiedziałeś, że umieram. Więc wiesz o tym.

— Ale przecież nie umarłeś.

— No tak, tak. Tym niemniej wszystko może się zdarzyć. Mogę odejść.

— Dziadku, jak to właściwie jest: przychodzi się na ziemię i odchodzi? Ale skąd i dokąd?

— Niektórzy mówią, że do nieba. Do czyśćca albo do piekła.

— Ty w to wierzysz?

— Nie — powiedział Bronowicz.

— Ale modliłeś się, jak byliśmy u Wasyla! A na Boże Narodzenie śpiewałeś kolędy.

Pułkownik milczał chwilę.

— Widzisz, moja mama, a twoja prababka, była bardzo religijna. I mój ojciec, a twój pradziadek, był religijny. Oni wierzyli w Pana Boga, tak jak przedtem wierzyli ich rodzice, ich dziadkowie i pradziadkowie. Wiara w Pana Boga jest naszą wiarą z dziada pradziada, jak mówią. Ja o tym pamiętam, dlatego czasem modlę się i śpiewam kolędy. Chociaż nie wierzę.

— A ci, co wierzą, to co mówią?

— Mama, babcia i Urszula wierzą, że tam, w niebie, czeka na nas Pan Bóg.

— A ty, dziadku? Myślisz, że czeka na nas?

— Nie chciałbym sprawić ci zawodu, ale obawiam się, że nikt na nas nie czeka. Po prostu znikamy.

— A dusza? Nasza dusza? Dziadku!

— Mama, babcia i Urszula, wierzą, że mamy dusze i że to właśnie nasze dusze idą do nieba.

— A ty nie wierzysz nawet w to, że mamy dusze?

— Nie wierzę.

— Dziadku, to w co ty wierzysz? — zawołał Tomek, ale na to pytanie Bronowicz nie zdążył odpowiedzieć. Do pokoju weszła Urszula z tacą, na której przyniosła śniadanie. Stał na niej dzbanek z mlekiem, talerze z twarogiem i jajecznicą. Kilka rzodkiewek leżało na małym talerzyku.

Minęły dwa dni. Pułkownik polegiwał na łóżku w dużym pokoju. Drzemał, owinięty kocem, na starym leżaku na werandzie (stopy oparte na zydlu, który przynosiła z kuchni Lili). Kajtek leżał, zwinięty w kłębek, obok. Czasem na balustradzie przycupnął kot Wielkogłowy.

Dnie były słoneczne, ciepłe — Tomek od rana pływał łódką po rzece.

W południe przychodził Wasyl. Zdawał relację ze spraw załatwianych w Jakubowie, najczęściej w gminie. Mówił, co kupił. Jakie śruby i gwoździe dostał w przemysłowym sklepie. Pułkownik wydawał nowe dyspozycje.

W środę, pod wieczór, odwiedził Bronowicza Grodecki. Przyniósł słoik miodu z pasieki „kamrata", jak powiedział — pszczelarza z Chostki. Powtórzył kilka razy po niemiecku: „To od kamrata pszczelarza". I po polsku: „Dobra miód teraz podbiera".

„Kamrat", Werner Kapka, miał podobno dwadzieścia uli. Miód był wiosenny — z kwiatów mniszka.

Grali potem w szachy — pułkownik po raz pierwszy dłużej siedział na ławce. Tomek, jak zawsze, pobiegł po szachownicę, ustawił figury. Trzymał dwa pionki, czarny i biały, w zaciśniętych dłoniach. Pułkownik wybrał czarnego piona.

Grodecki przyszedł o piątej, ale już od szóstej Urszula zaczęła zaglądać na werandę.

— Czas kończyć to wasze granie! Pan pułkownik się zmęczy — powiedziała o wpół do siódmej.

Grodecki, mimo protestów Bronowicza, wstał zaraz i zaczął się żegnać.

W czwartek przyszli Jakynowyczowie. Ojciec Wasyla w garniturze, tym samym co w styczniu. Matka w białej bluzce, haftowanej pod szyją, z koralami. Usiedli na werandzie, na ławie, na której Urszula położyła koc. Bronowicz naprzeciwko, na leżaku, z poduszką pod plecami.

— Niespokojni o wasze zdrowie, pane pułkowniku — powiedział, witając się Jakynowycz. — A to nam wse bałakał Wasylek. Jak tiepier' poczuwaťsia?

Pułkownik mówił, że lepiej, że już dobrze. Dziękował za konie wysłane po felczera.

— Starość nie radość — powtarzał.

— Ale — zaśmiał się ojciec Wasyla — jaka tam starosť? My o panu pułkowniku nigdy nie pomyśleli nawet, szczo starij!

Jakynowyczowa potakiwała. Urszula przyniosła herbatę w filiżankach. Pokroiła drożdżowe ciasto, które Jakynowyczowie przynieśli. Bochen białego chleba,

posypany mąka, owinęła w czystą ścierkę i schowała w kredensie. Pułkownik dziękował specjalnie za chleb.
— My tu tylko z Jakubowa mamy. Czasem źle wypieczony. A dobry chleb, nasz powszedni, to jak w modlitwie: najważniejszy w życiu.
— Tak, tak, *chlib, to żyttja, pane pułkowniku* — zgodził się Jakynowycz. — *Żyttja wam chcieli prynesti!*

Nocami, rozpamiętując wydarzenia kilku ostatnich tygodni, Bronowicz zastanawiał się, co tak naprawdę spowodowało niespodziewane zasłabnięcie nad jeziorem? Czy wizyta ojca Urszuli mogła być przyczyną? Tamta rozmowa ze starym Mazurem? „Pan jest ofiserzem, ma honor, nie?". Te słowa zabolały najbardziej.

Myślał także o tym, co Urszula powiedziała wcześniej, szeptem, jak zawsze podczas nocnej rozmowy — na łóżku pod oknem, gdy leżeli przytuleni, a za kotarą spała Zuzi.

— Kobiety już wiedzą, żem przy nadziei. Ta Olszewski o to zapytała: „Tyś ciężarna, będziesz rodzić, jo?". A Sitkowa mówiła: „Mały pułkownik się nam narodzi, jo?". Po niemiecku to mówiły: „*Kleiner Oberst, ja?*". I śmiały się obie. Babie plotki powtarzają.

Wtedy po raz pierwszy pomyślał, że pewno miała rację, gdy mówiła: „Wszystko się zmieni, nic już nie będzie jak dawniej".

— Co mam mówić? — pytała szeptem Lili. — Co im gadać?

Pułkownik leżał na wznak, Urszula obok. Czuł jej palce na ramieniu. Patrzył na gwiazdy za oknem, za połą zasłony. Powiedział w końcu:

252

— Nic. Uśmiechaj się. Jak urodzisz, dowiedzą się wszystkiego.

Lili tylko westchnęła.

Teraz, po tej „przypadłości", jak zaczął mówić o ataku serca — dwa dni później, wieczorem, kiedy przyszła i usiadła na krawędzi łóżka — podał jej różową kopertę. Leżała przygotowana na serwantce, nad głową — obok lampy.

— Co to jest? Co mi dajesz?

— Przeczytaj.

Lili wyjęła papier z koperty. Czytała, poruszając wargami. Pochyliła się nisko nad ramieniem Bronowicza, przysunęła bliżej lampy: „Testament. Wszystko, co mam w Lipowie — ziemię, dom, stodołę, stolarnię i zwierzęta (konia Benedykta i trzy krowy) — na wypadek śmierci zapisuję Urszuli Kraska z Jakubowa, mojej niezastąpionej opiekunce i powiernicy. Z prośbą, aby zawsze wnuk Tomasz, syn Jana i Joanny, mógł mieszkać tu tak długo, jak zechce i aby zawsze czuł się jak we własnym domu. Klacz Dońkę zapisuję na własność wnukowi. Pieniądze, wraz z całą zawartością skrytki — córce Joannie, z domu Bronowiczównie, zamieszkałej w Warszawie przy ulicy Płatowcowej". Niżej data i podpis.

Urszula złożyła papier i schowała do koperty. Nic nie powiedziała.

— Schowaj u siebie. Trzymaj — szepnął Bronowicz. — Wszystko przecież może się zdarzyć. Skrytkę ci pokażę.

— Nie umrzesz. Wiem to na pewno. — Obejrzała się, czy Tomek śpi (leżał odwrócony do okna), i wsunęła pod kołdrę Bronowicza. Bosymi stopami objęła jego stopy: — Jezus, jakie masz zimne!

— Kochana — powiedział — dziś nie podołam.

— Wiem. Ja tylko na chwilę. Co to znaczy „powiernica"?

— Ktoś bliski, komu wszystko można powiedzieć.

Leżał bez ruchu, czując ciepłe ciało kobiety obok. Ostrożnie wsunął dłoń pod nocną koszulę Lili i położył na brzuchu. Wyczuł słaby ruch. Coś poruszyło się pod palcami — delikatnie, tylko raz. Było ledwo wyczuwalne.

W niedzielę, po tygodniu, przyszła pani Wojnicka. Niespodziewanie, niezapowiedziana. O piątej po południu. Rozszczekały się psy na podwórzu. Kajtek, ujadając, biegał naokoło kierowniczki. Dopiero Tomek z Zuzi odpędzili psa.

— Przychodzę odwiedzić drogiego rekonwalescenta — mówiła, wchodząc na werandę. — Cóż to pan wyprawia, panie pułkowniku? Dowiadujemy się o kłopotach po kilku dniach, z drugiej lub trzeciej ręki. Nikt nas nie powiadomił wcześniej. A to nieładnie, nieładnie!

Bronowicz podniósł się z leżaka, pocałował dłoń pani Wandy.

— Lili — zawołał — postaw wodę na herbatę. — Proszę, proszę, jakie miłe odwiedziny! Tomku, przynieś wygodne krzesło. To z oparciem.

Wanda Wojnicka, w liliowym szalu na ramionach, z broszą na żabocie białej bluzki, w czarnych pantoflach na wysokich obcasach, mówiła:

— Zmarniał mi drogi pan, przybladł, pewno za dużo pracował ostatnio. A w naszym wieku trzeba się oszczędzać! — Schyliła się. Wyjęła z małego koszyka słoiczek konfitur i owinięte w papier ciasto. Położyła na stole. — Upiekłyśmy z Natalką dla drogiego pana. Cytrynowe. A to konfitury z płatków róży. Rosa rugosa. Wszędzie tu rośnie i pięknie pachnie. U pana też widzę te różane krzewy!

Weszła Urszula z filiżankami na tacy. Obok, na talerzu, pokrajane ciasto Jakynowyczowej. Dwa małe talerzyki. Srebrne łyżeczki. Zaczęła ustawiać na stole.

— Lili — powiedział pułkownik — pozwól. Panie się nie znają: pani Wanda Wojnicka, kierowniczka naszej szkoły, a to moja Urszula.

Powiedział „moja Urszula" i zaraz pomyślał, że pewno niezręcznie, tak samo jak ta „kierowniczka naszej szkoły". Po co? Po co? Ale kobiety, być może, nie zwróciły uwagi. Podały sobie ręce. Urszula wyszła zaraz. Pani Wanda usiadła na krześle przyniesionym przez Tomka. Bronowicz na ławce.

— Więc cóż to było? Co pana dopadło, panie pułkowniku?

— Dziadek miał atak serca — zaczął opowiadać Tomek. — Byliśmy nad jeziorem, w lesie, i nagle dziadek położył się na trawie. Nie mógł wstać.

Bronowicz popatrzył na wnuka.

— Daruj, mój drogi. Pozwól, że to ja opowiem. Istotnie, zaniemogłem nad jeziorem.

Mówił o nagłym bólu, o czekaniu na wóz, obłokach, które liczył pół siedząc, pół leżąc, oparty o pień. O tym, jak w końcu Tomek z Urszulą przyjechali. Jak przywieźli do domu. O wizycie felczera z Jakubowa, późnym wieczorem.

— To podobno uzdolniony człowiek, chociaż bez dyplomu — powiedziała pani Wanda. — Jaka była diagnoza?

— No właśnie: diagnoza była taka, że atak serca. Ale pewno niegroźny, bo przecież żyję — śmiał się Bronowicz.

Weszła Urszula, trzymając w jednej ręce czajnik, w drugiej imbryczek. Nalała do filiżanek esencję, potem z czajnika wrzątek. Herbata miała kolor miodu.

— O, widzę, że pan pułkownik nie zapomina o dobrej herbacie. — Pani Wanda pochyliła się nad filiżanką. — Pachnie podobnie jak ta nasza, angielska.

— To madras — powiedziała Urszula. — Z Jakubowa.

Wyszła zaraz, nie patrząc na panią Wojnicką, która uśmiechnęła się.

Tomek usiadł na schodkach werandy. Zuzi stała nad nim w milczeniu, patrzyła na niespodziewanego gościa. Co pewien czas robiła „buzię w ciup" lub krzywiła się, wysuwając brodę i zaciskając powieki.

— Co ty, dziecko, tak się krzywisz? Nie podobam ci się? — spytała Wanda Wojnicka.

Pułkownik znów popatrzył na wnuka.

— Dzieci idą się bawić! Dorośli chcą porozmawiać. Tomku!

Zuzi odwróciła się i zbiegła z werandy. Tomek odczekał chwilę, potem pobiegł za nią.

— To córeczka Urszuli, miłe dziecko — wyjaśnił Bronowicz. — My tutaj, łaskawa pani, mamy z dziećmi kłopoty, ale i dużo radości.

— No, pana wnuk miał doskonałe świadectwo. Zawsze to powtarzam: najzdolniejsze dziecko w szkole.

Pani Wanda posiedziała godzinę i dwanaście minut. Dokładnie tyle, wyliczyła Urszula. Rozmawiali o chorobach, pogodzie, nawet o zbieraniu poziomek, od których, na skraju lasu, za domem sióstr Wojnickich było czerwono. Politycznych tematów nie poruszano ani nie mówiono o mieszkańcach Lipowa.

Z kuchni dochodził brzęk naczyń. Tomek i Zuzi przebiegali czasem blisko schodków. Słychać było ich głosy za domem, śmiech Zuzi. Nad werandą, z krzykiem przypominającym świst, przelatywały jerzyki. Wysoko, na niebie nad Lipowem, krążyły jaskółki.

Pani Wanda odsunęła pustą filiżankę, wstała i zaczęła się żegnać.

— Czas na mnie. Natalka niepokoi się, kiedy długo nie wracam.

— Proszę przekazać moje ukłony pani Natalii — powiedział pułkownik.

Podniósł się z ławy, pocałował dłoń z pierścionkiem. Odprowadził do drogi przez łąkę. Zjawił się Kajtek, ale tym razem nie szczekał. Także Tomek i Zuzi przybiegli. Pani Wanda pogładziła małą po głowie.

— No co, już nie będziesz robiła brzydkich minek?

Tomkowi podała rękę. Chłopiec potrząsnął dłonią kierowniczki.

— Tomaszu, kobiety całuje się w rękę — powiedział dziadek. — Łaskawa pani, proszę jeszcze raz podać wnukowi dłoń.

Śmiejąc się, Wanda Wojnicka wyciągnęła rękę. Tym razem Tomek szurnął bosymi stopami po trawie, schylił się i pocałował złoty pierścionek.

Kierowniczka wilnianka odeszła, niosąc pusty koszyk. Czy po powrocie zaraz powiedziała do siostry Natalii: „Posłuchaj, on mówił o tej kobiecie «moja Urszula»". Czy zauważyła zmienioną sylwetkę Lili, jej niechętne spojrzenia? „Przez cały czas siedziała w kuchni, wiesz?".

A Lili? Późno w nocy, gdy przyszła do dużego pokoju na „dobranoc", szepnęła tylko na ucho Bronowiczowi:

— Żabior strasny!

— Co, kto? Lili! — prawie wykrzyknął pułkownik, unosząc się na łokciu. Ale Lili już szła do drzwi. Znikła w sieni.

W ciągu tego tygodnia, po „przypadłości" nad jeziorem, Tomek dłużej rozmawiał z dziadkiem wieczorami. Lampa naftowa na serwantce mrugała — płomień filował. Po ścianach pokoju przemykały cienie. Z dworu, przez uchylone lufty, wiało zapachami lipcowej nocy: lipy przekwitającej koło studni, skoszonej trawy. Najczęściej chłopiec biegł boso kilka kroków — od sofy do łóżka dziadka, siadał, opierając się o ramę naprzeciw pułkownika, który na wpół siedział, na wpół leżał, oparty o poduszki. Tomek obejmował nogi w kolanach — czasem wsuwał pod kołdrę. Zaczynali rozmowę.

— Dziadku, opowiedz o sobie, o tym, jak byłeś chłopcem. Co pamiętasz z czasów, gdy miałeś tyle lat co ja?

— Naprawdę interesuje cię moje dzieciństwo?

— Tak, dziadku, naprawdę — mówił wnuk.

— Dobrze pamiętam nasz dom w Staniłówce, na Ukrainie, na Podolu. Nasz dwór.

— Dlaczego „dwór"?

— Dwór, po ukraińsku dwir, to był duży dom. Mieszkali w takich wielkich domach ziemianie. Właściciele majątków ziemskich. Miał wiele pokoi. Była służba. Pamiętam wszystkich: lokaja Iwasia, pokojówki Ołenę i Marusię, fornali i stajennych — Arechtę i Hryhora Onyśkowycza, furmana Ołeksę.

— Dlaczego to była „służba"?

— Pracowali u nas. Twoi pradziadkowie mieli wielkie gospodarstwo: pola, łąki, stada krów, koni, chlewnię, ogrody, cukrownię. Nawet małą gorzelnię.

— Gorzelnię?

— W gorzelniach pędzi się wódkę.

— Jak to „pędzi"? Dokąd pędzi się wódkę?

— Inaczej ci powiem: produkuje z ziemniaków. Ludzie to piją.

— Tak jak u Wasyla? Z niebieskich butelek?

— No tak, tak. Twój pradziad miał plantację cukrowych buraków. W cukrowni produkowano cukier. W gorzelni, z ziemniaków, wódkę. To wszystko było na sprzedaż, przynosiło zysk.

— A wy, z dziadkiem Karolem, co robiliście?

— Póki byliśmy mali, twoja prababka uczyła nas w domu. Mówiliśmy tylko po polsku. Ale była także guwernantka, panna Angela Schmidt. Ona nas uczyła po niemiecku. Przyjeżdżali nauczyciel muzyki i korepetytor — obaj Rosjanie. Uczyli nas po rosyjsku, bo do szkół poszliśmy rosyjskich. Nie było polskich. To były czasy zaborów. A my byliśmy w zaborze rosyjskim.

— Nie było Polski?

— Nie było. Niestety, mój drogi, jesteśmy krajem, który często miewa kłopoty.

— Dziadku, dostaliście od rodziców konie?

— Każdy miał swego: ojciec, mama, ja, Karol. Nawet panna Angela. Najpierw miałem klacz, małą Baśkę. Pamiętam, jak mnie kiedyś poniosła, gdy pogryzły ją gzy na łąkach. Pocwałowała z powrotem do stajni. Stawałem w strzemionach, starałem się przechylić w siodle i zakryć jej oczy. Ale nie mogłem. Wpadła do stajni, a ja kolanem i łokciem uderzyłem we framugę wrót. Kolano spuchło. Chodziłem, kulejąc, przez kilka dni.

Rozmowy przeciągały się do późna. Słyszeli, jak zegar w kuchni wybijał godziny: dziewiątą, dziesiątą. Przed jedenastą pułkownik gasił lampę na serwantce.

— Na dziś dość. Dobranoc. Śpij.

Czekał później na Urszulę. Na jej „dobranoc". Ale Lili, gdy wcześniej zasnęła, nie przychodziła wcale.

W pokoju pachniało zdmuchniętym knotem. Tomek wracał na sofę, zasypiał szybko pod uchylonym luftem.

Któregoś z tych wieczorów powiedział:

— Dziadku, opowiedz o dziwnym wydarzeniu. Albo groźnym, albo strasznym.

Bronowicz zastanawiał się dłużej.

— Pamiętam, jak twój pradziadek przyjechał po nas saniami w zimie, w grudniu, do Humania, gdzie z Karolem mieszkaliśmy na stancji u pani Fedorowiczowej. Obaj chodziliśmy już do gimnazjum. Brat do pierwszej klasy, ja do wstępnej. Ojciec przyjechał przed świętami Bożego Narodzenia i zimową przerwą w nauce, żeby zabrać nas do Staniłówki. Przy okazji załatwiał w Humaniu swoje sprawy. Chodził do urzędów, robił zakupy. Czekaliśmy na niego od rana, gotowi do drogi. W hotelu, gdzie się zatrzymał i nocował. Przyszedł późno, objuczony paczkami. Chłopak — posłaniec, pomagał mu nieść. Były tam oczywiście prezenty dla nas. Pod choinkę.

— Jakie prezenty?

— O tym opowiem jutro. Dziś o nocnej podróży saniami. Pamiętam, że zanim wyjechaliśmy, przyszedł Ołeksa. Pytał, jak zaprząc nasze cztery konie: w lejc czy w porącz? Czyli para za parą lub cztery konie w jednym rzędzie. Twój pradziadek zdecydował, że w lejc, ponieważ drogi były wąskie, zawiane: „Lepiej będzie, by ciągnęły para za parą. Jeśli w porącz, to te po bokach mogą zapadać się w śniegu".

Ubrani byliśmy ciepło: twój pradziadek miał futro ze skórek łosząt, buty filcowe, futrzaną czapę. Był wysokim mężczyzną — w tym futrze wydał nam się jeszcze większy. Furman Ołeksa w burce, przepasany pasem, walonki, czapa z nausznikami. My z bratem mieliśmy watowane szynele uczniowskie. Czapki z baszłykami, ciepłe kalosze. Ojciec rzucił nam na kolana zapasowe futro.

Wyjechaliśmy o czwartej — Ołeksa na koźle, my z ojcem na siedzeniach niżej, osłonięci od wiatru budą.

Pamiętam, jak zadzwoniły janczary — dzwoneczki na szyjach koni. Dzwoniły nam później przez całą drogę. Mróz był wielki, sypał śnieg. Póki jechaliśmy głównym szlakiem, z Humania do Winnicy, drogą, przy której rosły drzewa — konie biegły raźno. Były wypoczęte, silne, młode. Pamiętam grzbiety i zady naszych kasztanów przed saniami. Parskanie i ten monotonny brzęk dzwonków. Śnieg, śnieg. Czułem, jak płatki wpadają do oczu. Twarze chowaliśmy przed wiatrem.

Kłopoty zaczęły się po godzinie, gdy skręciliśmy z głównego traktu w stronę Staniłówki i zaczęliśmy jechać przez pola, drogami bez drzew. Ołeksa zapewne niewiele widział poza pierwszą parą w zaprzęgu. Droga gubiła się w zamieci, w mroku, w zaspach. Tylko czasem, gdy zza chmur wyjrzał księżyc, szlak przed nami wydawał się znajomy. Ojciec i furman liczyli, że konie same będą trzymać się dobrej drogi.

— Dziadku, jak długo jechaliście?

— Mój drogi, do rana. Zabłądziliśmy. Mijaliśmy obce wsie. Musieliśmy wracać, szukać tej dobrej drogi. A wszystko, według Ołeksy, z powodu spotkania „błuda", czyli diabła.

— Diabła? Dziadku, spotkaliście diabła?

— Ależ skąd. Spotkaliśmy starego człowieka. Szedł do wsi Synycia. Twój pradziadek rozmawiał z nim, gdy stanęliśmy. Podobno zięć go pobił. Wyrzucił z chaty, więc wędrował do drugiej córki, „druhoji doczky". Pradziadek proponował, żeby wsiadł na sanie i jechał z nami. Bo jak w takiej zawiei pójdzie dalej? Zabłądzi, zamarznie! Ale dziad podziękował. Szedł do Synyci w przeciwną stronę — przez Samhorodek, Saszę, Berezkę. My jechaliśmy do Staniłówki przez Pałankę, Krasnohorkę, Seredynki. „*No to idit' z Bohom*", pamiętam koniec rozmowy. „*Pojeżdżajtie z Bohom*".

— Tak po ukraińsku rozmawiali?

— Po ukraińsku. Ruszyliśmy i znów zadzwoniły janczary. To wtedy Ołeksa powiedział: „*To ne buw did, pane. To buw błud, czort rohatyj!*". Wstał i zaczął spluwać na boki.

— Dziadku, może naprawdę spotkaliście diabła?

— Nonsens. Wtedy chłopi ukraińscy wierzyli, że można spotkać diabła. Ale to był tylko stary człowiek. Nieszczęśliwy, wygnany z domu.

— To dlaczego błądziliście do rana?

— W zamieci zgubiliśmy drogę. Jechaliśmy przez bezdroża. Czasem konie zapadały się po brzuchy w zaspach, a wtedy dzwoneczki przestawały dzwonić. Pamiętam, że wilki wyły gdzieś blisko. Chrapanie koni po każdym wilczym wyciu. To, jak ojciec nas uspokajał — mówił, że nie napadną na pewno. Jak zawracaliśmy ze wsi Uhoże, do której dojechaliśmy w środku nocy — daleko od Staniłówki. Jak Ołeksa wpadł do jaru, kiedy konie stanęły na krawędzi, a on poszedł sprawdzić, dlaczego nie chcą iść dalej. Jak znów przeklinał „błuda", „czorta rohatogo", który wodził nas po manowcach.

— Dziadku, ale wszystko skończyło się dobrze?

— Przyjechaliśmy do Staniłówki nad ranem. I tę chwilę mam w oczach, gdy naokoło gazonu zajechaliśmy pod werandę. I to jak mama wychodzi na próg, trzymając zapaloną lampę, za nią wybiegają pokojówki: Ołena i Marusia. Lokaj Iwaś. I psy, psy. Nasze jamniki. Szczekanie, radość. Tak, tak, widzę te wirujące koło lampy płatki śniegu. Parujące zady koni, oszronione twarze ojca i Ołeksy. I ulgę, że oto dojechaliśmy, jesteśmy w domu.

— I już, dziadku? Tak się skończyło? Dobrze?

Bronowicz pochylił się nad łóżkiem. Musnął palcami policzek wnuka.

— Dobrze się skończyło. Idź spać. Może ci się przyśni zima?

— Dobranoc, dziadku. — Tomek zerwał się, przebiegł kilka kroków na sofę. Zanim przykrył się pierzyną, poczuł na policzku powiew zza okna. Zaskrzypiał uchylony luft.

Minęło kilka dni. Pułkownik powoli zapominał o „przypadłości" — wracał do zdrowia. Pierwszą oznaką był powrót do porannego mycia się pod studnią. Urszula usłyszała rano skrzyp kołowrotu. Wyjrzała na werandę. Bronowicz, rozebrany do pasa, kręcił korbą. Błysnęło wiadro, gdy lał wodę do miednicy.

— Jezus, co robisz!? — zawołała. — Zostaw te ciężkie wiadra!

Bronowicz tylko machnął ręcznikiem. Mył się jak dawniej — parskał i chlapał lodowatą wodą. Nabierał w złożone dłonie — oblewał szyję, kark, plecy. Kiedy wycierał tors ciepłym ręcznikiem (chwilę leżał na słońcu), czuł przyjemne mrowienie pod skórą.

Tego samego dnia, pod wieczór, pokłusowali z Tomkiem nad wielkie jezioro. Bronowicz na Dońce, Tomek na Benedykcie — już w siodle (kupionym przez Wasyla w Myszyńcu). Droga pod sosnami i brzozami wiła się jak rzeka. Dalej las był ciemny — wysokopienne sosny, graby, dęby. Jechali w słońcu i w cieniu — stępa, kłusem, blisko jeziora galopem. Zostawili konie dalej od brzegu. Puszczone luzem, szczypały trawę pod rzędem olch. Pułkownik ściągnął oficerki — wszedł zaraz do ciepłej wody na płyciźnie, starając się nie zamoczyć bryczesów. Tomek rozsznurował buty z cholewkami, które nakładał do jazdy, ściągnął skarpety. Wszedł za dziadkiem do wody. Brodzili wzdłuż brzegu, czując pod stopami drobne kamyki.

Słońce zachodziło za jeziorem. Daleki brzeg, po tamtej stronie, był już ciemny. Patrzyli, jak jezioro zmienia barwy: blednie, sinieje, ciemnieje. Sosny wokół polany były jeszcze jasne od słońca — korony pomarańczowe. Gdy słońce schowało się na tamten brzeg i one stały się ciemne.

Urszula i Zuzi czekały na werandzie. Zuzi siedziała na schodkach, Lili stała nad nią oparta o barierkę. Usłyszały tętent, zanim pułkownik z Tomkiem ukazali się na drodze przez łąki. Dońka była pierwsza, Benedykt przykłusował za nią. Zuzi i Urszula patrzyły, jak jeźdźcy zsiadają z koni przed stodołą. Poszli zaraz przez wrota, na drugą stronę. Poprowadzili konie na ogrodzoną łąkę. Wracali niosąc siodła i uzdy.

Zuzi i Urszula czekały w milczeniu. Kiedy byli blisko werandy, Lili powiedziała:

— Trzeba być fifakiem, aby zaraz brać konia. I nie mieć litości dla nas. Bo co byśmy zrobiły z tym dziewcakiem, gdyby pan pułkownik znowu miał przypadłość? Minęło eno kilka dni!

— Dziesięć — powiedział Bronowicz. — Ja się dobrze czuję.

Tej nocy po raz pierwszy przyszedł do pokoju Lili. Tak jak zawsze sprawdził po drodze, czy Tomek i Zuzi śpią. Ale tylko całował piersi Urszuli, jej małe uszy, gdy odwróciła się do ściany i leżała na boku. Miejsce na karku. Odgarniał włosy, całował ramiona.

— Bardzo mnie niłujesz? — spytała.

Kilka dni później, w sobotę, poszła do Gałkowa, namówiona przez Bronowicza.

— Lili — mówił — posłuchaj: przecież nie możesz zerwać z matką i ojcem. Oni mają tylko ciebie i Zuzi. Pomyśl, gdyby któreś z nich umarło teraz! Odpukuję! — Zastukał w stół (siedzieli po kolacji w kuchni). — Na przykład ojciec lub matka? Jak byś się czuła?

Urszula nie mówiła, że pójdzie lub nie pójdzie, ale nie przerywała, gdy wracał do tej sprawy. Namawiał, tłumaczył.

W końcu, w sobotę rano, po niecałych trzech tygodniach od pamiętnego poniedziałku, gdy spakowała rzeczy do walizki i przywiozła pękatym wózkiem do Lipowa — poszła.

Wróciły z Zuzi, jak dawniej — w poniedziałek rano. Bronowicz znów usłyszał szczekanie psów. Wyjrzał ze stolarni. Urszula stała pośrodku dziedzińca, między domem a stodołą. W słońcu, w niebieskiej sukience z białymi guziczkami od kołnierza do samego dołu.

Podszedł bliżej i zobaczył, że sukienka jest rozpięta, a pod nią Lili ma różową halkę, która opina brzuch.

— Troszkę się zmęczyła — powiedziała, gdy stanął przy niej. — Jeszcze byś dalej mieszkał, kochany, a bym chyba nie doszła.

— Powiedz, jak było?

— Dobrze. Popłakały się z matką obie. A ojciec mnie objął za głowę, jak siedziała przy stole, i przygarnął. Nigdy tak nie robił.

— Lili — powiedział Bronowicz — jeżeli jest Bóg, to chyba on to sprawił.

„Czy powiedziała o testamencie?" — myślał później. — „Czy zabrała, aby pokazać ojcu?". Nie zapytał o to.

Minął lipiec — połowa wakacji Tomka. Pierwszego sierpnia, wieczorem, Lili powiedziała do Frau Olszewski (doiły krowy na łące):

— Będę już aby co rodzić. Jak byś to mogła być w pogotowiu? Przyjść, gdy się zacznie.

— Jo, jo, przyjdę na pewno, aby daj znać przez chłopca albo dziewcaka — odpowiedziała po mazursku matka Dorotki.

Bronowicz zaraz zaczął dopytywać, gdy wspomniała o Frau Olszewski.

— Na pewno ci pomoże? Jest akuszerką? Była przy porodach?

— Akuszerką to ona nie jest. Ale dobrze, aby jaka kobieta była przy mnie.

— Chcesz tutaj rodzić?

— A pan pułkownik to by wolał, abym szła gdzie indziej, jo?

— Nic podobnego, tylko chcę, abyś miała fachową opiekę — mówił. — Lekarza. Położną.

Lili zaśmiała się.

— Kochany, takiego miejsca nie znajdziesz tutaj. Teraz? Po tej wojnie?

Po kilku rozmowach zgodziła się, aby przywiózł akuszerkę z Jakubowa.

— Ona się zwie Wilhelmina Kokoska. Odbierała Zuzi w czterdziestym trzecim. Tylo że to taka surowa nieziasta. Czy teraz zechce przyjechać?

— Czemu by miała odmówić?

— Ona nie chce gadać po mazursku. Eno po niemiecku.

— Ja przecież znam niemiecki — powiedział pułkownik.

Rankiem, ósmego sierpnia, Lili krzyknęła w kuchni i ciężko usiadła na ławie, podkasując spódnicę wyżej kolan. Pułkownik z impetem otworzył drzwi z sieni.

— Co, kochana, co się dzieje? Już?

— Tak mnie nagle chwyciło — Lili pochyliła nisko głowę.

Bronowicz poszedł zaraz po Benedykta. Tomkowi i Zuzi kazał biec po Hanię. Wasyl poprosił o kilka dni wolnych — zaczęły się żniwa. Jakynowyczowie mieli dziesięć hektarów obsianych jęczmieniem i żytem — pracowali na dwóch kosiarkach. Kobiety wiązały snopki.

Minęło kilka minut. Pułkownik zajechał bryczką pod ganek. Zajrzał zaraz do kuchni. Urszula podniosła się z ławy — chciała iść na swoje łóżko, ale chwycił ją za rękę.

— Chodźże na moje. Jest większe, będzie lepiej.

Kiedy odrzucał derkę i kołdrę, powiedziała:

— Ja ci tu wszystko zabrudzę.

— To nic, nic. Tylko wytrzymaj, póki tej Wilhelminy Kokoski nie przywiozę.

Czekał potem na Hanię. Urszula leżała na łóżku pod serwantką. Rozpięła guziki niebieskiej sukienki, podciągnęła halkę. Gdy zaglądał z werandy, widział jej gołe kolana i brzuch.

— Jezu — powiedziała — miej zmiłowanie nade mną.

Minęło kilka minut, nim Hania z dziećmi przybiegli. Pułkownik odjechał zaraz spod werandy. Benedykt pobiegł raźno przez łąkę, na drogę do Gałkowa i dalej.

— Dzieci stąd idą — powiedziała Hania.

Zawróciła oboje od drzwi pokoju. Postawiła sagan z wodą w piecu na kuchni, dorzuciła polan. Zaniosła do pokoju miednicę, ręczniki, dwa prześcieradła. Urszula, w chwilach gdy bóle mijały, mówiła, co ma przynieść. Hania siedziała potem przy niej — trzymała za rękę. Przybiegła z pola boso, w luźnej bluzce rozpiętej na piersiach, wycierała pot z twarzy. Pracowali w pełnym słońcu. Gdy zdjęła z głowy chustę, jasne włosy rozsypały się na szyję i ramiona.

— Jezu, o Panno Maryjo, *mein Gott* — powtarzała Urszula, gdy bóle wracały. Rozstawiła szeroko kolana. Ściskała dłoń Hani.

W Jakubowie Bronowicz znalazł dom Wilhelminy Kokoski w zaułku za mostem. Wszedł na podwórko wybrukowane kamieniami. Było zamiecione, kocie łby — różowe i szare — spłukane wodą. W ogródku, za niskim płotem, kilka drzew owocowych. Za siatką, w kącie podwórza: kury i kaczki. Głośno zapiał kogut. Wszedł po schodkach na mały ganek, uchylił drzwi. Czarny kot czmychnął pod nogami na podwórko. Pułkownik wszedł dalej, zapukał do następnych drzwi. Poruszył klamką, ale były zamknięte.

— *Wer ist da?* — usłyszał po niemiecku.

— *Mein Name ist Bronowicz* — zaczął mówić. — Przyjechałem prosić o pomoc. Kobieta zaczęła rodzić.

Zazgrzytał klucz. W uchylonych drzwiach stanęła Frau Kokoska. Miała zapewne koło sześćdziesiątki. Tęga, okrągła twarz, głowa owinięta czarną chustą. Spod granatowego fartucha z rękawami widać było kraj brązowej spódnicy. Ten fartuch zapięty pod szyją. Na bosych nogach czarne saboty. Grubą dłoń (na co zwrócił uwagę) oparła o framugę drzwi. Nie zapraszała do środka. Rozmawiali po niemiecku.

— Gdzie ona rodzi?

Pułkownik powiedział, że w Lipowie. Mówił, że przyjechał bryczką, że zaraz mogą jechać.

— Jak się nazywa?

— Urszula Kraska z Gałkowa.

— Znam — powiedziała Wilhelmina Kokoska. — Ma skurcze?

Bronowicz nie wiedział.

— *Er soll warten.* — Kobieta zamknęła drzwi.

Czekał na akuszerkę obok bryczki. Chodził tam i z powrotem wzdłuż płotu. Słyszał, jak pieje kogut i gdaczą kury. Położna wyszła po pięciu minutach. Przebrana — w białym fartuchu, w szarej chustce, tak samo owiniętej wokół głowy. Z torbą z zielonego brezentu na ramieniu (na klapie przyszyte kółko z czerwonym krzyżem). Tylko saboty na bosych nogach były te same — czarne.

— *Bitte, bitte* — pułkownik podtrzymał Wilhelminę Kokoskę za łokieć, gdy wsiadała do bryczki.

Pojechali przez Jakubowo, skręcili na drogę do Gałkowa i Lipowa. Z początku próbował rozmawiać, zagadywał po niemiecku. Ale kobieta odpowiadała tylko „jo" lub „nein". Nie była rozmowna. Przez las jechali w milczeniu. Pułkownik poganiał Benedykta: cmokał, podrzucał lejce, powtarzał „wio, wio!". Wałach przyśpieszał, ale zaraz zwalniał i szedł stępa. Bryczka kołysała się na piaszczystej drodze. Kolebała na koleinach. Dopiero przez łąki pojechali prędzej. Zajechali pod werandę.

Na schodkach siedziały dzieci.

— Dziadku — zawołał Tomek — Lili Marleen okropnie krzyczy!

Frau Kokoska weszła po schodkach między przycupniętą Zuzi (objęła nóżki rękami, głowę przyciskała do kolan) a Tomkiem, który usunął się na bok. Machnęła zieloną torbą nad głowami dzieci. Zastukały czarne saboty.

Bronowicz stał chwilę w sieni. Akuszerka z impetem zamknęła przed nim drzwi. Słyszał, jak Urszula powtarza:

— Jezu, Panno Maryjo, *mein Gott*!

Poruszył klamką, wahał się — wejść, zostać? Kiedy Lili wrzasnęła głośniej, wrócił na werandę. Usiadł między dziećmi na schodkach. Zza uchylonych luftów słychać było, jak Lili krzyczy. Głosy Hani i Frau Kokoski. Akuszerka powtarzała po niemiecku:

— Przyj, przyj, przyj!

Zuzi zaczęła płakać.

— Ja nie chcę, żeby mama krzyczała! Nie chcę!

— Zaraz przestanie. Będziesz miała braciszka — powiedział pułkownik. — Albo siostrę.

Tomek przechylił się nad kolanem dziadka.

— Nie płacz, nie płacz! — Chwycił Zuzi za łokieć. — Będziesz miała brata!

Chwilę za oknem było cicho. Tylko Wilhelmina Kokoska powtarzała: „*drück, drück, drück*". Tomek puścił łokieć Zuzi.

— A jedna kobieta urodziła strasznego potwora — powiedział.

— Co ci przyszło do głowy? — żachnął się Bronowicz. — Daj spokój.

— Naprawdę. Miał ogromną głowę. Nogi wyrastały prosto z tej głowy. A kiedy był już dorosły, to nie mówił, tylko skrzeczał.

— Dałbyś spokój. Kto ci naopowiadał takich głupstw?

— Naprawdę, dziadku. Wasyl mówił, że tak było w jego wiosce — przed wojną. Tego potwora nazywali „Karlyk Hołowa". Ale Lili na pewno takiego potwora nie urodzi. Wasyl mówił, że urodzi mego wujka albo ciocię.

Urszula wrzasnęła i Zuzi znów zaczęła płakać.

— Daj spokój, daj spokój — powtórzył Bronowicz. Wstał i poszedł w stronę stodoły.

Tomek przysunął się do Zuzi, objął ramieniem. Czuł teraz pod ręką plecki małej. Wydawało się, że Zuzi cała się trzęsie.

— Nie płacz, nie płacz. Mama na pewno takiego potwora nie urodzi. Będziesz miała braciszka albo siostrę.

Patrzyli, jak pułkownik wraca spod stodoły. Prowadził Benedykta, który ciągnął bryczkę — podeszli blisko werandy. Dziadek owinął lejce wokół jabłoni pod oknami. Wałach opuścił łeb, potrząsnął grzywą. Stał potem, przestępując z nogi na nogę, strzygł uszami i machał ogonem, opędzając się od much.

Bronowicz zaczął chodzić tam i z powrotem przed werandą. To wtedy, nagle, usłyszeli płacz dziecka. Cienki — przypominający skrzek. I zaraz Hania wybiegła na werandę. Niosła wiadro pełne ręczników i prześcieradeł.

— Już po wszystkim! — krzyknęła.

Przebiegła obok dzieci. Poszła szybko pod studnię — zaczęła wrzucać ręczniki do balii (Tomek, kiedy później przechodził obok, zobaczył, że woda ma kolor różowy).

Pułkownik z rozmachem otworzył drzwi do pokoju. Wilhelmina Kokoska stała nad łóżkiem, na którym Lili leżała przykryta prześcieradłem. Spod poły wystawało białe kolano. Akuszerka odwróciła się. W grubych rękach, na zgięciu łokcia, trzymała płaczące niemowlę.

— Chlopak — powiedziała. — Chlopak!

Pułkownik podszedł bliżej, pochylił się. Patrzył chwilę na pomarszczoną główkę dziecka, na czerwone ciałko ze sterczącym pępkiem, który Wilhelmina Kokoska przed chwilą zawiązała. Potrząsało sinymi piąstkami, trzęsło się całe, zanosiło skrzekiem.

— Boże, jaki brzydal — powiedział. Klęknął obok Lili. Odwróciła głowę od ściany — na policzkach miała jeszcze ślady łez, szare oczy załzawione. Włosy nad czołem sklejone potem. Uśmiechnęła się do pułkownika. Wtedy podniósł wilgotną dłoń i pocałował.

Wilhelmina Kokoska położyła małego na pieluszce, w nogach łóżka. Wycierała dziecko tamponem z waty — odwracała delikatnie z pleców na brzuch. Kiedy Hania wbiegła do pokoju, pułkownik jeszcze klęczał koło Urszuli. Teraz Kurpianka pochyliła się nad dzieckiem.

— Jaki śliczny, prawda panie pułkowniku?

Bronowicz nie odpowiedział. Wstał i poszedł na werandę. Dzieci jeszcze siedziały na schodach, ale Zuzi już nie płakała. Pochylił się — położył ręce na dwóch głowach.

— Masz braciszka — powiedział do małej. — A tobie, chłopcze, urodził się wujek.

Tomek zerwał się.

— Hurra! — Chwycił Zuzi za rękę. — Chodź, pójdziemy zobaczyć!

Bronowicz zagrodził drogę.

— Jeszcze za wcześnie. Zaczekajcie. Lili sama was zawoła.

Stał nad dziećmi, oddychał głęboko i patrzył na niebo nad stodołą. Wysoko nad czerwonym dachem i dalej, nad łąkami, zataczały koła bociany. Krążyły, wzlatując coraz wyżej i wyżej. Prawie nie poruszały skrzydłami.

Czarne na tle nieba. Bronowicz stał i liczył bociany: „osiem, dziewięć, dziesięć". Oddychał głęboko.

Kilka dni później przyszedł list od Joanny. Pisała, że przyjedzie niedługo, pytała o zdrowie ojca, o szkołę Tomka. Dlaczego nie piszą? Oględnie, bez szczegółów, wspominała o mężu: „Janek czuje się dobrze, chociaż nie może być z nami. Ale widujemy się czasem. Wysyłamy paczki".

Na ten list odpowiedział Tomek, po rozmowie z dziadkiem. Bronowicz udał zdziwienie.

— Jak to, nie napisałeś do mamy? Nie pochwaliłeś się, że jesteś w czwartej klasie? Nie napisałeś o dobrych stopniach? Jak mogłeś zapomnieć? To także moje przeoczenie!

Wieczorem wnuk zabrał się do pisania. Siedział przy stole w kuchni. Obok, w łazience, Urszula kąpała dziecko (w balii z letnią wodą). Słychać było, jak niemowlę zanosi się płaczem. Lili przemawiała po niemiecku: „Still, still, weine nicht". Zuzi mówiła po polsku: „Mamo, zobacz, jakie on miny robi!". Słychać było plusk wody, śmiech Zuzi.

Tomek nie przerywał pisania. Ślinił od czasu do czasu kopiowy ołówek — fioletowa plama na języku była coraz większa. Jak zawsze zaczął pisać na brudno — w zeszycie. Potem przepisał list na różowej kartce z papeterii dziadka.

„Kochana mamo i babciu. Tu, u nas, wszystko dobrze. Ja zdałem do czwartej klasy. Pani kierowniczka powiedziała, że tylko dlatego mam czwórkę z polskiego, bo robię błędy ortograficzne (błędy napisał przez „en"). Z reszty mam same piątki. Dziadek nie mógł wstać z trawy nad jeziorem, ale go przywieźliśmy do domu z Lili Marleen („Lilimarlen" — jedno słowo). Teraz czuje się dobrze i opowiadał mi, jak było na Ukrainie, gdy był takim chłopcem jak ja. Zuzi ma już brata, to znaczy urodził się mój wujek. Jak dziadek leżał w łóżku, po tym co nie mógł wstać z trawy, to nauczył mnie grać w szachy. Raz wygrałem, ale dwa razy przegrałem. U nas było dużo poziomek, które Lili Marleen (jedno słowo) usmażyła (przez „rz") na konfitury. Całuję was babciu i mamo, Tomek".

List został wrzucony do czerwonej skrzynki w Jakubowie dwudziestego pierwszego sierpnia. Odpowiedź przyszła po tygodniu. Kilka zdań na pocztówce z obrazkiem Stryjeńskiej *Mała Góralka*: „Tomkowi dziękujemy za list. U nas bez zmian. Opowiem więcej, gdy przyjadę — pewno we wrześniu. Całujemy obu panów — Joanna".

Tylko tyle. Bronowicz długo obracał kartkę w palcach. Dlaczego taka krótka, lakoniczna? Schował *Małą Góralkę* do szuflady z papeterią. Tomkowi zapomniał pokazać.

Kilka dni wcześniej był w Lipowie pastor Walter Polanowski. Przyjechał na rowerze z Jakubowa. Odwiedził kilka domów. Najczęściej samotne kobiety — wdowy.

— On ma taki zwyczaj. Pyta o kłopoty, o zdrowie, o dzieci — powiedziała po wizycie pastora Urszula.

Do Bronowicza przyjechał na końcu sierpniowego „obchodu" lipowskich domów. Zapadał zmierzch, gdy usłyszeli szczekanie psów. Wszyscy byli w kuchni: Lili dopiero co zapaliła lampę na stole. Jeszcze trzymała gasnącą zapałkę nad knotem. Wózek z *kleiner Oberst*", jak mówiła o synku, stał pod kredensem. Chłopczyk, ze świeżo zmienioną pieluszką, leżał goły, nóżki podrygiwały. Zuzi kołysała wózkiem. Tomek z pułkownikiem siedzieli nad rozłożoną szachownicą.

— *Garde madam* — powiedział Bronowicz.

— Dziadku, gdy tutaj staniesz, to ja zabiję twoją damę. Wieżą.

Nie zwrócili uwagi na szczekanie psów. Dopiero na pukanie do drzwi i na to, jak uchylone skrzypnęły. Pastor stanął w progu.

— Niech będzie pochwalony Jezus Chrystus — powiedział głośno po polsku. I zaraz, ciszej, po niemiecku: — *Gelobt sei Jesus Christus*.

Pułkownik wstał.

— Prosimy, prosimy. Lili, będzie potrzebne piąte nakrycie do stołu.

Polanowski uniósł dłoń.

— Dziękuję. Ja do was na chwilę. Na moment, bo żem się dowiedział, że dzieciak się narodził. O, proszę, już go widzę! — I gość podszedł do wózka. Pochylił się, kładąc jednocześnie dłoń na głowie Zuzi: — Patrz aby, jakiego masz brata! To dopsieru będzie chlop!

„Chlop", zapamiętał Tomek.

— Dziadku — zaczął szeptem — trzeba zapisać, gdzie stoją figury.

Ale Bronowicz nie zwrócił uwagi — odsunął szachownicę. Wyszedł zza ławy, przywitał się z Polanowskim.

— Niechże ksiądz usiądzie. Zapraszamy na kolację.

— Dziękuję, dziękuję — mówił pastor. — Ziecór, póżno. Ja na moment, na moment.

Dał się namówić na filiżankę herbaty (białą, z kredensu). Pytał, kiedy chcą ochrzcić dziecko.

— Jakby słabego zdrowia było, to lepiej zaraz. Nawet dziś, teraz. Kubek z wodą i będzie w niebie, jo? — Mrugnął do Tomka.

Urszula powiedziała, że chce ochrzcić w kirsze.

— Normalnie. Trochę czasu upłynie, bo matkę i ojca chrzestnych trzeba znaleźć.

Mówiła po polsku i po niemiecku, we własnym imieniu. Pułkownik milczał.

Siedzieli przy stole. Zuzi kołysała wózkiem — słyszeli, jak kółka poskrzypują. Mały zasnął. Tomek podparł głowę rękami. Patrzył na gościa w milczeniu. Walter Polanowski — siwy, w czarnej marynarce, z koloratką pod szyją — mówił do dziadka i Urszuli:

— Jak z wami jest, to nie moja sprawa, ino Pana Boga. Aby tylko dziecko na dobrego człowieka wychowali, jo?

Tomkowi zdawało się, że ciągle uśmiecha się i mruga do niego. Dorośli zaczęli rozmawiać o pogodzie, o żniwach. Potem o człowieku, który przyjechał do Jakubowa, aby namawiać ludzi na wspólną gospodarkę.

— Tej wspólnoty nie może się nachwalić. Według niego to tak, jak Pana Boga za nogi chwycić! — mówił pastor.

— Chyba Stalina — uśmiechnął się dziadek.

— Scerna prawda — powiedział po mazursku Polanowski.

Kiedy wychodził, spytał, jakie imię dadzą chłopcu. Urszula jeszcze nie wiedziała.

— Na pewno nie Adolf ani Józef, ani Bolesław — wyrecytował za plecami pastora Bronowicz.

— To ja wim, to ja wim — śmiał się Polanowski, idąc przez werandę.

Tomek wybiegł z kuchni ostatni. Biegł chwilę koło roweru, gdy gość już jechał w stronę łąk i drogi do Gałkowa. Starał się odpędzić Kajtka.

— Nic mi przecie nie zrobi, dobry piesek — mówił pastor, pedałując powoli.

Nogawki szarych spodni miał spięte agrafkami. Sandały na bosych nogach. Skrzypiały błotniki, podzwaniał dzwonek. Rower był duży, czarny. Niklowane obręcze kół zardzewiały. Tomek zatrzymał się na skraju łąki. Kucnął, przytrzymując psa. Kajtek wyrywał się, szczekał — chciał biec dalej. Nad lasem świecił księżyc. Nad polami snuła się mgła. Polanowski odwrócił się:

— Ostań z Bogiem, chlopak! — zawołał.

Tomek odpowiedział cicho:

— Do widzenia.

Klęczał na mokrej trawie, trzymał psa i patrzył, jak czarna postać znika w mgle.

Ostatnie dni sierpnia były słoneczne. Tak jak w ubiegłym roku z drzew za domem sypały się dojrzałe śliwki, spadały gruszki. Tomek sam chodził z koszykiem zbierać. Zuzi całe dnie spędzała przy wózku z „małym pułkownikiem". Kołysała, jeśli nie chciał zasnąć. Chodziła w cieniu jabłonek obok domu lub przez podwórze do wrót stodoły i z powrotem. Czasami stawała i przemawiała do małego. Odganiała muchy, poprawiała kocyk.

— Chodź, pomożesz mi zbierać śliwki — prosił Tomek, ale Zuzi nie odstępowała od wózka na krok. — Ty w końcu sama staniesz się taka mała jak on. Uważaj — mówił Tomek (zapewne trochę zazdrosny). — Czasem dzieci to maleją, jak się zadają z niemowlętami.

— Lepiej sam uważaj, byś się w krasnala nie zamienił! — odpowiadała Zuzi.

W sobotę, wracając z koszykiem do domu, Tomek zobaczył, że obok wózka i Zuzi stoi nieznajomy mężczyzna. W kapeluszu i szarej marynarce, podpierał się laską. Siwe włosy na skroniach. Stał pochylony, laskę trzymał w jednej ręce, palcami drugiej pstrykał nad głową małego. Zapewne przemawiał.

Tomek pobiegł do domu, gubiąc kilka śliwek po drodze. Stanął w drzwiach do kuchni.

— Dziadku, jakiś pan ogląda wujka!

Urszula i pułkownik wybiegli na werandę.

— *Oh, mein Gott* — powiedziała. — *Das ist mein Vater!* Poznajesz?

Zeszli po schodkach i poszli powoli w stronę wózka. Zuzi zatrzymała się koło bzów, niedaleko studni. Obok miednicy, w której rankami mył się pułkownik. Stary Kraska stał odwrócony tyłem — nie widział córki ani Bronowicza. Pochylony nad wózkiem, pstrykał palcami.

— A tuk-tuk, a puk-puk, a chlopcątko, a maluśki, a robalku, *du kleiner* ksionze! — usłyszeli, gdy byli blisko.

Zuzi mówiła:

— Dziadku, on się do ciebie śmieje!

— Tato, ojciec, *Vater*! — zawołała Urszula. — Chciałeś go zidzieć, jo?

Kraska obejrzał się.

— Licecki ma piękne.

Bronowicz zatrzymał się o dwa kroki za Urszulą.

— Zapraszamy dalej! Niechże pan zajdzie, wypije herbatę — zaczął mówić. — Po kieliszku czegoś mocniejszego wypijemy za wnuka.

Ale Kraska jakby nie dostrzegał pułkownika. Znowu pochylił się nad wózkiem.

— A tuk-tuk, a puk-puk, *du kleiner* ksionze!

Dopiero po kilku minutach dał się namówić i odszedł od małego. Po drodze na werandę podał rękę Bronowiczowi.

— Co tam było, panie, między nami, to minęło. Jak mówią u was: nie pisze się w rejestr, jo?

— Oczywiście, nieważne — powiedział Bronowicz. — Czego się napijemy?

— To, co dacie, panie. Co bądź. — Kraska rozsiadł się na ławie, kapelusz położył obok, rozejrzał. Patrzył na wielkie podwórze, na wrota stodoły. Na czerwony dach, nad którym płynęły obłoki.

Bronowicz przyniósł butelkę śliwowicy. Litrowa, pękata, z żółtą nalepką, na której były granatowe śliwki i napisy cyrylicą po serbsku lub bułgarsku. Jedna z kilku znalezionych na Pomorzu w czasie wędrówki z Woldenbergu do Warszawy w czterdziestym piątym. Podzielili się wtedy butelkami, obiecując sobie, że wszyscy wzniosą toast po szczęśliwym powrocie. Ale na Płatowcowej nie spełnił toastu. Zabrał butelkę do Lipowa. Stała na dnie kredensu. Teraz dopiero, trzymając nad talerzem, na werandzie lipowskiego domu, zaczął obijać lak, na szyjce i na korku. Stukał widelcem.

— Ho, ho, to będzie wielce dobry napitek — powiedział ojciec Urszuli.

Lili przyniosła talerze i kubki. Częstowała ojca kawą zbożową z dzbanka, dolewała śmietanki. Podsuwała chleb. Na półmisku przyniosła pokrajaną w plastry kiełbasę, schab i ser.

— Jedzże, ojciec, boś pewno głodny — mówiła.

Dopiero po godzinie Bronowicz rozlał do dwóch kieliszków śliwowicę (Urszuli nie proponował jako matce karmiącej piersią). Miała kolor jasnobrązowy, pachniała suszonymi śliwkami.

— Za naszego syna, a pańskiego wnuka! — powiedział pułkownik, unosząc kieliszek.

Kraska podniósł swój ostrożnie, dotknął ust i wypił jednym haustem, odchylając głowę. Chuchnął głośno.

— Za jego scenście!

Chodzili później oglądać stodołę i stolarnię. Przeszli kawałek łąką do koni za palisadą.

— Cośmy się tutaj, panie, kłócili, jo? — przypomniał sobie Kraska. — Ten mniejszy to będzie z Unry.

— Moja jest klacz. Wałach był Frau Kalinowski — powiedział Bronowicz.

— Znałem nieziastę — mówił Kraska. — Z Kalinowskim byli razem na froncie. Ja raniony, on zginął. W czterdziestym pierwszym. Jak szli na Moskwę.

Wrócili na werandę w chwili, gdy Urszula karmiła małego. Siedziała na ławie okrakiem, obejmując dziecko jedną ręką — palcami drugiej trzymała połę bluzki i rozpięty stanik. Mały ssał pierś, posapując. Zuzi stała obok. Mężczyźni usiedli na swoich miejscach.

— Tak się, panie, zaczyna każde życie — powiedział Kraska. — A potem ino szybko, szybko. *Schnell, schnell!* Ani się człowiek obejrzy, a już starych, jo?

— Co też ojciec gada! — obruszyła się Urszula. — Przed nim długie życie.

Po kilku minutach podała małego Zuzi. Biała pierś znikła pod bluzką. Przez chwilę układały niemowlę, pochylone nad wózkiem. Słychać było skrzek.

— On tak się śmieje — powiedziała Zuzi. — I takie śmieszne miny robi! Aaa, śpij malutki, śpij!

Ale „mały pułkownik" nie chciał zasnąć. Skrzek, niby-śmiech, zamienił się w lament. Rozkrzyczał się głośno. Nie pomagało kołysanie wózka. Dopiero gdy Tomek przyniósł organki i zaczął wygrywać swoje melodie — raz ciszej, raz głośniej — mały uspokoił się i zamilkł. Wytrzeszczył oczka, patrzył na Tomka, jakby słuchał. Wykrzywił się jeszcze raz — zrobił śmieszną minę i zasnął.

— Proszę, jak pięknie uśpiłeś wujka — pochwalił wnuka Bronowicz.

Przesiedzieli na werandzie do południa. Urszula zapraszała ojca na obiad, ale nie chciał zostać.

— Matka będzie niespokojna. Pójdę, eno mnie od-
prowadźcie.

— A może odwiozę? Raz dwa, wezmę konia z łąki.
Odwieziemy! — zaproponował pułkownik.

— Po co? Dobra pogoda. Przez las aby kawałecek.

Poszli wszyscy — ścieżką przez łąki, do drogi do
Gałkowa. Zuzi pchała wózek. Urszula z Bronowiczem
i stary Mazur szli za nią. Na końcu Tomek. Kajtek biegał
naokoło. Szli powoli, rozmawiając. Dzień był ciepły,
nad łąką latały jaskółki. Wysoko, na tle białych obłoków, krążył myszołów. Latał, zataczając koła, prawie
nie poruszając skrzydłami — ciemny znak na niebie.

Późno w nocy, leżąc koło Urszuli, Bronowicz zaczął
się zastanawiać: skąd ta niespodziewana wizyta? Był
pewien, że stary Kraska jest zawzięty, że nigdy nie zgodzi się na związek córki bez ślubu. Że tylko „przystojno
niłość", jak mówił — małżeństwo — mogą zmienić jego
nastawienie do Urszuli i Bronowicza. Co wpłynęło na
zmianę? Testament, który Lili mogła pokazać? Rozmowa
z Polanowskim? Być może pastor odwiedził Krasków
przed lub po bytności w Lipowie? Mógł powtórzyć,
że to, jak żyją, jest sprawą Pana Boga, a nie ludzi. Nie
ludziom o tym sądzić.

Lili spała z głową wtuloną w ramię pułkownika. Czuł
jej oddech na szyi. Ostrożnie położył dłoń na głowie
kobiety i poczuł pod palcami włosy.

Ale ludzie sądzili. Frau Sitek opowiedziała Urszuli,
co mówiły panie Wojnickie. Chodziła sprzątać raz w ty-

godniu do kierowniczki szkoły. Podobno obie — Wanda i siostra Natalia — dopytywały, jedna przez drugą, czy dziecko aby na pewno Bronowicza?

— Gadały, co ty się mogłaś przespać z jakim innym mężczyzną — mówiła Sitkowa. Przyszła wydoić krowy, jak zawsze, wieczorem. Siedziały obok siebie, na stołkach. Mleko sikało do podstawionych pod wymiona skopków. Sitkowa mówiła po mazursku.

— Takie głupstwa one gadały, jo? Ta Natalia, siostra, powiedziała nawet, że z Wasylem mogłaś spać. Że dziecko to mały Ukrainiec.

— *Mein Gott* — powtarzała Urszula. — *Mein Gott!* Jakie to złe kobiety.

— Ta Wanda pewno by chciała sama urodzić pułkownikowi „*kleiner Oberst*" — powiedziała Frau Sitek — eno ona za stara. To tylo zazdrość. Ji wzina grzechowo.

— Jezu, godzi się takie rzeczy gadać? Jak nic się nie wie? Jak niczego nie rozumie? — pytała Urszula.

Tej nocy Bronowicz przyszedł później do pokoju za kuchnią. Tomek długo nie mógł zasnąć — wiercił się na sofie pod oknem. Kiedy wydawało się, że śpi, i pułkownik unosił na łokciu — chłopiec znów przewracał się z boku na bok. Była jedenasta, gdy w końcu wnuk zasnął i Bronowicz mógł pójść do Lili. Sprawdził jeszcze po drodze, czy Zuzi i mały w wózku śpią za kotarą.

Pochylił się nad Urszulą (leżała bez ruchu):
— Lili!
Usłyszał, jak szepnęła:
— Chodźże. Czekam i czekam.

Wtedy objął jej głowę — chciał pocałować w usta — uniósł i poczuł pod palcami mokre policzki. Wargi Lili były słone.

— Płaczesz? Lili!

Wtedy zaczęła opowiadać o rozmowie z Sitkową.

— Ta twoja Wojnicka mnie nienawidzi. Ona gadała, że to nie twoje dziecko, że ja z każdym mogłam się zadać.

— Lili — powiedział Bronowicz — nie przejmuj się, nie myśl. Zapomnij.

— Jak mam nie myśleć? Jak zapomnieć? Ona mówi, że ja jestem *eine Hure. Ich bin eine Hure, eine Hure!* — I Lili znów zaczęła płakać.

— Nie powtarzaj takich głupstw! Niektórych słów nie trzeba nawet wymawiać — mówił Bronowicz. — Mnie to tylko śmieszy.

— Śmieszy? Ciebie tylko śmieszy? — Urszula nie przestawała płakać. — Jak ja będę teraz żyć?

Bronowicz wsunął się pod kołdrę, objął Lili, przygarnął.

— Nie płacz, nie płacz — powtarzał.

— Inne kobiety rozumieją, że kogoś można niłować i że to dziecko z miłości. A ona co? *Ich bin eine Hure!*

— Cicho, cicho.

Pułkownik całował wilgotne policzki, słone usta, mokre oczy.

Zaczęli się kochać i dopiero wtedy Urszula przestała płakać. Powoli, powoli płacz zmienił się w coraz szybszy i szybszy oddech.

Tomek szczególnie lubił sierpniowe wieczory. Były chłodne po upalnych dniach. Wcześniej robiło się ciemno. Siedzieli w kuchni przy zapalonych lampach. W piecu, pod blachą, buzował ogień. Grali z dziadkiem w szachy. Czasem Bronowicz czytał głośno *Pana Wołodyjowskiego*. Urszula i Zuzi usypiały dziecko po kąpieli. Skrzypiały kółka wózka.

Jednego z takich wieczorów mały znów długo nie mógł zasnąć — płakał i lamentował. Musieli przerwać czytanie Sienkiewicza. Tomek pobiegł po organki. Próbował uśpić „wujka", wygrywając swoje melodie. Ale on dalej płakał. Zasnął dopiero, gdy Urszula usiadła, okrakiem na ławie, wzięła na kolana, odpięła bluzkę, wysupłała pierś i zaczęła karmić. W kuchni zapadła cisza — znów słychać było ogień pod blachą. Za szybką zegara na ścianie poruszało się wahadło: tik-tak, tik-tak.

Kiedyś, gdy nawet karmienie nie pomogło i mały po odstawieniu od piersi dalej płakał, pułkownik przysunął się z ławą bliżej wózka i zaśpiewał: „*Spij mładieniec, moj priekrasnyj, bajuszki, baju, ticho smotrit miesiac jasnyj w kołybiel twoju...*".

Była to, jak wyjaśnił później, kołysanka, którą niania — Rosjanka śpiewała nad jego kołyską, na Podolu (znał słowa od matki). Teraz, w Lipowie, pochylony nad wózkiem, śpiewał basem: „*Ti że spi zakriwszi głazki, bajuszki, baju...*".

Tych kilka chwil w kuchni lipowskiej — płomyki lamp naftowych odbite w ciemnych szybach, skrzyp kółek pękatego wózka i to, jak dziadek śpiewa rosyjską kołysankę — zapamiętał Tomek.

Wtedy mały przestał płakać. Zamknął oczy. Jeszcze przez chwilę krzywił się, robił śmieszne miny. Potem zasnął i do kuchni wróciła cisza. Usłyszeli ogień pod blachą, „tik-tak" zegara. Za oknem szczekają psy.

W przeddzień rozpoczęcia roku szkolnego Tomek z chłopcami popłynęli na jezioro — w górę rzeki. Powiedział tylko Urszuli, że płyną — Bronowicz z Wasylem pojechali do Jakubowa.

Chłopcy planowali wyprawę od kilku dni.

— Byle dobry dzień był, bez deszczu — mówił Horst.

Popłynęli łódką Manfreda: Tomek, Mani, Zoni i Horst. Kiedy odczepiali łódkę od pnia olchy blisko mostu i kiedy wpływali między pale porośnięte wodorostami — Marysia, Dorotka i Helga wołały z góry, aby je zabrali. Stały przechylone przez balustradę, śmiały się — przebiegły na drugą stronę, gdy znikli z oczu. Deski nad głowami chłopców zadudniły. Zoni odkrzyknął po niemiecku:

— Za daleko płyniemy! Wasze mamusie nie pozwolą. *Eure Mütter werden das nicht erlauben!* — wołał jeszcze z daleka.

Dorotka rzuciła żółty kwiatek, ale spadł obok burty i popłynął z rzeką.

Mieli wędki, dżdżownice w słoikach. Tomek w plecaku butelkę z herbatą i kilka kanapek, które sam zrobił przed wyjściem (kromki chleba posmarował masłem i smalcem). Zoni, Horst i Manfred pchali łódkę na zmianę — zmieniali się na rufie, przekazując sobie drąg.

Minęli werandę na drewnianych palach, ruiny pensjonatu z pomostem, z którego Tomek łowił krasnopióry i skąd przewiózł na drugi brzeg aspiranta Kwiatkowskiego. Miejsce pod skarpą, z głębokim dołem z zieloną wodą, gdzie kąpali się. Wyspę z uschniętą brzózką pośrodku rzeki. Wąski przesmyk między brzegami, porośnięty trzciną. Wierzby, wierzby, olchy. A potem zaczął się las. Płynęli jak pod zielonym dachem, wśród szpaleru sosen, brzóz, grabów. Znowu były olchy, olchy. Rzeka wiła się, ginęła za zakrętami — rozlewała szerzej lub stawała się kręta i wąska, a wtedy nurt z leniwego zmieniał się w bystry. Nad płytkim dnem, piaszczystym lub z drobnych kamyków, jak nad mozaiką, przemykały stada uklei i płoci. Falowały poruszane nurtem wodorosty. Płynęli w cieniu, a kiedy wypływali na słońce, rzeka przed nimi wydawała się migotać i srebrzyć. Blask kłuł w oczy.

Tomek siedział na ławeczce blisko dziobu, dwaj chłopcy za nim — jeden zawsze na rufie pchał łódź. Minęli miejsce, gdzie łowili raki pod korzeniami drzew, w jamach. Woda i dno były tu czarne.

— Tomek, ty się chyba boisz raków, jo? — przypomniał sobie Zoni.

Horst i Manfred roześmieli się. Tomek patrzył na leszczyny rosnące wzdłuż brzegu. Zasłaniały wyrąb podchodzący do rzeki. Ich liście zaczynały żółknąć i cały brzeg był jasnożółty w słońcu. Niebo odbijało się w rzece.

— Płyniemy jak po niebie, jo? — powiedział jeszcze Zoni.

A potem był most — drugi drewniany most na rzece. Leśne ścieżki tu się zaczynały i tu kończyły. Można było przejść suchą nogą z brzegu na brzeg. Przepłynęli między palami, siwymi od słońca po stronach, gdzie stały odsłonięte. Pod powierzchnią wody były oblepione wodorostami. Zoni uderzył drągiem w pal i na głowy chłopców posypały się kawałki spróchniałych desek.

— Ty, głupi, co robisz! — krzyknął Horst.

Za mostem minęli pola grążeli i lilii wodnych, żółtych i białych. Rzeka była coraz szersza i głębsza. Brzegi po dwóch stronach jakby cofnęły się, odsuwając od siebie coraz dalej. Jeszcze kawałek i drąg przestał sięgać dna, woda pociemniała naokoło, a chłopcy poczuli na twarzach wiatr. Wypłynęli na jezioro.

Horst podniósł leżące na dnie łódki wiosła. Przez chwilę mocował w tulejach na burtach. Potem pierwszy zabrał się do wiosłowania — łódka obróciła się pośrodku zatoki. Pisnęły dulki i zaczęli płynąć.

Teraz wszyscy czterej siadali po kolei na środkowej ławce i siedząc, obróceni plecami do dziobu, wiosłowali na zmianę. Tomek — jako drugi — po Horście. Zacisnął palce na ciepłych końcach wioseł, włożył pióra do wody, odepchnął się raz i drugi. Horst i Zoni przyglądali się, niepewni, czy potrafi.

Z początku wiosła wyskakiwały nagle na powierzchnię, ślizgały się po wodzie, wzbijały fontanny (oblał Horsta i Maniego), ale stopniowo szło mu coraz lepiej — łódka płynęła równo, czuł tylko pod stopami dygot, gdy małe fale uderzały o burty i dreszcz przebiegał po dnie.

Wzięli kurs na pas trzcin — jasny w słońcu na tle ciemnej linii lasu. Coraz dalej odpływali od zatoki, z której rzeka wypływa z jeziora. Zdjęli koszule. W słońcu, na otwartej przestrzeni, było coraz goręcej. Na gołych ramionach, na plecach i szyjach czuli ciepłe podmuchy.

To tam, pośrodku jeziora, na wietrze i w słońcu, czując pod stopami drżenie i coraz pewniej wiosłując — Tomek znowu pomyślał, że jest szczęśliwy i że mógłby wiosłować i wiosłować bez końca. Ale już Zoni chciał siadać do wioseł, po nim Manfred, potem znów Horst. Ani się obejrzeli, gdy był tamten brzeg — wpłynęli między trzciny, zaszeleściły, ocierając się o burty i pisk dulek ustał.

Do południa łowili ryby, zmieniając miejsca. Płynęli wzdłuż brzegu, wyszukując zatoki, stając na końcu małych cypli wrzynających się w jezioro. Horst spuszczał na łańcuchu cegły przywiązane sznurem. Zastępowały kotwicę. Kłócili się o to, kto ma siedzieć na dziobie, skąd gorzej było zarzucać, jeśli stanęli w trzcinach. Popluwali na nawlekane na haczyki dżdżownice.

W zatokach rzucali pod liście grążeli. Najczęściej łowili okonie i płocie. Ryby trzymali w siatkach zawieszonych na dulkach.

Tomek starał się trafiać przynętą jak najbliżej wielkich liści pływających po wodzie. Klęczał potem przy burcie, wpatrzony w kołyszący się spławik z korka. Czekał na moment, kiedy korek podskoczy, zanurkuje, wypłynie na chwilę, a potem zniknie w ciemnej wodzie. Wtedy trzeba było szarpnąć kijem, zaciąć i wlec złapaną rybę do łódki.

Najczęściej zacinał Horst — miał zapewne najlepiej wymierzony odstęp między spławikiem a przynętą. Raz nawet wyciągnął małego lina, złocisto-zielonego, o czarnych płetwach. Przez chwilę wszyscy patrzyli, jak linek odczepiony od haczyka skacze na dnie łódki. Horst podniósł rybę, chwytając pod oskrzela, uniósł i potrzymał, żeby dobrze obejrzeli. Lin wyginał się. Ciemny ogon trzepotał.

— *Du aber hast Glück* — powiedział Zoni.

Tomkowi zdawało się, że zielonozłote łuski świecą w słońcu. Złowił kilka płotek i jednego okonia. Czasem zarzucał za daleko, to znów za blisko. Raz żyłki — jego i Manfreda — szczepiły się. Szarpiąc wędkami, wyrwali liść grążeli z długą łodygą.

— Oj ty, Tomek! Uważaj, jak rzucasz! — powiedział Manfred.

Rozplątywali żyłki, klęcząc pośrodku łódki. Ten liść grążeli, wleczony po wodzie, szczególnie zdenerwował Horsta.

— Oni nam wypłoszą wszystkie riby. Z takimi ribakami nawet uklei nie złapiesz!

Zmienili zaraz miejsce, ale w nowym ryby brały słabo.

Niedługo potem rozsiedli się, opierając plecami o burty, żeby zjeść to, co wzięli z domów. Manfred wyjął z menażki, w której miał nieść ryby po powrocie, dwie złożone pajdy chleba ze smalcem i jajko na twardo. Postukał zaraz skorupką o burtę. Zoni i Horst mieli pajdy przełożone kiszką pasztetową.

Tomek wyjął z plecaka swoje kanapki. Popijał zimną herbatą z butelki po oranżadzie.

— Dałbyś nam popić, co? — odezwał się Zoni. Tomek podał mu butelkę. Przeszła z rąk do rąk, wokół burty, i wróciła do niego pusta. — Teraz eno wodą z jeziora popijaj — śmiał się Zoni.

Wiatr ustał. W ciszy, jaka zapadła, nie słyszeli nawet szelestu trzcin. Brązowe pałki na długich łodygach, wystające tu i tam, stały nieruchome. Czasem tylko plusnęła ryba uwięziona w siatce. Tomek przyglądał się niebieskiej ważce. Usiadła na burcie i jej przezroczyste skrzydła to drżały, to nieruchomiały. Połyskiwały w słońcu.

— Wej, chlopy — powiedział Horst — riby na was czekają.

— Ale eno popatrzcie — odezwał się Zoni. On jeden siedział zwrócony twarzą do jeziora. Widział daleką zatokę, ujście rzeki i linię lasów po drugiej stronie.

Tomek obejrzał się. Nad całym tamtym brzegiem zawisły ciemne chmury. Były granatowosine, wydawało się, że rosną, piętrzą się i pęcznieją. W pewnej chwili błysnęło. Chmury przecięła błyskawica. Usłyszeli daleki grzmot. Zadudniło.

— Riby to sobie poczekają — powiedział Zoni. — Płyńmy do brzegu, nim do nas dojdzie.

Ale Horst już zarzucał wędkę. Złapał po chwili niedużą płoć. Manfred rozwijał swoją — kręcił kijem nad wodą. Tomek podniósł wędkę z dna. Siedział jeszcze okrakiem, oparty o burtę, przysunął bliżej słoik z dżdżownicami. Grzebiąc w mokrej ziemi, szukał odpowiedniej. Jeden Zoni nie ruszył się z miejsca. Patrzył na ciemne chmury. Płynęły szybko w ich stronę.

Po kilku minutach przesłoniły słońce. Wielki cień padł na jezioro. Nagle poczuli uderzenie wiatru — zakołysało łódką. Trzciny zaszeleściły, brązowe pałki pochyliły się nisko. Od środka jeziora zbliżała się ściana deszczu.

— Ej, ryboki, uciekamy! — Zoni pośpiesznie, klęcząc pochylony nad burtą, zaczął wyciągać cegły.

Horst rzucił wędkę na dno łódki. Chwycił za wiosła. Ale już szkwał nadleciał — był szybszy. Wielka fala podrzuciła łódkę. Lunął deszcz. Blisko uderzył piorun, przetoczył się grzmot. Tomek chwycił za krawędzie burty po dwóch stronach ławki. Widział plecy Horsta. Zoni i Manfred znikli na rufie. Raz i drugi łódka przechyliła się, nabierając wody.

Przez następne kilka minut chłopcy usiłowali dopłynąć do brzegu. Utknęli w rozfalowanych trzcinach. Horst bił wiosłami, chcąc przebić się — łamał trzciny, chlapał. Obok Tomka stanął Zoni z drągiem — próbował pomagać. Wbijał drąg w dno, ale kij grzązł w mule. Nie mówili nic. Raz tylko Manfred zawołał.

— Jezus, nas tu potopi!

Powoli, powoli, zbliżali się do brzegu. Im byli bliżej, tym mniej kołysało. Stanęli w końcu pod brzozą, pochyloną w tym miejscu nad wodą. Ze zwisających gałęzi lały się strugi deszczu.

Szkwał i burza nie mijały: błyskało raz po raz. Nad lasem i jeziorem przetaczały się grzmoty. Chłopcy przykucnęli na dnie łódki. Skuleni, obejmowali rękami kolana. Bose stopy zanurzone w wodzie. Przysunęli się blisko jeden do drugiego. Tomek czuł, jak Mani kuli się po każdym uderzeniu pioruna. Sam przyciskał głowę do kolan, palcami zatykał uszy.

Błysk, grzmot, błysk, grzmot. Kołysze łódką. Strugi deszczu. Wiatr szarpie konarami brzozy.

Pułkownik z Wasylem wrócili z Jakubowa przed południem (jeździli na targ sprzedać wczesne ziemniaki i owies). Bronowicz zdenerwował się, kiedy Urszula powiedziała, że wnuk popłynął na jezioro.

— Powinien mnie spytać o zgodę. To za daleko. Jezioro to nie rzeka.

— Ja mu nie mogłam rzec *nein* — powiedziała Lili.

O trzeciej nad Lipowo nadciągnęła burza. Gdy pociemniało, Hania z Wasylem przypędzili krowy do obory. Pułkownik zabrał konie z wybiegu. Zawarli wrota w chwili, gdy siwa ściana deszczu była blisko. Nadeszła znad pól i lasu. Zaczęły bić pioruny. Jeszcze Zuzi odczepiła z łańcucha Atamana. Przybiegła z wilkiem na werandę. Oba psy leżały potem pod kuchennym stołem. Kajtek skamlał po każdym błysku i przetaczaniu się grzmotu. Rozdzwoniły się szyby.

Siedzieli we czwórkę i patrzyli na szalejącą za oknami burzę. Wiatr szarpał gałęzie jabłonek. Środkiem podwórza przetoczyła się miednica pułkownika, porwana spod studni. W chwilach, gdy było cicho, słyszeli lejące się z dachu strumienie wody. W oborze porykiwały krowy.

— Jeżeli dojdzie do jeziora, do chłopców, to Panie Boże, miej ich w swojej opiece! — powiedział Bronowicz.

295

Hania wsunęła rękę pod ramię Wasyla — przysunęła się blisko. Lili siedziała między pułkownikiem a Zuzi. Odwróciła się plecami do okna. Kołysała wózkiem z popłakującym małym. Milczeli, tylko Wasyl odezwał się, gdy piorun uderzył blisko:

— *Hrizna hroza.*

Około czwartej nawałnica przeszła — mogli wyjść na zalaną deszczem werandę. Jeszcze z dachu i okapów lała się woda. Szkliły się wielkie kałuże na trawniku przed domem. Kiedy wyszło słońce, rozbłysły, odbijając niebo. Wasyl, Hania i Urszula, wszyscy boso, poszli wypuścić zamknięte zwierzęta. Wasyl odprowadził konie za palisadę. Kobiety pognały krowy do miejsca, gdzie łąka wydawała się suchsza. Zuzi przyciągnęła opierającego się Atamana pod budę. Kajtek, rozchlapując wodę, wytarzał się w największej kałuży.

Pułkownik włożył gumowe buty i poszedł na most. Po drodze zatrzymał się pod domem Manfreda. Matka Maniego była na podwórzu — przed komórkami, w głębi. Wylewała wodę z koryta dla świń.

— Dzień dobry! Mani w domu?! — zawołał Bronowicz.

Kobieta podeszła do płotu.

— Nie ma go. A ja taka niespokojna — mówiła po niemiecku. — *Mein Gott! Die sind auf dem See, auf einem Boot.*

— No właśnie, a wnuk nawet nie uprzedził. Teraz burza pewno nad jeziorem — powiedział także po niemiecku Bronowicz. — To jest lekkomyślność. *Das ist Leichtsinn!*

— *Mein Gott* — powtórzyła Frau Szczepek. — Ja się
już modliłam, żeby im się co nie przytrafiło.

Na moście nie było nikogo. Bronowicz postał chwilę, patrząc na rzekę. Płynęła szybciej — przybrała po
ulewie. Bystry nurt niósł patyki, gałęzie, kępy trawy.
W wirach pod mostem obracała się żółta piana. Pułkownik kilka razy uderzył dłonią w mokrą balustradę.
Odwrócił się i odszedł.

Gdy mijał budynek z czerwonej cegły, zobaczył kierowniczkę — panią Wandę Wojnicką. Akurat schodziła
po schodkach szkolnego ganku. Poszła w stronę furtki.
Bronowicz zatrzymał się — nie wypadało iść dalej. Pani
Wanda na pewno go widziała. Może przez okno, kiedy
stał na pustym moście?

— Jak dobrze, że pana spotykam — zawołała, mocu-
jąc się z zasuwką przy furtce. — Panie pułkowniku! Spa-
da mi pan z nieba! Jutro mamy uroczystość rozpoczęcia
roku szkolnego. Chciałabym, żeby Tomek przeczytał
Powrót taty.

Zaskoczony Bronowicz ukłonił się, pocałował w rękę.
Zatrzymał się obok furtki.

— *Powrót taty*?

— Nie pamięta pan? „Tata nie wraca ranki i wieczory,
we łzach go czekam i trwodze..." — zaczęła recyto-
wać. — To przecież Mickiewicz.

— Wiem, oczywiście. Niestety, nie mamy tutaj Mickiewicza.

Wanda Wojnicka żachnęła się.

— Ależ ja nie chcę, aby Tomek uczył się na pamięć!
Broń Boże! On dobrze czyta. Już nieraz czytał tym ma-

łym Niemcom głośno. Niechże jutro, na początek, posłuchają naszej pięknej polszczyzny.

— Łaskawa pani, oczywiście — powiedział Bronowicz. — Tylko teraz bardzo niepokoję się o wnuka. Popłynął z chłopcami na jezioro. Burza mogła ich złapać, przewrócić łódkę.

— O mój Boże — zaniepokoiła się Wanda Wojnicka. — Niech pan nie mówi takich rzeczy. Dadzą sobie radę.

— Oby, oby.

Ruszyli powoli w stronę skrzyżowania dróg za szkołą. Jeszcze raz przystanęli.

— Nie zapomni pan uprzedzić Tomka? *Powrót taty!*

— Na pewno mu powiem — skłonił się pułkownik. Chciał się pożegnać, odejść, ale właśnie wtedy usłyszał.

— Gratulacje z powodu potomka. Jeszcze jeden chłopak w rodzinie. No, no! — Kobieta patrzyła na niego uważnie.

A wtedy Bronowicz — nagle, zupełnie bezwiednie, jak oceniał później swoje zachowanie — stuknął po wojskowemu gumowymi obcasami i powiedział:

— Ku chwale ojczyzny!

Wojnicka uśmiechnęła się.

— To do widzenia panu. — Odwróciła się i poszła wolno w stronę osiedla za wsią.

„Co ona z tym *Powrotem taty*? Czy to miała być aluzja?" — zastanawiał się Bronowicz, wracając przez wieś.

O siódmej znów poszedł na most. Tym razem stały tam kobiety — matki chłopców. Była Frau Sitek, Frau

Szczepek i matka Horsta — Cieślikowa. Kilkoro dziewczynek i chłopców biegało od balustrady do balustrady. Z daleka usłyszał gwar i śmiech.

Kobiety były zatroskane.

— Co pan powie, *Herr Oberst*, ich jeszcze nie ma — zaczęła mówić Frau Sitek. — Ja się cały czas modliłam.

— Miejmy nadzieję, że wracają — powiedział Bronowicz.

— *Hoffnung, Hoffnung!* — Odezwała się po niemiecku matka Horsta. — Ona nas zawsze zawodzi.

— No to módlcie się, módlcie, moje panie.

Pułkownik przeszedł na drugą stronę mostu. Po raz pierwszy pomyślał o tym, jak bardzo jest bezradny. Nic przecież nie może zrobić. Nic. Tylko czekać. Stał i patrzył na rzekę, ginącą za najbliższym zakrętem. Położył dłonie na balustradzie i zabębnił palcami o belkę.

Minęła godzina. Zapadł zmrok, rzeka pociemniała. Nurt, dalej od mostu, przesłoniła mgła. Zatarły się kontury werandy na palach i olchy na brzegach. W wiosce szczekały psy.

Przyszły Urszula i Zuzi, z wózkiem, w którym spał mały. Pułkownik, stojąc samotnie po drugiej stronie, oparty o balustradę, słyszał, jak Lili rozmawia z kobietami po niemiecku. Frau Sitek i Frau Szczepek mówiły, pochylone nad wózkiem:

— Jaki ładny, gdy tak śpi. *Reizend, reizend!* Śliczny!

Po ósmej przyjechał na rowerze Dietrich Jedamczik — kolega Horsta i Zoniego. Zbliżając się do mostu i pedałując szybko, zaczął wołać:

— *Sie kommen schon, sie kommen!*

Gdy zsiadł z roweru, zgrzany i zdyszany, zaczął opowiadać. Był na ścieżce nad rzeką. Jechał w stronę jeziora. Łódkę widział jeszcze w lesie.

— Ale oni już dopływali do łąk na skraju!

Bronowicz przeszedł na drugą stronę. Stanął obok kobiet. Rozmawiały teraz głośniej, śmiały się.

— Temu mojemu uszy oberwę! — Powiedziała matka Horsta.

— Jo, jo, poobrywamy! — Przytaknęła Frau Szczepek.

Przemoczeni i zziębnięci chłopcy mijali teraz — wynurzając się z mgły — wyspę z uschniętą brzózką, pomost przed spalonym pensjonatem, skarpę z dołem z zieloną wodą, drewnianą werandę. Ciemne olchy stały nieruchomo na brzegach.

Wypłynęli z mgły blisko mostu. Zobaczyli kobiety, rower Dietricha oparty o balustradę. Wysoką postać Bronowicza. Pułkownik wyjął z kieszeni latarkę (blaszaną, czarną — z płaską bateryjką wsuwaną po otwarciu klapki). Zapalił i machnął kilka razy nad głową.

— Tomek?!

Wnuk odkrzyknął, kiedy wpływali pod most:

— Jestem, dziadku!

Dopiero w domu, w kuchni — w swetrze, spodniach od pidżamy, w wełnianych skarpetach, które kazała nałożyć Urszula — wysłuchał kazania. Bronowicz, zdenerwowany, mówił to, co zapewne by każdy na jego miejscu powiedział:

— Tyle razy powtarzałem, że bez pytania o zgodę nie możesz odchodzić gdziekolwiek!

— Ale dziadka nie było.

— Mogłeś poczekać. Co by się stało, gdyby burza przewróciła łódkę? Przecież nie umiesz pływać? Umiesz?

Tomek milczał.

— Co powiedziałbym mamie, babci, twojemu tacie, gdybyś utonął?

— Przepraszam — powiedział wnuk.

Później, podczas kolacji, opowiedział dokładnie, jak było. Musieli długo wylewać wodę z łódki. Mieli tylko menażkę Manfreda i jeden słoik po dżdżownicach. Wylewali na zmianę.

— Przez godzinę albo dłużej, nim mogliśmy popłynąć. A potem płynęliśmy i płynęli, pod fale, bo był wiatr. A na rzece było ciemno. Mgła. A w jednym miejscu to spłoszyliśmy jelenie, jak piły wodę. Mówię ci, dziadku — wpłynęliśmy między stado jeleni. W sam środek. One nas nie słyszały, a jak zobaczyły, to tak się przeraziły, że zaczęły skakać naokoło. Jak oszalałe. Tylko fontanny wody na nas spadły, nim uciekły na brzeg. Te jelenie, dziadku, jeszcze raz nas zmoczyły. To był drugi deszcz.

— I bardzo wam dobrze — powiedziała Zuzi.

Nazajutrz — w granatowym ubranku „unrowskim", białej koszuli, w sandałach przetartych wilgotną szmatką z kurzu — Tomek pobiegł do szkoły przed dziesiątą. Pani Wojnicka wywołała go z grupy dzieci:

— Tomek, Tomek, chodź tu do mnie!

Poszli do pokoju nauczycielskiego. Na biurku kierowniczki leżała rozłożona księga — czwarty tom dzieł Adama Mickiewicza, wydanych w roku 1933 nakładem Komitetu Mickiewiczowskiego w Nowogródku. Na stronie siódmej była ballada *Powrót taty*.

— Przeczytaj sobie cichutko. Dwa razy. Żebyś potem się nie pomylił — powiedziała pani Wanda. — Odczytasz nam głośno, na dziedzińcu. Dziadek ci mówił?

— Mówił, proszę pani. — Wnuk Bronowicza usiadł i zabrał się do czytania.

Uroczystość zaczęła się o jedenastej — punktualnie. Dzieci z wszystkich pięciu klas siedziały w ławkach ustawionych na trawniku za szkołą. Przyszło kilka matek. Była też przedstawicielka kuratorium z Jańćborga. Niska, tęga, w różowej bluzce i szarym kostiumie. Na bosych nogach miała płócienne pantofle na podeszwach z korka. Zwróciły uwagę Tomka, ponieważ podobne — na koturnach, jak mówiło się w Warszawie — nosiła babcia Iza. Za stołem, naprzeciw ławek, siedziała także pani Helga od śpiewu i rysunków oraz nowy pan, Sylwester, jak później przedstawił się dzieciom (młody nauczyciel, który miał uczyć rachunków).

Na początku dzieci wysłuchały wystąpienia „pani obywatelki z kuratorium", jak powiedziała Wanda Wojnicka — klaszcząc jednocześnie w ręce:

— Cicho tam na końcu! Przestańcie rozmawiać!

Kiedy rozmowy ucichły, przedstawicielka urzędu z Jańćborga zaczęła czytać z kartki swoje przemówienie. Uczniowie usłyszeli o: „zwycięstwie rewolucji proletariackiej w Polsce Ludowej", „braterskiej przyjaźni ze

Związkiem Radzieckim", „towarzyszu Stalinie i naszym prezydencie, towarzyszu Bolesławie Bierucie".

O szczęściu, jakim dla ludu pracującego miast i wsi jest ustrój sprawiedliwości społecznej, ponieważ zapewnia wszystkim „naukę, pracę i dobrobyt". Tylko jedno zdanie powiedziała zwyczajnie, już bez kartki:

— Życzę wam, drodzy uczniowie, samych dobrych stopni w rozpoczynającym się roku szkolnym!

Pani Wojnicka mówiła krótko. Przedstawiła rozkład lekcji, powiedziała o godzinach, w jakich poszczególne klasy będą rozpoczynały naukę. Przypomniała o obowiązkach: o punktualnym przychodzeniu do szkoły, odrabianiu lekcji, pisaniu w zeszytach bez kleksów i uważnym słuchaniu tego, co nauczyciele będą mieli do powiedzenia.

— A teraz, na początek, posłuchajcie wiersza naszego wielkiego poety, romantyka, Adama Mickiewicza: *Powrót taty*. Proszę, Tomku!

Trochę speszony i zaniepokojony, czy dobrze mu pójdzie, Tomek, trzymając oburącz dużą księgę, stanął naprzeciw ławek. Z początku cicho („głośniej, głośniej!", powiedziała kierowniczka), później głośno, zaczął czytać: „Pójdźcie, o dziatki, pójdźcie wszystkie razem, za miasto, pod słup na wzgórek...". I tak dalej. „Tato nie wraca; ranki i wieczory we łzach go czekam i trwodze..." — czytał płynnie. Nie zająknął się do końca, tylko raz przerwał, odwracając stronę.

— Pięknie, pięknie czytasz! — pochwaliła przedstawicielka kuratorium, gdy skończył. Przechyliła się przez stół i pogłaskała Tomka po włosach.

— Brawo, Tomek! — powiedziała pani Wojnicka.
Uroczystość skończyła się wraz z jego występem.

Potem, już w dwóch klasach (odnowionych — pomalowane ściany i ławki), starsze i młodsze dzieci mogły wybierać, kto z kim i w której ławce będzie siedział. Tomek z Manfredem, tak jak w roku ubiegłym, zajęli trzecią ławkę w rzędzie pod oknem. I tak jak w ubiegłym roku — przed chłopcami usiadły Marysia Jesionek i Dorotka Olszewski.

Wracali ze szkoły gromadą około pierwszej. Był słoneczny dzień, niebo bezchmurne. Tomek, Manfred, Zoni i Horst długo rozmawiali o wczorajszej burzy nad jeziorem, o tym, że szkoda ryb (siatki stracili w trzcinach, gdy przebijali się do brzegu). Przystanęli na placu, na drodze, potem już tylko Tomek z Manim długo stali przed domem Manfreda.

— Ty, zaczekaj! — zawołał Mani, stojąc jeszcze koło furtki, kiedy Tomek odchodził: — Ja to myślałem, że te „dziadki" to starzy ludzie. Takie „dziadki", jo? Strychowie znaczy, dziady. Dopiero jak dalej mówiłeś, to już wiedziałem, że to dzieci.

— Pewno że dzieci! — odkrzyknął Tomek.

— Ale wyraźnie żeś tego nie gadał na początku.

— To nie ja, to ten romantyk! — zawołał Tomek.

Dnie mijały teraz podobnie jak tamte, które Tomek pamiętał z ubiegłego roku. Rano śniadanie — najczęściej płatki na mleku, które zjadał szybko, podzwaniając łyżką o talerz. Wybiegał z domu i biegł dalej ścieżką przez łąkę, z tornistrem podskakującym na ramieniu.

Mani czekał przed furtką, zniecierpliwiony, gdy Tomek się spóźniał. Biegli razem do szkoły. Zdyszani, zajmowali swoje miejsca w klasie (pod oknem, z uchylonym luftem, zza którego słychać było gęsi na rzece). Pisali wypracowania lub rozwiązywali zadania podyktowane przez panią Wojnicką. Lubili lekcje rysunków lub śpiewu, na których pani Helga uczyła ze śpiewnika polskich piosenek. Na przykład: „Koło mego ogródeczka zakwitała jabłoneczka..." lub „Którędy Jasiu, którędy Jasiu, pojedziesz?...". Tę drugą Tomek znał dobrze, ponieważ dziadek śpiewał różne piosenki, najczęściej przy goleniu w łazience, stojąc z namydlonym pędzelkiem przed lustrem na komodzie lub w kuchni, siedząc na ławie przed małym lusterkiem (z wytartą fotografią placu Zamkowego i kolumny Zygmunta na rewersie, jak mówił). Krzywił się, zbierając mydło z policzków brzytwą i śpiewał, raz ciszej, raz głośno: „O, gwiazdeczko, coś błyszczała, gdym ja ujrzał świat..." albo „Hej, poleciał sokół siwy w bujne stepy Ukrainy...". A także: „Bywaj dziewczę zdrowa, ojczyzna mnie woła..." i „Bracia, rocznica, więc po zwyczaju...". Czasem rosyjskie, jak tę o obwarzankach: *Kupitie bubliczki, goriaczje bubliczki..."*

Pani Helga poprosiła kiedyś, żeby Tomek sam zaśpiewał dzieciom *Którędy, Jasiu, pojedziesz* — od początku do końca.

„Przez wieś pojadę, przez wieś pojadę, pojadę, pojadę... — śpiewał Tomek, stojąc koło ławki — do swej dziewczyny, do mej jedynej, po radę, po radę...". I dalej o tym, że dziewczyna na pewno będzie „rada, oj rada...".

Kiedy skończył i usiadł, Dorotka odwróciła się i spytała szeptem:

— Co to znaczy, że będzie „rada"?

— Bo ona go kocha — odpowiedział Tomek, także szeptem, ale Dorotka nie uwierzyła, bo jeszcze szepnęła:

— Ty mnie eno nabierasz, jo?

W czasie przerwy, tak jak w ubiegłym roku, biegli na most i przechyleni przez balustrady patrzyli na płynącą rzekę. Po lekcjach chodzili grać w piłkę na łąkę za wsią. Grali najczęściej szmacianą — kłębem zwiniętych szmat, obwiązanych sznurkami. Czasem tylko Dietrich Jedamczik przynosił prawdziwą piłkę i wtedy grali naprawdę, jak mówił Horst. Ale Dietrich rzadko przychodził. Chłopcy dzielili się na drużyny — wybierali bramkarza, napastników i obrońców. Grali, krzycząc i kłócąc się. Kwestionowali strzelone przez przeciwników bramki. Mecze często kończyły się wynikiem, którego przegrani nie uznawali.

Tomek wracał na obiad zgrzany, spocony — czerwone policzki pałały. Kilka razy zapomniał zabrać tornistra rzuconego na trawę, pod sosną. Zły na siebie, musiał biec z powrotem na łąkę.

W połowie września usłyszeli znowu jelenie ryczące na leśnych polanach wieczorami. W księżycowe noce, w mgle nad łąkami, niosły się głosy byków walczących o łanie. Na polach zaczęto palić łęty kartoflane. Zapach dymu z ognisk unosił się nad ziemią.

Jednego z takich wieczorów przyszła Joanna. „Depesza znowu nie doszła" — pomyślał Bronowicz w pierwszej chwili. Dopiero potem okazało się, że córka w ogóle jej nie wysłała. Czy wolała tak przyjechać, nagle, bez zapowiedzenia?

Z plecakiem na ramieniu, w szarej kurtce, w harcerskim berecie na głowie, z leszczynowym kijkiem, który podniosła z mchu, wchodząc do lasu za Gałkowem — przyszła w sobotę około ósmej. Urszuli nie było. Na niedzielę poszła z dziećmi do rodziców. „Mały pułkownik" pojechał w wózku. Tomek z dziadkiem byli w kuchni, kiedy usłyszeli psy.

— Wyjrzyj no, zobacz — powiedział Bronowicz.

Tomek wybiegł na werandę i zaraz, tak jak zimą, przed Bożym Narodzeniem, pułkownik usłyszał krzyk wnuka:

— Mama, mama przyjechała!

— Joasiu, znów na piechotę? Dlaczego nie napisałaś? — pytał Bronowicz, kiedy witał córkę, pomagając zdjąć plecak i kurtkę. Joanna, tak jak wtedy, usiadła na zydlu koło pieca.

— Zaraz wszystko opowiem. Dajcie trochę wody.

Bronowicz zaczął wyjmować z kredensu talerze, półmiski, szklanki. Z szafki pod oknem wędliny i sery. Starał się opanować drżenie dłoni, na co od pewnego czasu zwracał uwagę. Zwłaszcza w chwilach, kiedy denerwował się, palce zaczynały drżeć. „Może początki parkinsona?" — myślał wtedy.

Przed godziną pożegnał Grodeckiego, który — jak zawsze niezapowiedziany — przyszedł na partię szachów. Grał tym razem z Tomkiem. Bronowicz siedział obok. Z początku na ławie, na werandzie — potem przeszli do kuchni. Grodecki, przerywając od czasu do czasu —

307

aby zastanowić się nad kolejnym ruchem — opowiadał o rozmowach z synem. Bronowicz wiedział, że młody Grodecki służył w czasie wojny w dywizji pancernej na froncie wschodnim. Zginął pod Kurskiem. Kilka razy stary Mazur wspominał o synu. Ale dzisiaj mówił tak, jakby go widział wczoraj — żywego, w mundurze, tu, w Lipowie. Przyszedł porozmawiać z ojcem, jakby nic się nie stało. Nie spłonął w swoim tygrysie, nie przyszło potem zawiadomienie o śmierci syna na „polu chwały": „*Er fiel auf dem Feld der Ehre*".

— Rozumiem — powiedział Bronowicz — że opowiada pan o rozmowie, jaka miała miejsce w czterdziestym drugim, kiedy Hans przyjechał na urlop. Czy tak?

Mazur popatrzył na pułkownika swoimi niebieskimi oczami, potarł policzek (trzymał w palcach czarnego piona).

— *Herr Oberst*, on teraz przychodzi. Do nas, do ogrodu albo nad rzekę. Zawsze wieczorem, późno. Wtedy ja wychodzę, a kobieta zawsze pyta, po co. To mówię, że tak, popatrzeć na księżyc. Hans prosił, abym matce nie mówił nic. Nie chce denerwować matki — opowiadał Grodecki. — *Er will die Mutter nicht aufregen*. Widzi pan, jaki to dobry synek?

Postawił piona i zaraz stracił, bo Tomek zabrał go, robiąc ruch koniem.

— Chyba dziś chlopak mnie pokona. Coś nie bardzo mi idzie. No bo tylko o tym moim chlopcu dumam — powiedział po polsku Grodecki.

— Jest pan pewien, że to Hans przychodzi? — spytał dziadek.

— On. Na pewno. Ja go nie widzę, *Herr Oberst*, tak jak teraz pana. Ale wiem, że on jest tam, gdzie cień pada od księżyca. Taki czarny kawałek na trawie. Idę zawsze pod nasz klon. I jak jest księżyc, to taki długi cień leży na ziemi. Wiem, że to Hans, bo od cienia idzie głos. Albo mówi z krzaka, tylko nie wiem, czy bzu, czy róży. Albo nad rzeką, jak nie ma księżyca, nad wodą. Przychodzi w takiej mgiełce. *Leichter Nebel* — powiedział po niemiecku Grodecki.

— Proszę pana, to złudzenie. Przecież Hans nie żyje. Nie może przyjść i rozmawiać. Ani jako cień, ani jako mgiełka — usłyszał głos dziadka Tomek.

— Tak, tak — uśmiechał się Mazur — pan wie, co mi powiedział? „Ojciec — mówił — ty nawet nie wiesz, co człowiek może wytrzymać". I ja mu wierzę, *Herr Oberst*. Ja byłem na wojnie krótko. To najgorsze przyszło później. Jak już nas dobijali.

— Kto sieje wiatr, Herr Grodecki, zbiera burzę — powiedział jeszcze dziadek.

Ściemniło się. Przeszli z werandy do kuchni i tam przy zapalonej lampie Grodecki przestał opowiadać o rozmowach z synem. Zamyślił się nad szachownicą. Długo zwlekał z wykonaniem ruchu, a kiedy przesunął damę, Tomek zabrał mu, znów skacząc, koniem. Mazur podniósł ręce.

— Szlus. Poddaję się. Wygrałeś, chlopak.

Tomek, zadowolony, próbował namówić Grodeckiego na jeszcze jedną partię, ale gość podniósł się szybko i wyszedł. Tylko laska zastukała na werandzie.

— Dziadku, czy on naprawdę rozmawiał z synem? — spytał zaraz chłopiec. Zbierał figury i układał w pudle szachownicy.

— Przeżywa omamy. Tak to się nazywa. Jemu się wszystko zdaje. Biedny człowiek — powiedział Bronowicz.

— Dziadku, ty także przeżywasz omamy?

— A odpukaj w niemalowane drzewo! — zawołał pułkownik.

Pół godziny później siedzieli przy kolacji z Joanną. Mówiła, że nie chciała robić kłopotu, wysyłając depeszę.

— Jeszcze przecież lato. Dnie ciepłe. To przyjemnie przejść się spacerem, pustą drogą, jak aleją. I ten kawałeczek przez las.

— Dwanaście kilometrów, Joasiu. A lato minęło. Już wrzesień.

— Gdzie wasza Lili? — spytała córka.

— Poszła z Zuzi i moim wujkiem do Gałkowa — powiedział szybko Tomek. — Mamo, szkoda, że nie widziałaś wujka. Robi takie śmieszne miny!

— A dajże spokój z tym wujkiem — zaczął mówić Bronowicz. — Mama przecież zobaczy dziecko. Na jak długo przyjechałaś?

Joanna nie odpowiedziała. Popatrzyła na ojca przez stół. Na jego siwą głowę, zarost na policzkach (nie ogolił się tego ranka), zmarszczki przy oczach, bruzdy wokół ust.

— Czy to twoje dziecko? — spytała.

— No tak, tak. Jeśli dla Tomka jest wujkiem, to twój brat.

— Jezus Maria, mama miała rację. Ja nie mogłam uwierzyć.

— Joasiu — Bronowicz postukał widelcem o blat stołu. — Proszę. Porozmawiamy później. Nie teraz. Nie przy wszystkich.

— Ci wszyscy to mój syn. Czy cokolwiek jest jeszcze do ukrycia?

Teraz Bronowicz nie odpowiedział. Joanna pochyliła głowę nad talerzem. Przez chwilę w kuchni słychać było tylko „tik-tak" ściennego zegara. Potem Bronowicz wstał, żeby dorzucić pod blachę — ława stuknęła.

— Mama śmiała się i płakała — powiedziała Joanna. Bronowicz wrócił, usiadł naprzeciwko.

— Tomku, jeśli zjadłeś, idź do łazienki. Prześpisz się dziś na sienniku, na podłodze. Pamiętasz? Spałeś tak zimą, gdy mama przyjechała.

— Mam dla ciebie dobrą nowinę — powiedziała Joanna do syna. — Wracasz do Warszawy.

— Mamo! — zawołał Tomek. — Ja nie chcę wracać.

— Wrócisz, wrócisz. Wszystko już załatwione. Będziesz chodził do szkoły muzycznej. Na angielski i na francuski.

— Mamo, po co? Mnie tutaj dobrze! — I Tomek, szurając po podłodze bosymi stopami, wyszedł zza ławy. — To pójdę się umyć, dziadku. — Otworzył i zamknął za sobą drzwi do łazienki.

— Nie rób mu krzywdy — odezwał się po chwili Bronowicz.

— Tatusiu, ja nie chcę, żeby mego syna wychowywała twoja Lili. To ja jestem jego matką. Ma poza tym ojca, chociaż ojciec jest w więzieniu. Chcę, żeby miał normalne życie. A tu nie ma normalnego, z tym wujkiem i dziadkiem, który nie może wstać z trawy. Upiłeś się?

Teraz Bronowicz popatrzył na córkę przez stół. Siedziała na tle ciemnego okna. Płomień lampy zafilował i twarz Joanny pojaśniała na chwilę.

— Mój Boże, co ty za głupstwa opowiadasz? Miałem zawał.

— Tomek tak napisał: „dziadek nie mógł wstać z trawy". I jeszcze o tym „wujku": „urodził się mój wujek".

— Nie cenzuruję listów wnuka. Ale masz rację: nic nie ma już do ukrycia. Lili jest matką mego syna.

— Jezus, Maria — powiedziała cicho Joanna. — Przecież wszystko się zmienia.

Rozmawiali do pierwszej w nocy. Siedzieli przez cały czas w kuchni, z przerwą, kiedy poszli przygotować posłania. Bronowicz zniósł ze strychu siennik, przygotowany na taką okazję. W dużym pokoju zapachniało sianem. Tomek przez chwilę mościł się, przykryty pierzyną. Joanna uklękła przy nim.

— Synku, tatuś dziękuje za list. Prosił, żebym cię pocałowała od niego. — Pochyliła się, objęła głowę syna, uniosła i pocałowała w czoło. — Pojedziemy razem go odwiedzić.

— To daleko?

— Koło Poznania. Zejdzie cały dzień na podróż i odwiedziny. A potem cały dzień na powrót do Warszawy.

— Mamo, ja nie chcę wracać do Warszawy. Tu mam wszystkich kolegów. Mogę łowić ryby, chodzić do lasu. Są psy, konie, krowy.

312

— Będziesz przyjeżdżał na wakacje.

— Ale ja chcę być tutaj zawsze — powiedział Tomek.

— Jutro porozmawiamy. Śpij.

Joanna podniosła się z klęczek i wróciła do kuchni. Ojciec stał przy piecu. Do porcelanowego imbryczka wsypał łyżkę herbaty „Ulung", zalał wrzątkiem z czajnika. Imbryczek postawił na odwróconej pokrywce, przesunął czajnik na środek blachy.

— Więc miałeś zawał? — usłyszał głos córki.

— Taką diagnozę postawił miejscowy felczer.

— Felczer? Nie macie tutaj lekarza? Nie trafiłeś do szpitala?

— Joasiu, tu nie ma takich możliwości — Bronowicz usiadł naprzeciwko córki. — Ale nie umarłem. Żyję.

— Mój Boże — powiedziała Joanna. — Właściwie dlaczego tak się stało? Spaliłeś mosty. Już nigdy nie wrócisz do mamy. Rozwiedziesz się?

— Nie. Chyba że mama wystąpi o rozwód.

— Nie kochałeś mamy? Dlaczego nas porzuciłeś?

Bronowicz milczał.

— Ja twego postępowania nie rozumiem. Rzuciłeś mamę, rzuciłeś nas. W chwili, kiedy wiadomo było, że ci okropni komuniści zaczynają prześladowania. Dlaczego nas rzuciłeś?

— Kochaj albo rzuć — powiedział ojciec. — Ja mamy nie kochałem. Kiedy wróciłem z oflagu, wszystko się zmieniło.

— Ale mężczyzna pamięta o swoich obowiązkach. Tak mnie zawsze uczono.

Bronowicz milczał.

— Nie rozumiem, nie rozumiem — powtarzała Joanna. — Kiedy mama mówiła, że ten wujek to na pewno twój syn, nie chciałam wierzyć. Byłeś dla mnie ideałem.

— Córeczko — powiedział ojciec. — Nie jestem ideałem. I nigdy nie byłem.

— Co teraz zrobisz?

— Nic. Co mam zrobić? Jeszcze trochę pożyję. A potem dostaniecie depeszę: „Józef Bronowicz zmarł". Proste rozwiązanie. Tak się przecież kończy każde życie.

— Tym bardziej nie mogę zostawić Tomka — powiedziała Joanna. — Jeśli tak myślisz o swoim życiu: „pożyję i umrę", to naprawdę nie mamy o czym mówić. Ogromnie mi przykro.

Pułkownik podniósł się, podszedł do pieca. Chwilę znowu stał nad blachą. Filiżanki czekały na brzegu płyty. Rozlał do obu esencję, nalał wrzątek. Ostrożnie, trzymając w dłoniach filiżanki, podchodził do stołu. Ta w lewej ręce chybotała się lekko.

— On ma tu cały swój świat. Chcesz mu to zabrać? Zburzyć? Rozsypać, jak tych jego ołowianych żołnierzy na podłodze? Po co?

— Zrozum. Ja to już raz powiedziałam wyraźnie, ale jeszcze raz powtórzę: nie chcę, żeby matkę zastępowała mu twoja Lili!

Bronowicz nie odpowiedział. Pili herbatę w milczeniu. Zegar wybił dwunastą: dwanaście razy „bim-bam". Wydawało się, że uderzenia odbijają się od okna i słychać trzecie „bam".

— Opowiedz o Janku — poprosił pułkownik.

Rozmawiali jeszcze godzinę o zięciu. Joanna opowiadała o nowych próbach wyciągnięcia męża z więzienia. O nadziejach na amnestię. O widzeniach, zawsze ze strażnikami, chodzącymi między krzyczącymi mężczyznami i kobietami. Po dwóch stronach krat.

— Mam nadzieję, że on to wszystko wytrzyma. Chociaż taki blady, mizerny. Jak cień dawnego Janka.

Teraz Bronowicz powiedział: — Mój Boże.

Tej pierwszej nocy jeszcze niczego nie ustalili na pewno. Jeszcze pułkownik nie był pewien: zabierze, nie zabierze wnuka?

Całą niedzielę, osiemnastego września, Joanna przeznaczyła na rozmowy z synem. Tłumaczyła cierpliwie, dlaczego musi wracać do Warszawy. Mówiła o babci, która czeka, o ojcu, który być może niedługo wyjdzie z więzienia, o tym, jak będzie się cieszył, gdy zastanie Tomka na Płatowcowej, i jak zmartwi, gdy nie zastanie. Opowiadała o szkole muzycznej, do której ma chodzić, o dawnych kolegach, jeszcze z przedszkola, którzy czekają na niego.

— Dziadek ma tutaj swoje życie. Jest Lili, jest ich dziecko. Ty masz swoją rodzinę w Warszawie.

Poszli po śniadaniu na spacer. Przez łąki. W stronę drogi do Gałkowa, a potem ścieżką. Wzdłuż pożółkłych leszczyn.

— Ale ja też mam tu swoje życie — mówił Tomek. — Razem z dziadkiem i Lili. Mnie tutaj jest dobrze. Nie chcę do Warszawy.

— Posłuchaj — mówiła Joanna — przecież będziesz przyjeżdżał na wakacje. Ale uczyć się musisz w Warszawie. Są lepsze szkoły, więcej możliwości. Nie możesz tkwić w wiosce zabitej deskami.

— Ale tutaj nie ma żadnej wioski zabitej deskami! A nasza szkoła na pewno nie jest gorsza od tych w Warszawie!

Skręcili na drogę w stronę leśnego jeziora, nad którym niedawno Bronowicz dostał zawału.

— Mamo, zobaczysz takie piękne miejsce! — ucieszył się Tomek. — Chodźmy. To niedaleko.

Idąc drogą opadającą w dół, przestali rozmawiać o wyjeździe. Joanna zamilkła — może zawahała się? Upór, z jakim syn powtarzał, że nie chce wracać — jego śmieszne i jednocześnie chwytające za serce, jak pomyślała, argumenty były szczere. Tego spontanicznego sprzeciwu nie mogła lekceważyć. Po raz pierwszy zastanowiła się: może jednak zostawić? Na rok, dwa — potem go zabierze do gimnazjum w Warszawie?

Doszli do miejsca, skąd widać jezioro. Tomek zaczął wołać:

— Mamo, mamo, zobacz! Stąd galopowaliśmy. Konie wpadły do wody jak szalone! Ja już w jeziorze zsiadałem z Benedykta. — I chłopiec pobiegł w dół, rozkładając ręce jak wtedy, gdy szli z dziadkiem.

Joanna zatrzymała się na skraju lasu. Patrzyła na jasnoniebieską taflę, na zielonopłowe trzciny, na odbicie ciemnych sosen w wodzie. Poczuła zapach jeziora: iłu, piasku, mokrych kamyków.

— Mamo, chodź! — wołał Tomek.

Poszła wolno dalej i usiadła na pniu blisko brzegu. Syn kucnął obok.

— Tu, koło tego pnia, gdzie siedzisz, leżał wtedy dziadek. I nie mógł wstać. Musiałem pobiec po Lili. Przyjechaliśmy wozem i zabrali dziadka.

— Pamiętasz, co wtedy mówił?

— Że go boli. Naprawdę nie mógł wstać. Mamo, mamo, a wcześniej spotkaliśmy tutaj partyzantów. Chcieli nam zabrać konie. A jeden chciał zastrzelić Wasyla, bo myślał, że to komunista.

— Naprawdę? Jak to było?

— Tu leżał niemiecki pistolet, tego, co siedział na pniu. — Tomek pokazał miejsce na trawie. — Wasyla chciał zastrzelić drugi. Z pepeszy.

— Boże, przecież to było okropnie niebezpieczne — powiedziała Joanna.

Kiedy wracali ze spaceru, znowu zaczęła przekonywać syna.

— Zobaczysz, będziesz zadowolony. W szkole muzycznej jesteś zapisany do klasy z fortepianem. Czy pamiętasz, że kiedyś nauczycielka muzyki zbadała twój słuch? Masz absolutny słuch, synku.

— Mamo — mówił Tomek — po co mi absolutny słuch, jak nie będę się cieszył? W Warszawie to na pewno będę stale zmartwiony.

— A tu jesteś szczęśliwy?

— Tak. Nie zawsze tak naprawdę. Ale często jestem szczęśliwy naprawdę.

Joanna roześmiała się.

— W Warszawie też będziesz szczęśliwy. Na pewno.

Wyszli z lasu na łąki i poszli ścieżką w stronę czerwonego dachu stodoły. Minęli krowy, potem konie za palisadą. Przeszli przez otwarte wrota na podwórze. Tomek podbiegł do budy Atamana. Chwilę klęczał, gładząc i klepiąc psa.

— Mamo, podejdź, on ci nic nie zrobi! — zawołał, ale Joanna już odeszła za daleko.

Bronowicz czekał z obiadem. Urszula zostawiła na niedzielę grochówkę z kawałkami boczku. Na drugie kotlety z mielonej wołowiny. Wszystko gotowe do podania. Pułkownik zrobił sałatkę z pomidorów i ogórków.

— Nie wiedziałam, że mieliście partyzantów w lesie — powiedziała Joanna. — Tomek wszystko opowiedział.

— I nastraszył mamę, co? Już dawno ich nie ma. Poza tym — mówił pułkownik — moje Virtuti Militari robiło wrażenie. Jeżeli ktokolwiek był niebezpieczny, to na pewno nie oni.

— Ale Wasyla chcieli zastrzelić.

— Byli podejrzliwi, to jasne. Donieść mógł każdy napotkany człowiek. Naprawdę z ich strony nie było zagrożenia.

— Gorsi byli kłusownicy, prawda dziadku? — odezwał się Tomek.

— Jacy kłusownicy? Kłusownicy wam grozili? — zaczęła dopytywać się Joanna. — Mieliście zatarg z kłusownikami?

— Przeszło, minęło. Byli pijani i agresywni. Miejscowe UB — powiedział Bronowicz.

— Oni chcieli zastrzelić dziadka!

— Jezus, Maria! Nic nie mówiliście, nie pisaliście! Jak to było?

Temat partyzantów i kłusowników zdominował rozmowy przy niedzielnym obiedzie. Dopiero gdy pili herbatę na werandzie (Tomek pobiegł z wędką na most), Joanna wróciła do sprawy wyjazdu syna.

— Proszę cię, wytłumacz Tomkowi, że nie może się upierać. Ja go naprawdę zabieram. Bez odwołania. Ale chcę uniknąć dramatu. Ty możesz mu wszystko wytłumaczyć.

— Wyrządzisz mu krzywdę — powtórzył Bronowicz. — On jest tu szczęśliwy.

— Przecież to dziecko. Minie trochę czasu i w Warszawie tak samo poczuje się szczęśliwy.

— Nie tak jak tutaj — powiedział ojciec. — Tu ma swój czarowny świat.

— Nie chcesz mi pomóc? Od ciebie dużo zależy. Nie mogę się z nim szarpać.

Bronowicz patrzył na łąkę za stodołą, na skraj lasu i na to samo niebo, na którym, tak niedawno, liczył bociany zbierające się do odlotu.

— Nie boisz się, że i ciebie wezmą? Że i tobie wytoczą proces?

— Już nie. Minął rok. Janka skazali i to im pewno wystarczy. Nie czuję niepokoju jak przed rokiem — powiedziała Joanna.

Wieczorem, przy lampie w kuchni, Bronowicz napisał list do żony: „Droga Izo, Joanna na pewno opo-

wie ci wszystko. Szczegóły naszego życia tutaj. Ja tylko
o tym, czego już ukrywać nie ma sensu, a czego pewno domyślasz się. Związałem się w Lipowie z kobietą,
która urodziła dziecko. Jest dużo młodsza ode mnie,
więc na pewno wychowa mego syna. Ja sam pewno nie
pociągnę długo. Teraz zmieniać wszystkiego w życiu
nie mam siły ani ochoty. Dam dziecku nazwisko, ale
przecież żenić się z Urszulą nie będę ani tobie propo-
nować rozwodu. Chyba że ty na to zdecydujesz się. I to
wszystko. Wybacz, bo wiem, że dla ciebie ta sprawa to
wielki zawód. W ogóle to ja ciebie kilka razy zawiodłem
w życiu i za to też chcę przeprosić. Ręce twoje całuję —
Józef".

List, w różowej kopercie, wręczył Joannie po kolacji.

— Oddaj mamie. Napisałem kilka słów.

— Jesteś pewien, że to potrzebne? Ja myślałam, że
nic jej nie powiem. Nic, nic. Niech żyje w nieświado-
mości. Ten „wujek" Tomka to jakiś żart, głupstwo. Coś
mamie wytłumaczę.

— Jak chcesz — powiedział Bronowicz. — Jak
chcesz. Przeczytaj list i sama zdecyduj.

Późno zjedli kolację. Joanna z Tomkiem dopiero
przed dwunastą poszli do pokoju. Bronowicz został
sam w kuchni. Zaczął zmywać naczynia na stołku koło
pieca, kiedy przybiegł Tomek (Joanna, być może, wyszła
na chwilę do domku za krzakami bzów). W piżamie,
boso, z rozmachem otworzył drzwi.

— Dziadku — zaczął wołać — mama naprawdę chce
mnie zabrać! Ja nie chcę do Warszawy! Nie chcę, a ty
możesz się nie zgodzić!

Bronowicz, trzymając ociekający wodą talerz, powiedział:

— Chłopcze, to jest twoja mama. Ona decyduje. Ja jestem tylko dziadkiem.

— Ale powiedz jej, powiedz jej! — prosił wnuk. Klęknął, składając ręce jak do modlitwy: — Ja nie chcę do Warszawy! Dziadku!

— Mój Boże — mówił Bronowicz. — Niestety, nie mogę mamie zabronić. W Warszawie mieszkają twoi rodzice. Tata, być może, wróci niedługo. Będziesz chodził do lepszej szkoły.

— Ale ta nasza, tutaj, też jest bardzo dobra! — krzyknął wnuk.

Joanna stanęła w drzwiach kuchni.

— Tomku, już przecież uzgodniliśmy wszystko. Jutro pan Wasyl odwiezie nas na stację. Bardzo proszę. Nie męcz dziadka.

Tomek zerwał się z klęczek i pod ramieniem matki wybiegł na werandę. Joanna pobiegła za nim.

— Tomku, Tomku! — zaczęła wołać.

Z okien kuchni padały na trawę prostokąty słabego światła od naftowych lamp. Dalej było ciemno. Tomek nie odezwał się — znikł. Gdzieś, spod stodoły, dobiegło skomlenie psów.

Bronowicz wyszedł po chwili, stanął obok córki. Wycierał mokre ręce ścierką.

— Tomek! — krzyknął. — Wracaj!

Ale zamiast Tomka przybiegł tylko Kajtek. Wskoczył po stopniach na werandę i zaczął łasić się do pułkownika.

— Tomku, Tomku! — wołała Joanna. — Wracaj!

Zaczęli zaraz szukać chłopca. Bronowicz wziął lampę na łańcuchach. Obeszli podwórze, stodołę, byli w stolarni. Pułkownik oświetlił budę Atamana, sprawdzając, czy tam wnuka nie ma. Poszli przez wrota na drugą stronę. Dalej były tylko łąki, łąki we mgle. Las.

— Tomek, Tomek! — krzyczał Bronowicz.

W wiosce szczekały psy. Stali bezradni.

— Co teraz będzie? — spytała Joanna. — Jutro musimy jechać.

Bronowicz przeszedł kilka kroków. Zawrócił.

— No widzisz — powiedział — tak to jest, jeśli wszystko dzieje się zbyt nagle. Bez pytania o zgodę.

— Ale to mój syn! — krzyknęła Joanna.

Wrócili na werandę.

Tomek, potykając się o krecie kopce, przebiegł kilkadziesiąt kroków od stodoły. Zdyszany zaczął iść w stronę lasu. Być może chciał tylko obejść łąkę — zrobić wielkie koło — od wrót stodoły do drogi w stronę Gałkowa, wrócić koło palisady, za którą są Dońka i Benedykt. Szedł, ciągle potykając się, minutę lub dwie — po ciemku, po mokrej trawie, w mgle nad łąkami. Odchodził coraz dalej — był zapewne blisko lasu, kiedy nagle wszedł między krowy. Wyczuł ich obecność — usłyszał jedno, potem drugie sapnięcie. Gdzieś bardzo blisko, tuż, tuż. Zrobił jeszcze jeden krok i omalże nie potknął o krowi zad. To była Góralka lub Wierna. Stęknęła — chyba chciała wstawać, ale Tomek zaraz klęknął przy niej, przysunął się bliżej, oparł o ciepły brzuch. Wierna znieruchomiała. Chłopiec podkulił nogi, objął kolana i tak siedział, także bez ruchu. Trawa w tym miejscu, wygrzana krowim ciepłem, była sucha.

Trochę później usiadł wygodniej, wyciągnął się, oparł plecami. Mgła nad łąką rzedła i gęstniała. Czasem nad głową chłopca otwierało się czyste niebo, a wtedy widział gwiazdy. Tyle gwiazd — myślał — tak dużo gwiazd.

W wiosce szczekały psy. Zamknął oczy.

Joanna nie spała do świtu. Co pewien czas, z latarką ojca, szła przez podwórze. Wychodziła przez wrota stodoły na skraj łąki. Wołała:

— Tomku, Tomku, synku!

Wracała koło budy Atamana, który za każdym razem wyczołgiwał się, podzwaniając łańcuchem. Słyszała skomlenie.

Wracała na werandę, gdzie czekał ojciec przy lampie naftowej. Siadała na ławie. Patrzyła na ćmy, bijące o szklany klosz. Bronowicz próbował pocieszać córkę:

— Nic mu się nie stanie. Schował się, ale przecież rano się znajdzie.

Sam chodził kilka razy szukać wnuka. W stodole wszedł nawet po drabinie — oświetlił lampą siano nad boksami krów. I on wołał:

— Tomek, Tomek, gdzie jesteś? Odezwij się!

Był przy wybiegu dla koni. Dońka przyszła zaraz pod palisadę — poklepał szyję klaczy. Wracał, a wtedy Joanna szła z latarką.

— Tomku, Tomku! — słyszał nawoływania.

Dopiero po czwartej rano, kiedy zaczęło się rozwidniać, poszli dalej na łąkę. Pułkownik gwizdnął na Kajtka. To pies doprowadził ich do Tomka. Z daleka zobaczyli jasną głowę opartą o krowi brzuch. Chłopiec spał na boku, trzymając łokieć pod głową. Kajtek wspiął się na kolana Tomka, polizał po twarzy. Wierna sapnęła niespokojnie. Odwróciła łeb i popatrzyła na ludzi, jakby chciała spytać: chcecie go budzić?

Joanna uklękła obok syna.

— Tomku, Tomku, wstawaj! Pójdziemy do domu, jeszcze prześpisz się w łóżku. Normalnie.

Chłopiec otworzył oczy. Usiadł, wtulił głowę w ramiona.

— Jak mogłeś tak postąpić? — mówiła matka. — Całą noc, do tej pory, nie zmrużyłam oka. Dziadek wychodził, wołał. To przecież niepoważne, śmieszne, żeby chłopiec w twoim wieku tak się zachował. Dlaczego?

— Ja nie chcę do Warszawy — powiedział Tomek. Wstał, poklepał Wierną po brzuchu i poszedł przez łąkę, nie oglądając się. Bronowicz z Joanną poszli za nim. Kajtek dopiero teraz zaczął obszczekiwać krowy. Pułkownik obejrzał się, gwizdnął na psa.

Trawa była mokra. Wilgotne źdźbła kleiły się do bosych nóg Joanny.

Przed dziewiątą wszystko było przygotowane do wyjazdu. Plecaki i tornister leżały na werandzie. Kończyli śniadanie w kuchni. Bronowicz nie odzywał się. Joanna mówiła do syna:

— Będziemy chodzić do kina, do teatru, na koncerty. Poznasz nowych kolegów. Zobaczysz, na pewno będziesz zadowolony.

— Ale tutaj nawet nie pożegnałem się z kolegami. Nie poszedłem do szkoły, żeby powiedzieć „do widzenia". To ty, mamo, nie pozwoliłaś. Co pomyśli o mnie pani kierowniczka?

— Dziadek jej wytłumaczy. Nie zdążyłbyś. Zaraz pojedziemy. O dziesiątej z minutami mamy pociąg.

— Dziesiąta dwanaście — powiedział Bronowicz.

— Koledzy nic nie będą wiedzieli.

— Napiszesz.

Usłyszeli, że Wasyl podjeżdża bryczką pod werandę. Wczoraj Bronowicz poprosił, aby odwiózł córkę i wnuka. Chodził wieczorem do Jakynowyczów. Wasyl nie mógł uwierzyć.

— Pane pułkowniku, chłopaka zabierają? Nie będzie naszego Tomka?

— Decyzja matki. Co ja mogę? Przecież go nie zatrzymam — mówił pułkownik.

— Ciężko będzie odwozić — powiedział Semen.

Joanna wstała:

— Pożegnaj się z dziadkiem. Już czas.

Tomek siedział za stołem, nieporuszony.

— Mama, proszę!

— Nie, nie, nie! Wstań!

Bronowicz przechylił się przez stół.

— W życiu, chłopcze, przeżywamy różne chwile. Nie ma na to rady. Wstań. Obiecałeś mamie.

Na werandzie Tomek objął słup nad schodkami. Przycisnął głowę do szorstkiej belki i tak stał chwilę. Joanna podniosła plecaki i tornister syna. Zeszła na trawnik. Bronowicz podszedł do wnuka, przygarnął mocno.

— No, no chłopcze. Przyjedziesz za kilka miesięcy. Może zimą, na święta?

Wasyl ułożył plecaki w kufrze, zamknął klapę. Benedykt potrząsnął łbem, zadzwoniły mosiężne kule.

— Tomku! — zawołała Joanna, wsiadając do bryczki. — Jedziemy!

Tomek objął w pasie dziadka, przytulił się na chwilę, potem zbiegł po schodkach. Wskoczył do bryczki, usiadł obok matki z impetem — żółty kosz zakołysał się. Wasyl wsiadał ostatni, cmoknął na konia. Odjechali. Jeszcze tylko Kajtek pobiegł za nimi. Odprowadzał na drogę przez łąkę. Biegł obok bryczki, biegł, ale zaraz zatrzymał się, zaczął obwąchiwać kamień przydrożny. Potem usiadł na środku polnej drogi i patrzył, jak bryczka, kolebiąc się, jedzie powoli w stronę lasu.

Bronowicz poszedł przez podwórze i dalej przez otwarte wrota. Stanął po drugiej stronie i też patrzył, jak jadą przez łąkę. Bryczka kołysze się, kołysze — dojeżdża do drogi do Gałkowa. Zbliża się do lasu. Jest już blisko, jest na skraju i znika pod sosnami. Wtedy odwrócił się i poszedł wolno w stronę palisady, za którą niespokojnie chodziła Dońka. Oparł się o belkę i czekał chwilę na klacz. Dońka przyszła zaraz, oparła łeb blisko ramienia pułkownika, zastrzygła uszami. Bronowicz położył dłoń na szyi konia. Po skórze Dońki przebiegł dreszcz. Podrzuciła łbem i zarżała cicho.

Tego ranka Manfred Szczepek nie doczekał się Tomka. Stał długo przed furtką, nawet poszedł kawałek w stronę łąki. Ścieżka, którą zawsze kolega przybiegał, była pusta. Mani postał chwilę, odwrócił się i sam pobiegł do szkoły.

A Wasyl, Tomek i Joanna, nim wyjechali z lasu i pojechali dalej — w stronę Jakubowa i Starego Boru — spotkali na leśnej drodze Urszulę z dziećmi. Szła, pchając wózek z „małym pułkownikiem". Zuzi za nią, z koszykiem, pewno z produktami. Wasyl nie zatrzymał konia. Przejechali obok szybko. Lili i Zuzi odwróciły się i stały chwilę na leśnej drodze, patrząc za bryczką.

— Kto to był? — spytała Lili.

— Mama Tomka. A on siedział obok.

— Telo na jeden dzień przyjechała? — zdziwiła się Urszula. — Po co? — Znów zaczęła pchać wózek po piasku. Zuzi jeszcze patrzyła za bryczką. Zdawało jej się, że Tomek obejrzał się i że pomachał do niej. Nie była pewna.

Pół godziny później zatrzymały się przed werandą. Na schodkach siedział Bronowicz. Lili od razu domyśliła się, że stało się coś niedobrego. Obok pułkownika, na progu, stała butelka śliwowicy. Tej samej, którą niedawno częstował jej ojca, kiedy Kraska przyszedł obejrzeć dziecko. Bronowicz trzymał szklankę do połowy napełnioną. Obracał w palcach.

— Mów! Co się stało? — odezwała się Urszula.

— Joanna zabrała Tomka.

— *Mein Gott* — powiedziała Lili. — Na zawsze?

Bronowicz nie odpowiedział. Dopił śliwowicę, wstał niezgrabnie, zachwiał się. Podniósł butelkę i trzymając w drugiej dłoni pustą szklankę, przeszedł przez werandę. Kolanem otworzył drzwi do sieni.

— Co wujek mówił? Co powiedział? — zaczęła pytać Zuzi. — Nie będzie Tomka? Wyjechał?

Urszula przygarnęła córkę.

— Słyszałaś. Nie ma.

— Wyjechał i nie wróci? — spytała jeszcze Zuzi.

Teraz Urszula nie odpowiedziała. Zuzi pobiegła naokoło domu — do ogrodu. Uklękła pod śliwą na wilgotnej trawie.

Wasyl wrócił w południe. Odprowadził Benedykta na łąkę i poszedł opowiedzieć pułkownikowi, jak było. W kuchni zastał tylko Urszulę.

— Śpi. Nie będziemy go budzić — powiedziała.

Wasyl usiadł na ławie pod oknem.

— *Nikoły ja nie płakał* — odezwał się po chwili. — *No i naszczo* ona go wzięła?

Urszula nie odpowiedziała. Weszła do łazienki i zamknęła za sobą drzwi.

O dwunastej Zuzi, jak zawsze, spacerowała z wózkiem przed domem. Mały budził się, popłakiwał, znów zasypiał. Siostra śpiewała kołysankę ułożoną przez siebie. Tylko z trzech słów: „Mały Gustek śpi, aaa! Mały Gustek śpi, aaa!".

Niedawno Urszula wybrała imię dla dziecka: Gustaw. Było to imię jej brata, który nie wracał z sowieckiej nie-

328

woli. Poprosiła też Wasyla i Hanię na rodziców chrzestnych (telo czy pastor się zgodzi? — niepokoiła się).

— Mały Gustek śpi, aaa! — powtarzała Zuzi. Kołysała wózkiem.

Kiedy była w ogrodzie za domem, znalazła w trawie porozrzucanych żołnierzy Tomka. Leżeli pod jabłonkami, pod śliwą i gruszą. „Polska piechota w marszu", „Niemieccy grenadierzy przy cekaemach", „Anglicy w ataku", „Ułani księcia Poniatowskiego na pozłacanych koniach". Zuzi, na kolanach, zbierała ołowiane figurki. Układała oddzielnie polską piechotę, Niemców, Anglików i ułanów. Cztery kopczyki przykryła liśćmi łopianu. Pobiegła do domu, żeby poszukać tekturowych pudełek, ale nie znalazła. A potem matka kazała jej zająć się małym i Zuzi zapomniała o żołnierzach.

— Aaa, mały Gustek śpi, aaa!

Chodziła pod werandą, pod bzem, naokoło studni. Szła w stronę otwartych wrót stodoły. Zawracała.

Przed drugą zaczął padać deszcz i Zuzi z Urszulą wniosły wózek na werandę.

2008–2011

Wydanie pierwsze

Opieka redakcyjna
Krzysztof Lisowski

Redakcja
Anna Rudnicka

Korekta
*Barbara Borowska, Barbara Górska,
Etelka Kamocki, Urszula Srokosz-Martiuk*

Projekt okładki i stron tytułowych
Witold Siemaszkiewicz

Zdjęcie wykorzystane na okładce
© William Gottlieb / CORBIS / Fotochannels

Redakcja techniczna
Bożena Korbut

Książkę wydrukowano na papierze Norbook Cream 80 g vol. 2,0
dostarczonym przez Zing Sp. z o.o.

Printed in Poland
Wydawnictwo Literackie Sp. z o.o., 2012
ul. Długa 1, 31-147 Kraków
bezpłatna linia telefoniczna: 800 42 10 40
księgarnia internetowa: www.wydawnictwoliterackie.pl
e-mail: ksiegarnia@wydawnictwoliterackie.pl
fax: (+48-12) 430 00 96
tel.: (+48-12) 619 27 70
Skład i łamanie: Infomarket
Druk i oprawa: Drukarnia POZKAL

ISBN 978-83-08-04906-8 — oprawa broszurowa
ISBN 978-83-08-04900-6 — oprawa twarda